50皇冠

50週年 嚴選50

我從童年開始，就迷上了讀書。

十四、五歲的時候，更是瘋狂般的愛上了書本，

曾經利用整個暑假，到師大圖書館去看書，

每天從圖書館開門，看到圖書館關門。

直到如今，我仍然離不開書本。

我覺得，人的生存條件，

有空氣、陽光、食物、水。

對我而言，書本就是我精神上的

空氣、陽光、食物和水。

瓊瑤

瓊瑤◎著

還珠格格

第三部

天上人間

三之二

24

這是慈寧宮裡最隱密的一個房間，嚴格說起來，就是慈寧宮裡的監牢。整個房間都是石壁，只有在高牆的上方，有幾個鳥都飛不進來的小孔，透著一點兒天光。厚重的鐵門，用重重的門閂和鐵鍊鎖著，在門的上方，有一個可以從外面開啓的小窗，以便監視門裡犯人的舉動，和送飯菜之用。在宮裡，這種密室都是用來禁閉侍衛，懲罰太監用的，幾乎每個宮裡都有幾間。因爲許多侍衛，都身懷絕技，這種房間，幾經改建，也越建越牢。在慈寧宮，這個密室早已廢棄不用，太后頂多只用到偏院的暗室。但是，這次，爲了小燕子等六個人，這間房間又派上用處了。

房裡靜悄悄的，地上，橫七豎八的躺著六個人，小燕子、紫薇、晴兒躺在一邊。另一邊，是爾康、永琪、和簫劍，六個人都在沉睡。室內有簡單的桌椅，桌上，有盞油燈，兀自冒著火焰。四壁蕭然，房裡充滿了詭異和肅殺的氣氛。

慢慢的，大家逐漸從沉睡中醒來，翻身的翻身，伸手伸腳的伸手伸腳。

第一個醒來的是小燕子，她呻吟了一聲，睜開了眼睛。一時之間，不知置身何處，迷糊的問：

『我怎麼睡著了？哎，好硬的床……』她一翻身，撞到旁邊的紫薇，一驚，這才驀然醒覺：『這是什麼地方？』

她飛快的坐起身子，四面一看，發現自己坐在地上，身邊躺著紫薇和晴兒，再過去，爾康、簫劍、永琪都躺在地上。她驚愕而困惑，還沒想起是怎麼回事。趕緊去推紫薇和晴兒，喊著：

『紫薇！晴兒！趕快醒一醒，我們爲什麼睡在這裡？我們不是在和老佛爺喝酒嗎……』她驀的住口，腦子裡，許多畫面浮了起來。喝酒乾杯、老佛爺翻臉、簫劍的話、殺父之仇、身世之謎、打架……她想起來了！

這時眾人紛紛醒轉。爾康跳起了身子，急喊：

『紫薇！小燕子！晴兒！妳們怎樣了？』

紫薇迷糊的看了爾康一眼，立刻坐起來，只覺得頭昏腦脹，思想混沌。

『我們怎麼睡了一地？這是……』

爾康扶住紫薇，著急的說：

『我們被老佛爺下了藥……妳趕快起來活動一下，看看有沒有頭暈眼花什麼的？』四面一看，抽了一口冷氣：『這是慈寧宮的密室，我們被囚禁了！』

晴兒坐起身，揉著眼睛說：

『我是醉了吧？全身都沒力氣！』她看著眾人，頓時醒悟，抬頭看房間，驚呼著：『密室，我們在密室裡！』她急切的喊：『紫薇，爾康，簫劍，小燕子，五阿哥……大家都在嗎？都活著嗎？』

永琪迷迷糊糊的驚跳起身，以爲自己還在慈寧宮裡打架，嘴裡大嚷：

『高庸！你敢讓人打還珠格格，我跟你們拚命！』身子一晃：『頭暈！』

爾康跳過來，一把扶住，永琪看也沒看清楚，掄拳就打。爾康毫無防備，被打了個正著，慌忙抓住永琪的雙臂，搖著。

『別打別打！是我呀！清醒一下，睜大眼睛看看！』

永琪睜大眼睛，醒了，不敢相信的看著眾人，陷進思索裡。

簫劍也搖搖晃晃的站起來了。環視眾人問：

『大家都好嗎？有沒有人受傷？』

永琪看看這個，看看那個：

『我想起來了，老佛爺要我們來喝酒……難道……老佛爺把我們關起來了？』

爾康點頭，沉痛的說：

『是！老佛爺把我們通通關起來了。還好，那個酒裡，只有迷藥，沒有毒藥。否則，我們這麼不小心，這麼沒心眼，應該全部都沒命了！看樣子，眞要我們幾個死，也簡單得很！』

大家面面相覷，不敢相信，卻不能不信，思前想後，各有各的震撼。

紫薇見小燕子直著眼睛，呼吸越來越急促，就急忙拉著她的手，說：

『我們不要慌，往好處想，老佛爺雖然查明了眞相，她還是顧念著我們的，她沒有對我們下毒手！』她沒把握的看眾人：『是不是？』

沒有人敢附和紫薇這句話，大家都沉默著。簫劍已經察看了一下環境，看到四壁厚厚的石牆，看到那厚重的鐵門，知道門外牆外，必然還有重重侍衛守著。他明白，這次是插翅難飛了，更加沉默不語。

小燕子一直在回想整個的經過，想簫劍說的話：『妳的皇阿瑪，就是我們的殺父仇人！』她的心，陡然一抽，抽得渾身都痛楚起來。她再也控制不住自己，發出一聲撕裂般的痛喊：

『不要……我不要……我不要……怎麼會這樣？我不要……』她一面喊著，一面衝向簫劍，撲在他身上，她用拳頭瘋狂的打著他，搖著他，不停的喊：『你爲什麼要編故事？你爲什麼要那樣說？我們的爹，到底是誰？是怎麼死的？怎麼死的？』

簫劍痛楚的看著小燕子，難過極了。

『小燕子，事到如今，我不能不說實話了，我們的爹，確實是浙江巡撫方之航！二十四年前的文字獄，他被斬首示眾……』

小燕子一聽，就瘋狂的搖頭，大喊：

『我一個字也不相信，我不要相信！這全是謊言，是天大的謊言！皇阿瑪不是我的殺父仇人，他不會殺我爹，他不會砍我爹的腦袋！不會，不會……我沒有嫁給仇人的兒子，我不要……不要……不要……』

小燕子邊喊邊打，眼淚滴滴答答向下掉。簫劍試圖抓住她的手，沉痛的說：

『小燕子……對不起……對不起……』

小燕子繼續猛烈的揮拳，激動得一塌糊塗，哭著喊：

『我不要你的「對不起」！我恨你，恨你，恨你……如果你說的是眞的，爲什麼當初不告訴我？爲什麼在南陽的時候，不把我帶走？爲什麼不拆散我和永琪？爲什麼讓我回宮？爲什麼讓我把仇人當成爹……』她越說越明白，眞相就是這樣了，再也逃不開，賴不掉了，就哭倒在簫劍肩上。

簫劍一把就擁住了她，跟著落淚了。

『是！我一錯再錯！當初，應該在會賓樓認出妳以後，就死咬住這個祕密，到了南陽，也不該認妳，應該飄然遠去，更不該跟你們回宮，再招惹上晴兒……我的不忍，我的捨不得，造成今天的局面，我害了你們每一個人，害了我唯一的親人……我確實該打，該死！』

晴兒聽到這兒，早已淚落如雨了，就奔過來，扶著小燕子，也哭著說：

『是我不好！都是我的錯！在杭州，假若我不冒雨追簫劍，他已經走了。那麼，老佛爺就不會調查這一切，所有的祕密，都可以保全了！小燕子，請妳原諒我，是我這麼殘忍，這麼自私，讓妳必須面對這份「眞實」！』

小燕子一聽『眞實』二字，更是心碎腸斷，痛不欲生了。激烈的喊：

『不是「眞實」，絕對不是「眞實」！皇阿瑪對我那麼好，他知道我是冒牌格格，還是留住我，他寵我，照顧我，教育我，不在乎我的出身，不在乎我沒學問，答應永琪娶我……』想到乾隆的好，她泣不成聲：『他還給我免死金牌，追到南陽接我回家……他是我的皇阿瑪呀……他比親爹也不差呀……我不要……我不要……』

小燕子這一番痛斷肝腸的話，讓房裡的其他五個人都濕了眼眶。不止他們五個，在密室的門外，那扇小鐵窗虛掩著，太后和知畫二人，正悄悄注視著室內的一切。兩個人也跟室內其他的人一樣，深受震撼。太后聽著聽著，聽到小燕子訴說乾隆的好，字字句句，都掏自肺腑，不禁落下淚來。知畫拿著小手絹，爲太后拭淚，眼中也是濕濕的。

密室裡，人人動容，個個傷心，只有永琪，還陷在巨大的震撼中，半信半疑。

紫薇走上前去，摟住小燕子，含淚說：

『小燕子，事實眞相已經揭穿了，再也隱瞞不住了。妳也接受這個事實吧！我和爾康，在南陽就知道了眞相，是我們兩個，說服了簫劍，要他忘記仇恨，把眞相瞞住，爲了成全妳和五阿哥的感情！』

『就是！』爾康接口：『假若妳知道了眞相，怎麼可能嫁給永琪呢？我們也是一番好意，沒料到還是逃不掉今天這個局面！如果有錯，我和紫薇也是罪魁禍首。』

小燕子就哭著轉向紫薇，投進她的懷裡，抽泣著說：

『紫薇！妳知道的，那個皇阿瑪……我……我……我……我愛他呀……』

紫薇拚命點頭，跟著落淚：

『是！是！我知道，我知道！我比誰都明白！我也愛他呀，他是我的親爹呀！我也有我的自私，這麼久以來，我害怕妳知道眞相，因爲，我不要妳恨他，不要妳仇視他！他是我和永琪的親爹呀！』

永琪一直在看，一直在聽，越來越心驚膽戰。對他來說，這個眞相的揭穿，他比小燕子還震驚。如果小燕子的親爹，是以『謀逆罪』伏法，這意味著，他娶了一個在全國最不該娶的女人！也意味著，爲了皇室和乾隆，他必須大義滅親，犧牲小燕子！想到這點，他不但不寒而慄，他的心也粉碎粉碎，他的世界根本天崩地裂了！他搖頭，不行！不能這樣！不行！不可以這樣！他衝上前來，抓住了簫劍，喊著：

『簫劍！你憑什麼說皇阿瑪是你們的「殺父仇人」？我覺得太奇怪了！小燕子不要相信，我也不要相信！』他轉向小燕子：『小燕子，聽我說，這個「殺父之仇」的認定標準絕對有問題，妳不要傷心，說不定全是誤會！皇阿瑪如果下令斬首，一定因爲案情重大，我們必須把案子調出來，才知道有沒有隱情，有沒有冤枉……何況，妳從小流浪，到底是不是簫劍的親妹妹，恐怕也有問題……我早就懷疑他認錯了妹妹……』他一面說，一面去扳她的肩膀。

小燕子情緒激動，一唬的摔開永琪，崩潰的大喊：

『你不要碰我！你爹殺了我爹，你還敢碰我？你是我仇人的兒子……你走開走開，我不要再見到你，你害我沒臉見天上的親爹，你還要讓我不認親哥哥嗎？你太壞了，你敢這樣說，我恨你恨你恨你恨你……』

永琪一退，臉色大變，神態慘然。他大受打擊，痛楚的說：

『小燕子，我們經過了多少風風雨雨才到今天，我對妳的心，天知地知！妳爹的事，我也被蒙在鼓裡，我也沒有選擇的機會！如果我早知道妳的身分……』

小燕子早就神志不清，心碎腸斷。聽到永琪這樣一說，更是句句刺耳，她尖聲喊著打斷：

『你早知道，早就把我甩了，是不是？』

永琪怔了怔，悲哀的看著她，這個他用整個生命來愛著的女人，這個一顰一笑都讓他失魂落魄的女人！他誠實的、惻然的說：

『不是，我早就帶妳去大理了！不會讓妳面對今天的局面……』

小燕子一楞，『哇』的一聲，放聲痛哭，撲進永琪的懷裡，一疊連聲的喊：

『永琪永琪，我要怎麼辦？我們要怎麼辦？我沒有恨你沒有恨你，我……我……我那麼喜歡你，我……我……我不要你成爲我的敵人……我不要……』

永琪含淚點頭，抱緊她，也一疊連聲的回答：

『我知道，妳不用說，我都知道！』

門外的知畫，看到這兒，淚珠從眼中墜落。太后也是一臉的震撼和不忍。

密室內，爾康看到大家情緒激動，往前一邁步，大聲說：

『大家都冷靜一點，不要哭哭啼啼了！聽我說，關於小燕子的身世，現在是眞相大白，小燕子和五阿哥，你們除了勇敢的接受這個事實，已經沒有退路。不過，五阿哥說得對，這個案子，確實有調查的必要！但是，我們現在的問題，不是調查當初的案子，不是再去追究事實，而是目前，我們被老佛爺囚禁在這兒，眼看，皇阿瑪也會知道眞相！等到皇阿瑪知道了，我們還有生路嗎？我看，不管我們有理沒理，這次，恐怕十面金牌也救不了我們的命！我們要怎麼辦？』他看著大家，在這個紛亂的時刻，他那種領袖般的氣質就凸顯出來了，他對大家招招手：『來來來！我們大家圍在一起，把眼淚擦乾，坐下來好好的討論一下！』

門外的太后，拉了知畫一把。爾康他們要好好討論，太后也需要好好討論。弄成這個局面，下一步，到底該怎麼走？

『現在，我都明白了！』太后回到臥室，摒退了閒雜人等，只留下了知畫，說：『簫劍和小燕子，確實是方之航的兒女！』她情不自禁的打了一個寒戰：『皇帝把仇家的兒女，養在身邊，太可怕了！但是，小燕子和永琪，是眞的不知情，爾康和紫薇，是早就知道了！』

『晴格格和簫劍私奔，也是爲了這個！』知畫深深看太后，眼裡帶著求情的意味：『老佛爺，我想，簫劍並沒有要報仇的意思！』

太后傾聽著。知畫再誠摯的，認眞的分析：

『您聽到紫薇格格的話，他們說服了簫劍，放下了仇恨。我想，簫劍肯跟大家回宮，肯讓小燕子嫁進皇室，不是爲了報仇，是因爲手足之情，戰勝了仇恨之心！』

太后沉思，眼神深邃濕潤。

『妳說的有理！我看到小燕子哭得那麼傷心，一句句話，都打進我心坎裡，我也不能不感動……那孩子，好像對皇帝眞有愛心，我是不是做錯了？如果不揭穿他們，或者大家也能糊裡糊塗過一輩子吧？』

『老佛爺明察秋毫，已經知道的事，怎麼能不揭穿呢？簫劍和還珠格格，當初逃過一劫，已經是奇蹟了！逃過一劫又雙雙進宮，就是奇蹟中的奇蹟，難怪老佛爺要疑惑，任何人都會不安心吧！』

知畫的話，給了太后極大的安慰。激動的說：

『就是這句話！叫我怎麼能「安心」呢？這樣一個有殺父之仇的格格，生活在皇帝的身邊，我想起來就發抖了！還有那個簫劍，身手那麼好，武功那麼強，他要有個什麼居心，眞是防不勝防呀！』

太后在室內兜著圈子，煩亂著，思考著。一跺腳下了決心：

『不能不忍心，不能婆婆媽媽！這種事，一向都是「永絕後患」的！我還是告訴皇帝去，把他們通通交給皇帝！讓他去發落！』

太后說著，轉身就往門外走。知畫一驚，著急的抓住了太后的手，說：

『不行不行！請老佛爺三思！如果皇上知道了，就算心裡有幾千幾萬個捨不得，也只能做一個處置，簫劍和還珠格格必死無疑！五阿哥、爾康大概會貶爲庶人，晴格格會逐出宮門……』她那明亮的雙眸，緊盯著太后，眼裡全是懇求，語氣鄭重：『老佛爺，您捨得五阿哥和晴格格嗎？您最介意的，不就是晴格格的婚事嗎？如果能夠打散這場婚事，收回晴格格的心，又示好於爾康和紫薇，您不是就達到目的了？爲什麼一定要鬧到皇上面前去？弄得天崩地裂呢？』

太后被提醒了，捨得永琪嗎？她最捨不得的，就是永琪呀！萬一永琪和小燕子站在一條陣線，怎麼辦？她和乾隆，對這個阿哥，都『失去不起』呀！她震動的站住了，凝視知畫，點頭說：

『是呀……妳說的對呀！』她抬頭看虛空：『不止五阿哥，還有福家，三代忠臣啊！紫薇又是皇帝的骨肉，我不能把他們夫妻一直關著……』她越想越煩躁，弄成這樣，反而不知如何善後了。『現在，眞相我是明白了，下一步可就難了！』

『或者，您可以和他們談條件，或者……您可以把他們分開，一個一個談……現在這個局面，他們比您慌！我想，您提出任何條件，他們爲了脫困和救人，都會同意的！』知畫積極的說。

『就算他們同意，我怎麼能包庇小燕子和簫劍呢？我怎能保證皇帝的安全呢？』

太后說著，不禁凝視知畫，見她明眸皓齒，聰慧絕倫，眼神逐漸堅定起來。她伸手握住知畫的手，鄭重的說：

『知畫，妳能不能幫我？』

知畫拚命點頭：

『就怕我沒有什麼力量，幫不上忙！』

『妳有妳有！』太后一字一字的問：『告訴我，妳可有幾分喜歡五阿哥？』

知畫大震，面紅耳赤，驚喊：

『老佛爺！』

太后深深看知畫，眼裡，有著數十年的經驗和智慧。她清清嗓子，鎮定了自己那煩亂矛盾的心，有條有理的說：

『妳知道，妳是漢人，在滿清皇室，滿漢不通婚的規矩還在！雖然先皇和當今皇帝，都有好多的嬪妃是漢人，卻沒有一個能夠當上「皇后」！所以，妳再好，充其量也只是一個妃子或貴人！這，還得嫁給一個「太子」才算數！妳，想不想當未來的「皇后」呢？』

知畫震動的聽著，凝視太后。

『知畫從來沒有非分之想……就算五阿哥已經內定爲太子，他也先有了還珠格格，他們夫妻情深，我……不想攪和進去……』

『妳對自己沒有信心嗎？男人，誰不是三妻四妾？現在的恩愛，能夠持續多久？沒有妳，五阿哥遲早會有別人！妳是最好的皇后人選，妳進了景陽宮，做我的耳目，也可以幫我看著小燕子和永琪！那麼，我或者可以把這個祕密壓下去！』她心中盤算著，豈止要知畫做眼線，她更需要知畫，爲永琪生兒育女，做將來的『國母』。除了知畫，放眼八旗，還沒有任何一個姑娘，有這個才華家世和能幹，來擔當未來『皇后』的重任。

知畫低下頭去，輕聲的說：

『只怕五阿哥不願意！』

『那是我的事了！如果他不願意，我只好告訴皇帝，先處死小燕子！』

『啊？』知畫大驚。

當太后和知畫在商量大計的時候，密室裡的六個『囚犯』，也聚在一起分析當前的局面。爾康嚴重的說：

『不是我要嚇你們，現在這個局面，眞是糟透了！當初，方巡撫是「謀逆罪」服刑的，這個罪名太大，是「誅九族」的事。爲什麼要「誅九族」？並不是「九族」都有罪，而是不留後患，怕子孫報仇。現在，老佛爺知道眞相了，她一定會告訴皇阿瑪，不管皇阿瑪多喜歡小燕子，多喜歡永琪，這個眞相太震撼了，他恐怕只有一個選擇，就是「不留後患」！』

大家聽得毛骨悚然。

小燕子依偎在永琪懷裡，她還陷在巨大的震撼裡，腦筋糊糊塗塗，無法分析任何事情。永琪卻在這短短的時間內，已經有過種種最壞的想法，爾康的話，和他的想法是同樣的。他心裡一慘，長長一嘆說：

『照你這麼說，我們這次是死定了！』

『除非……』爾康尋思著。

『除非什麼?』

『除非老佛爺網開一面，守住祕密，不告訴皇阿瑪!除非我們有機會和辦法，說服老佛爺保密!』爾康說。

『我想，不可能吧!這事太大，老佛爺不敢作主!』晴兒苦澀的說。

『誅九族?』永琪激動的接口:『現在，這「九族」怎麼算?小燕子是我的妻子，我自然在九族之內，皇阿瑪是我的阿瑪，豈不是也在九族之內，老佛爺是我的祖母，當然在九族之內，紫薇是我妹妹，爾康是我妹婿，也是九族之內，宮裡的阿哥格格，都是我的兄弟姐妹，個個都在九族之內……這樣一個推一個，難道把皇室全部殺光，以絕後患嗎?』

『你不要說氣話，當然是可殺的殺，該留的留!』爾康搖頭說。

大家都知道爾康的分析有理，全部安靜下來，哀愁沉重的籠罩著室內。片刻後，紫薇看看高高的透氣孔，有曙色透了進來。她想著東兒，想著學士府，悲哀的說:

『天亮了!我們一夜沒回家，阿瑪和額娘一定急壞了!』

『他們知道我們進宮，一定以爲大家喝了酒，捨不得分開，留在景陽宮過夜了!他們不會擔心，因爲，他們絕對想不到我們會出事!』爾康安慰著她。

『我早已不在乎自己的生死，可是……』紫薇看了看爾康:『可憐的東兒，他才三歲!』

爾康伸手，緊緊的握住了她的手。

簫劍一直沉默著，這時突然抬頭，一本正經的說:

『小燕子，我想，永琪說得對，妳根本不是我妹妹!當初，我本想去找靜慧師太，求證一下妳的身分，後來，又想「落地爲兄弟，何必骨肉親」，認了就認了!現在，越想越不對，妳沒有一個地方像我，我一定認錯了！』

爾康眼光一閃，和簫劍交換了一個視線。只見簫劍眼神裡，透著堅決和祈求的神情。爾康立刻瞭解了他的意思，只要證明這個『認妹妹』是個誤會，就保住了小燕子和永琪！現在這個時刻，救一個是一個！他點點頭，立即心領神會的說：

『對！我也一直懷疑這件事！除非把靜慧師太找來，把當初師太收容的幾個姑娘，全部找到，再核對一下，才能弄明白！』

小燕子抬頭看著簫劍和爾康，她的腦筋再糊塗，也明白簫劍要救她的心念。她從地上跳起身子，對簫劍漲紅了臉，激動的喊：

『好呀！你不想認我了，是不是？你以爲我是貪生怕死的小人，是不是？你想一個人擔負罪名，送掉腦袋，來保護我，是不是？你敢再說我不是你妹妹，我就和你拚命！』

『如果我認錯了呢？本來就有問題！我一定一定認錯了！』簫劍大聲說。

小燕子撲過去，對簫劍又打又踹。

『你這個混帳！你這個僞君子，你這個眞小人，你這個臭大俠……』

永琪跳了起來，拉住小燕子：

『不要叫！不要這樣！』他看簫劍：『簫劍，這個主意不好！事實就是事實，我都明白了，所有前因後果，也都想起來了！不要狡賴，小燕子早就說過，要頭一顆，要命一條！大家都認了吧！』

晴兒悲切的看眾人，心裡已經有了主張，說：

『大家不要太絕望，老佛爺雖然把我們囚禁在這兒，她沒有綑我們，也沒有把我們分開，我覺得，事情可能還有轉機！讓我們抱著希望等待吧！』

『晴兒說得是！』紫薇接口：『說不定峰迴路轉，柳暗花明……』

正說著，一聲門響，大家都跳起身子。只見高庸帶著幾個侍衛走進門來，高庸甩袖行禮，態度依然恭謹：

『額駙大人，紫薇格格，老佛爺有請！』

『只有我們兩個嗎？』紫薇不安的問。

晴兒急忙上前，請求的說：

『高公公，請您告訴老佛爺一聲，晴兒請求跟老佛爺談談！』

高庸同情的看了晴兒一眼：

『喳！奴才知道了！額駙大人，請走吧！』

永琪心裡一動，急忙對爾康說：

『爾康！救一個是一個！好漢不吃眼前虧，出去就別再進來了，知道嗎？別談什麼義氣，要爲東兒著想呀！』

『爾康！跟老佛爺分析清楚，知道嗎？』簫劍話中有話，叮囑著。

爾康和紫薇，就在大家的叮囑聲中，跟著高庸、侍衛出門去了。

到了太后房裡，兩人抬眼一看，房裡只有太后，什麼人都沒有。兩人心裡有數，太后並沒有立即聲張這件事，顯然還有轉機，就雙雙對著太后一跪。

『紫薇／爾康叩見老佛爺！』

『起來說話！』

兩人站起身，看著太后。太后沉聲問：

『你們夫婦，這樣包庇小燕子和簫劍，事到如今，還有什麼話要說？』

『老佛爺，爾康以自己的生命，家父的生命，和我兒子東兒的生命起誓，簫劍和小燕子不會害皇阿瑪！我們在南陽知道眞相之後，一直在化解這份仇恨。簫劍一路跟著我們，早已被皇阿瑪的仁慈正直所感動，已經把仇恨拋在九霄雲外了！如果老佛爺不追究出眞相，這個祕密永遠不會揭穿的！』爾康誠懇的說。

『如果他把仇恨拋在九霄雲外，爲什麼不肯做官？要帶著晴兒逃跑？』

『簫劍眞要報仇，早就下手了！還需要等到今天嗎？』爾康回答。

『那可說不定，可能以前沒機會……』

『如果以前沒機會，他就該接受皇阿瑪的官職，留在北京等機會！』紫薇再也忍不住，激動而眞摯的說：『他就是不想報仇，才要帶著晴兒遠走高飛呀！老佛爺，皇阿瑪是我的親爹，我好不容易，翻山越嶺到北京，經過千辛萬苦才認了爹！當初，爲了擋刺客，我曾經挨過一刀！我這麼愛我爹，您認爲，我會讓我爹生活在危險裡面嗎？如果眞有危險，我會拚命拚命阻擋呀！怎麼可能視而不見呢？一定是分析過了，有絕對的把握，才敢讓簫劍跟我們在一起！』

太后看看二人，用力的點了點頭。

『你們很有說服力！我幾乎要被你們說服了！但是，不管他們有沒有報復的念頭，現在祕密已經揭穿了，我只有告訴皇帝去！簫劍和小燕子，我會請求皇帝，留個全屍……至於永琪和晴兒兩個，你們能保證他們不生二心嗎？』

紫薇一聽，心中大痛，就撲跪在太后面前，緊緊的拉住太后的手，哀聲喊著：

『不要不要！老佛爺，求求您！求您發發慈悲，不要告訴皇阿瑪！您想，皇阿瑪那麼喜歡小燕子，那麼重視五阿哥！您怎麼忍心打破他的幸福，帶走他的快樂呢？何況，爲了盈盈姑娘，皇阿瑪已經夠傷心了，這個祕密，會把皇阿瑪整個打倒的！我不能想像，如果小燕子必須處死，皇阿瑪怎麼辦？您不看在小燕子面上，不看在我面上，不看在五阿哥面上，也要看在皇阿瑪面上呀！』

太后一唬的站起身來，摔開紫薇的手。

『這麼嚴重的事，我怎麼可能隱瞞皇帝！』

爾康就一步上前，攔著太后說：

『能能能！只要老佛爺不說，知畫姑娘不說，我想，就沒有人會說！老佛爺，您不明白，小燕子和五阿哥情深義重，如果失去了小燕子，五阿哥一定會生不如死，那麼，您也就同時失去五阿哥了！至於晴兒，大概會跟著簫劍同生共死，您既然要處死簫劍，就不必考慮晴兒的「二心」問題，她不會再有「二心」，她有不起「二心」，到時候，她一個心都沒有了！』

太后大震，抬頭怒喊：

『你們兩個在威脅我嗎？』

紫薇哀懇的看著她。說：

『您不要生氣，如果您不顧慮皇阿瑪，我也不信！您確實有許多顧慮，不是嗎？或者，我們可以想一個面面俱到的辦法！』

『什麼面面俱到？現在這種局面，怎麼面面俱到？』

『讓簫劍帶著晴兒遠走高飛吧！』爾康試探的提議：『讓他們永遠不許回北京，這樣，等於判了簫劍的流刑！至於小燕子，就留在宮裡，我、紫薇、和五阿哥，會把她看得緊緊的！不會允許她出問題的！』

『就這樣，好不好？』紫薇期盼的說：『老佛爺，您開恩吧！要不然，您和小燕子談一談，您會發現她真的崇拜皇阿瑪，像個親生女兒一樣愛著皇阿瑪！』

『那兒有這麼好的事？讓簫劍帶走晴兒？還留下小燕子？不行不行！晴兒不許走，小燕子也不能留！』太后神情堅決。

爾康一抬頭，有力的說：

『小燕子根本不是簫劍的妹妹！』

『什麼？』太后驚問。

爾康定定的注視著太后，面不改色的說：

『當初從南陽回到北京，我就去訪問了靜慧師太，師太親口告訴我，這是一個誤會！如果您不相信，儘管找靜慧師太來對質！因爲小燕子認了這個哥哥，快樂得不得了，我才沒有揭穿，讓他們將錯就錯！』

紫薇驚看爾康，只見他抬頭挺胸，滿臉坦蕩，說得煞有其事。

太后震動的睜大了眼睛。心裡其實是明白的，爾康在千方百計救小燕子和永琪！她又何嘗不想救永琪呢？她沉思著，忽然有了主張，抬眼看爾康：

『如果小燕子不是簫劍的妹妹，或者可以救小燕子一命！我放掉你們兩個，你們回家去，在你們父母面前，一個字也不要提！爾康，你趕快去找那個靜慧師太，我要把事情弄明白！』

『是！』爾康趕緊回答。

太后盯著二人：

『假若我保守祕密，放掉小燕子和簫劍，你們兩個，願意跟我合作嗎？』

爾康和紫薇交換了一個視線，爾康就急忙點頭說：

『是！只要您保密，放掉他們，任何條件我們都接受！』

太后就對兩人堅定的說：

『你們要說服小燕子和永琪，讓永琪娶知畫！』

紫薇和爾康大震，雙雙驚跳起來。

『啊？娶知畫？』

密室裡的四個人，形容憔悴的坐在牆角，緊張的等待著。爾康和紫薇，去了很久都沒有回來。永琪看了看門口，滿懷希望的說：

『他們已經去了兩個時辰了，我想，這是一個好兆頭，他們離開得越久，表示他們越安全。老佛爺總要顧慮福家的關係吧！』

簫劍不語，神色凝重，晴兒痴痴的看著他，心神恍惚。小燕子已經冷靜下來了，坐在那兒，思前想後，淚眼汪汪的看著簫劍。忽然說：

『哥！告訴我爹和娘的事！爹到底爲什麼會被處死？他犯了什麼錯？』

簫劍看了小燕子一眼，不說話。

『你還不說嗎？眼看我們的死期也快要到了，你預備讓我到死都糊裡糊塗嗎？』

簫劍神情一痛，晴兒嘆了口氣說：

『簫劍，我也很想知道，現在，已經沒有保密的必要了！』

『是的，沒有保密的必要了！』簫劍抬眼看著小燕子，說不定，大家都死到臨頭，再不說，以後就沒有機會說了。他說了：『其實，我斷斷續續，差不多把爹娘的事，都告訴妳了。上次我們去的觀音廟，就是當初的方家。當時，爹在做官，常常和二三好友，聚在一起吟詩作對，爹被捕，就是為了一首打油詩，詩的內容是「聞道頭需剃，人皆剃其頭，有頭終需剃，不剃不成頭。剃自由他剃，頭還是我頭，請看剃頭者，人亦剃其頭！」那時，滿人剃頭、漢人不剃頭的風波早就過去了，居然還有人告訴皇上，說「剃自由他剃，頭還是我頭，請看剃頭者，人亦剃其頭！」幾句話，有反抗意識，是叛國，是謀逆！』

永琪不禁脫口驚呼：

『這首「剃頭詩」，在民間傳播得非常廣，人人會背，原來是你爹作的！』

『就是！我想，爹當初也得罪了不少人，有人要置他於死地。爹被捕下獄，我們的娘，開始到處奔走，花了無數的銀子，希望能夠營救。娘做錯了，那些貪官，收了娘的銀子，還告娘一狀，說她到處賄賂，家財萬貫，養了整個叛黨！官司越演越烈，像滾雪球一樣越滾越大，最後，消息傳來，爹被判斬首，抄家，還連累了幫過忙的親朋好友，都紛紛下獄……』

小燕子痴痴的仰頭看著簫劍，聽得入神。簫劍繼續說：

『我娘得到消息，立刻把我們兩個，分頭送走……據說，直到行刑那天，娘還希望有皇上的特赦令，最後，特赦令沒到，在官兵的「殺無赦」聲中，娘親眼看著爹的人頭落地！她給爹收屍之後，就放了一把火，把我們方家的房子，燒成平地……據說，她穿著一身縞素的衣裳，站在烈火之中，喊著爹的名字，用方家祖傳的劍，自刎而死。據說，那晚，方家的大火，燒得整個天空，都像血一般的紅！』

簫劍一口氣說完了，眼神深邃悲哀。小燕子目不轉睛的看著他，聽得痴了。永琪、晴兒都聽得驚心動魄。

簫劍沉默片刻，看向小燕子：

『後來，有一個家人，把娘自刎的那把劍，送到大理來，交給了我的義父。多年以後，我的義父再把它交給了我！』

小燕子震動已極，驚呼：

『原來，你平常隨身帶著的那把劍，就是我娘自刎的劍！劍呢？劍呢？』

『那把劍不能帶進宮，現在留在爾康家。小燕子，如果妳順利出去了，記得收好那把劍，上面，沾著娘的血！』

小燕子驚怔的看著簫劍，眼神裡，是無比的痛楚和震動。

『我好像看到那些畫面，我娘，站在斷頭台前，等著最後的赦免令，赦免令沒有等到，是行刑官傳來的「殺無赦」！就像我們要被砍頭時一樣！然後，是……是……我爹的頭落了地……』她用手蒙住臉，渾身發抖。

永琪痛楚的抬頭，責備的說：

『簫劍！你一定要說得這麼詳細嗎？你不能少說幾句嗎？那些事情，你也沒有親身經歷，道聽途說，怎麼能夠當眞？』

簫劍一嘆，起身走開：

『是！不能當眞！我也不該說……我只怕不說，以後再也沒有機會說了！』

簫劍說完，就站在桌前，從懷中，掏出那把簫，開始吹著。簫聲綿綿裊裊的響起，居然是那首紫薇作曲作詞的〈你是風兒我是沙〉。簫聲在空洞的石室裡迴響，有種濃濃的，化不開的哀愁。

永琪聽到這樣的故事，看到小燕子悲極的臉孔，再聽到這樣的簫聲，想著那歌詞：『你是風兒我是沙，纏纏綿綿繞天涯……』他心裡一陣激動，就一把抓住小燕子的胳臂，把她的身子撐了起來，痛楚而狂熱的說：

『小燕子！我要告訴妳幾句話，自從昨晚到現在，我好像從高山上，一下子掉進懸崖下，說不出我心裡的感覺！聽了簫劍的故事，我覺得驚心動魄，匪夷所思……我知道，是我爹的命令，奪走了妳爹的生命，我很抱歉很遺憾，我不懂為什麼會發生這些？但是，我必需告訴妳，那些事情，都是我們無法控制的事，也無法改變的事！請妳，也不要因為這個，改變了妳自己！我要那個快樂的，無憂無慮的小燕子！』

小燕子怔怔的看著永琪，哽咽著說了一句：

『那個快樂的小燕子，已經死掉了！』

『不可以！不要死掉，不許死掉！我們要用生命來記錄新的故事，這些故事裡，再也沒有仇恨，我們的故事裡，不能再有仇恨……』

小燕子不言不語，眼神悲不可抑，永琪就緊緊的抱著她。

晴兒眼裡濕漉漉。

這時，一聲門響，高庸帶著侍衛進門來。

『晴格格！話幫您帶到了，老佛爺要妳馬上過去！』

晴兒眼睛一亮，跳起身子，就撲奔到簫劍面前。急促的說：

『簫劍！我去和老佛爺談，我相信蒼天有眼，人間有情！我相信眞理，相信正義，相信世間一切美好的東西……簫劍，請你也同樣相信！我先去了！』

晴兒說完，掉頭，跟著高庸離去。

簫劍一直在吹著簫，這時，驀然停止，抬頭大喊：

『晴兒！』

晴兒已走到門口，一震回頭。

『世間最美好的東西，就是我們這一段！我永不後悔！』簫劍微笑的說。

晴兒含淚一笑，跟著高庸出門去。

晴兒隨著高庸到了太后的房裡，太后正站在窗前，看著窗外。

『晴格格到！』

太后一個轉身。高庸甩袖行禮，退出房間。

晴兒哀傷的注視太后，奔上前去，撲跪在她身前，不等她開口，就一口氣說了出來：

『老佛爺！請您放了簫劍，讓他走得遠遠的，再也不能踏進宮門一步！我不會跟他繼續糾纏不清了，從今以後，我跟他一刀兩斷，回到以前的日子，跟在您身邊，做那個心如止水的晴兒！我說到做到，這一生，再也不讓您失望，再也不讓您傷心！我會是您永遠的晴兒，聽話的晴兒，貼心的晴兒……我再也不敢了！』

『是嗎？』太后深刻的看她：『妳想再騙我一次，等到我放了簫劍，妳也就跟著失蹤了吧？妳以爲我還會相信妳？』

『怎樣您才能相信我呢？您說！您要我做任何事，我都做！只要您放了簫劍，放了五阿哥和小燕子！』晴兒攀著太后的手臂，抬頭哀求的看她：『五阿哥回宮之後，天天都上朝，今天沒去，皇上一定會著急的，如果皇上追究起來怎麼辦？老佛爺！這事如果給皇上知道，是牽一髮而動全身，整個宮廷，會被這件事弄得灰頭土臉！一趟南巡，已經發生了不少的事，皇上斷情、皇后削髮、額駙被囚……大臣和老百姓都在議論紛紛……老佛爺，宮裡，還禁得起更大的醜聞嗎？皇上還禁得起更大的風浪嗎？』

太后悚然而驚，晴兒還是晴兒，冰雪聰明，說得字字是眞，太后冷汗涔涔了。

『妳說，從今以後，妳什麼話都聽我？妳肯發毒誓嗎？』

『是！』晴兒一咬牙，發下這一生最毒最毒的誓：『我用簫劍的生命起誓，如果我不聽您，簫劍會被五馬分屍！』

太后一震，這麼『毒』的誓，她都發了，讓人不能不信。

『我信妳了！』她一拍手，對外喊：『高庸！去把五阿哥和還珠格格帶來！』

『喳！奴才遵命！』

高庸立刻到了密室，要帶走小燕子和永琪，小燕子本能的一退：

『老佛爺要我和永琪去？沒有我哥嗎？我哥不去，我也不去！』她拚命推永琪：『永琪，你去跟老佛爺說，我和我哥哥，在這兒等死！我絕不丟下我哥，一個人逃命！但是，你走吧！你是阿哥，沒有人敢動你！』

永琪一把抓住她，著急的說：

『妳不要傻了，妳留下，也救不了簫劍！出去或者還有辦法！』

簫劍走了過來，對著小燕子笑。

『永琪說得對！妳先出去，再幫我說情。放心，我的命大得很，要死，也沒有那麼容易！去吧去吧！我們待會兒見！』

小燕子不放心的看著簫劍，遲疑不定。

『格格，老佛爺還在等著呢！』高庸催促著。

小燕子猶豫了一下，就對簫劍急促的說：

『哥！我去和老佛爺談……只要我活著，我就不讓你死！我們……待會兒見！』

簫劍深深的看了永琪一眼，眼裡，是託付，是請求。

『永琪，保護好她！』

永琪也給了簫劍深深的一瞥，眼裡，是保證，是承諾，是對小燕子無盡的愛。

『我知道！』

永琪和小燕子就跟著高庸到了太后面前。太后眼神銳利的梭巡著二人，晴兒站在太后身後，不住對永琪使眼色，悄悄比手勢，要他什麼都順從太后。

『我已經把紫薇和爾康，放回學士府去了！至於晴兒，我也不準備追究了！他們大家說服了我，這件事不能擴大，也不能讓皇帝知道，我只好咬緊牙關，把所有的責任一肩扛下，你們兩個，要不要和我合作呢？』太后問。

永琪和小燕子大為意外，沒有料到還有生路，兩人都驚喜莫名。永琪急忙答應：

『老佛爺肯把這件事壓下來，就是對我們幾個最大的包容和恩惠。如果您不驚動皇阿瑪，我太感動了，我一定跟您合作！』

『好！永琪，』太后點頭：『我就相信了你，君子一諾千金，你要記住今天的承諾！現在，我也折騰累了，不想再談了！你們回到景陽宮去吧，在皇帝面前，什麼都別說，我想，你們比我更知道厲害關係。你們等我的消息，去吧！』

永琪沒料到這麼容易，就沒事了，驚愕的看著太后，還不敢走。小燕子卻急促的往前一邁，緊張的問：

『那麼，我哥哥呢？』

太后皺皺眉頭，轉頭看窗外：

『什麼哥哥？』

小燕子大急，往前一衝，氣急敗壞的喊：

『什麼哥哥？我哥哥呀！簫劍呀！妳要把他怎麼樣？』

『我已經問清楚了，簫劍和妳一點關係都沒有，那根本不是妳哥哥！妳壓根兒就沒有哥哥！妳去吧，管自己都來不及了，還管什麼外人？』太后正色的說。

『簫劍不是外人，他是我哥哥，是我親生的哥哥……』小燕子急得跳腳：『老佛爺，妳要把他怎麼樣？如果他死，我也不要活……』

晴兒急得不得了，拚命對永琪打手勢。永琪會意，就一把拉住小燕子，勸解著：

『妳不要這樣激動，老佛爺一定有她的安排，我們就聽老佛爺的話，先回景陽宮去，讓老佛爺休息休息！』

『不行呀！我們回宮去，哥哥一個人，還在密室關著，誰知道會發生什麼事？如果老佛爺要他死，他還有活路嗎？老佛爺，您會要他的命嗎？您會嗎？』

太后一抬頭，眼神淩厲的盯著小燕子，斬釘斷鐵的說：

『你們想，這個簫劍，是漏網的欽犯，我怎麼會讓他活著？你們一個個留下小命，就不錯了！還敢爲簫劍求情！』

晴兒恐懼的看太后，生怕小燕子再刺激太后，做出無法挽回的事。喊著：

『小燕子，妳回去吧！我會和老佛爺談……有結果了，我再去告訴妳！』

永琪拉著小燕子就走，小燕子一步一回頭，不放心的叮嚀：

『晴兒！妳要保護我哥啊！要送點東西去給他吃啊……』

太后忽然喊：

『站住！』

小燕子和永琪站住了，雙雙回頭。

『好吧！我們就把問題一次解決……』太后銳利的看永琪和小燕子，有力的問：『我給簫劍一條活路，你們肯不計代價，什麼都聽我安排嗎？』

小燕子、永琪、晴兒都拚命點頭。

『是是是！老佛爺……只要您開口，只要我們辦得到……』永琪急切的回答。

『你們一定辦得到！』太后就盯著小燕子和永琪，一字一字的說：『小燕子，妳把福晉的位子，讓給知畫！妳當側福晉，她是嫡福晉！永琪那一天娶知畫，我就那一天放掉簫劍！』

永琪和小燕子，都大驚失色。永琪驚喊：

『什麼？娶知畫？』

小燕子怔住了，臉色慘白如死。

25

小燕子和永琪，終於回到了景陽宮。進了門，明月、彩霞、小鄧子、小卓子都著急的圍了過來，嘰嘰喳喳的詢問怎麼一夜不回？小燕子那兒有心情答覆他們，臉色慘白的往椅子裡一倒，整個人都虛脫了。

永琪憔悴而焦灼的看著小燕子，對太監宮女們揮揮手。

『你們都下去！』

『是！』

明月、彩霞、小鄧子、小卓子不安的退下，把房門也闔上了。

永琪就急步走到小燕子面前，拉起她，伸手撫摸她的臉頰。小燕子抬起哀哀欲泣的眸子，深深的凝視著他。一時之間，兩人都說不出話來，只是彼此凝視著，眼裡，是百轉千回的深情。終於，小燕子崩潰的低喊了一聲，投進他的懷裡。

『永琪！永琪！永琪……』她一連串的低喊著。

永琪啞聲的，低低的說：

『主權在我，我不答應就是！我們先跟老佛爺拖著，等我見到爾康，再商量對策，看有沒有辦法把簫劍救出來……』

小燕子拚命搖頭。

『沒辦法了！我知道……我哥關在那兒，隨時都可能送命……』她悽楚的看著他：『永琪，我聽了我爹娘的故事，幾乎看到那個慘烈的場面……我哥，他是方家最後的血脈，如果他死了，方家也絕後了！我娘……在臨死前，那麼辛苦的把他送到大理，保留了他的性命，今天，爲了我這個混帳妹妹，假冒格格進宮，又糊裡糊塗的愛上你，爲了成全我，他犧牲了自己，我爹和我娘，在天上看著我們呢！如果他出了什麼事，他們會恨死我！』

『不要這樣想，妳爹和妳娘，會瞭解我們的苦衷，我們的無可奈何！』

小燕子凝視他，忽然幽幽的問：

『永琪！在你心裡，我到底有多少地位？知畫進了景陽宮，你心裡……還有沒有我？』

永琪一震，義正辭嚴的說：

『我沒說要娶知畫呀！我只是說，讓我想一想！』他重重的一摔頭：『好了，我決定，拒絕就是了！』他抓住小燕子，低聲說：『我去找爾康，我們訂一個計劃，今晚，在宮裡製造一個假刺客，調虎離山，聲東擊西，找機會救出簫劍！』他毅然點頭：『妳不要難過，也不要著急，交給我去辦……』說著，回頭就走。

小燕子一步就攔住了他，緊緊的盯著他。

『不好！這種幼稚的事，我們不能再做！如果事情不成，我哥依然是死，我們幾個冒的風險也太大，還要牽累紫薇和爾康。不行！我們不能這樣做。老佛爺如果沒有萬全的把握，也不會放我們幾個出來！她一定什麼都考慮過了。』

『是！妳說的是！妳分析得比我有條理……那麼，我們要怎麼辦呢？』

小燕子凝視他，突然心碎的，痛楚的，卻有力的說：

『娶知畫！』

永琪大驚，身子一退。反射般接口：

『我不！』

小燕子逼近他，熱切的盯著他。

『娶知畫！只要你心裡有我，我又何必在乎知畫呢？娶知畫！』

永琪節節後退，睜大眼睛，拚命搖頭。

『不！不！我不！我做不到！我不要！』

『你要！你非要不可！只有這樣，我們才能救我哥！這是老佛爺的條件，我們除了接受，沒有第二條路！』

『不行！不行！我不是一個工具，婚姻不能用來做交換條件，我不愛知畫，我不能騙她騙我自己，更不能辜負妳！如果娶了她，我有預感，我會掉進一個萬丈深淵裡，再也沒有回頭的機會……我不！』

小燕子急了，漲紅了臉，對永琪再一衝。她爆發了，激動的大喊：

『都是你！你害死了我！你把我弄到今天這個地步，你的皇阿瑪毀掉了我們全家，現在，你還要毀掉我哥哥嗎？你必須娶知畫，救我哥哥！這是你欠我的，你要還我，還我一個健康的哥哥，還我一個活生生的哥哥！如果我哥哥少了一根寒毛，我都要和你拚命！知畫比我年輕，比我漂亮，琴棋書畫樣樣比我強，還會顏字柳字，她有那一點配不上你？你心裡明明也喜歡，偏偏還要逼著我來求你，你太狠了……』

永琪越聽越驚，也激動起來，跺腳喊：

『妳看妳看，妳說的是些什麼話？妳明明在吃醋，還要逼著我娶知畫……我不掉進這個陷阱裡！說什麼都不行！我不要！』

『你到底要不要？』小燕子尖聲問。

『不要！不要！不要！不要……』永琪一疊連聲喊。

小燕子的眼淚奪眶而出，怒罵：

『你安心要簫劍死，要晴兒死，要我死！我怎麼會進了這座皇宮？怎麼會認賊作父？我恨死你！恨死那個皇阿瑪……』

『不要叫，隔牆有耳……』永琪阻止著。

『我偏要叫，死在眼前，我還管他隔牆有耳有眼還是有鼻子？你和知畫不是有說有笑嗎？她是你的鴛鴦你的比目魚，你還假正經什麼？』

『妳這麼說，我更不要！』

小燕子早已承受不了這麼多的驚心動魄，快要崩潰了。太多的曲折，太多的打擊，太多的焦慮，太多的痛楚，太多的震驚……她內心的傷痛，堆積到這個時候，已經飽和。看到永琪這也不行，那也不行，就無法控制了，一陣急怒攻心，她衝到桌前，發現自己的鞭子，拿起鞭子，就一鞭子對永琪抽去，嘴裡大嚷：

『都是你害我，你還要這樣矯情！我打死你！』

小燕子這樣一衝一打，茶几翻了，古董架倒了，一陣乒乒乓乓。明月、彩霞、小鄧子、小卓子全部衝了進來。

『哎呀！格格！這是怎麼了？』

『不要不要！格格千萬不要和五阿哥動手呀！』

『不好……怎麼打起來了？』

『我們趕快搶下格格的鞭子！』

四人就衝上前去拉架，這個喊，那個叫，鬧得一塌糊塗。小燕子見四人都來拉自己，更是怒發如狂，振臂狂呼：

『誰敢搶我的鞭子？你們仗勢欺人嗎？哇……』

小燕子飛身而起，一陣揮鞭，外帶拳打腳踢，轉眼間，把四人全部打倒在地。四人哼的哼，叫的叫：

『哎喲！哎喲！格格……打死我們了！哎喲……手斷了，哎喲……腿斷了……』

永琪再也忍不住，衝上前去搶鞭子，大聲喊：

『不要鬧了，我們好好談，鞭子給我……』

小燕子那裡肯聽，一面揮鞭亂打，一面紅著眼睛大喊：

『我要打架，我要殺人，我跟你拚了！你們愛新覺羅家，沒有一個好東西……』

碰巧，就在這個時候，乾隆來到了景陽宮。早上，永琪沒有上朝，爾康也沒有來值班，乾隆心裡充滿了疑惑，下了朝，就直接來景陽宮。豈料，才走到院子裡，就聽到小燕子的大呼小叫，尤其那一句『你們愛新覺羅家，沒有一個好東西！』刺耳的傳來，把乾隆氣得差點厥過去。

太監們大聲通報：

『皇上駕到！』

永琪正在和小燕子搶鞭子，這聲『皇上駕到』，嚇得他魂飛魄散。手下一停，就『叭達』一聲，挨了小燕子一鞭。正好乾隆進房來，看到這樣，更是大驚失色，驚喊：

『小燕子！妳在發什麼瘋？居然敢用鞭子打永琪？妳……妳……』他定睛一看，才看到滿地哼哼著的宮女太監，更加氣上加氣：『妳簡直是個潑婦！怪不得老佛爺不喜歡妳！妳看妳什麼樣子？朕在院子裡就聽到妳的大呼小叫！妳嘴裡說的是什麼話？什麼叫作「你們愛新覺羅家，沒有一個好東西」？這話，是妳能說的嗎？說這種話，妳想砍頭嗎？』

小燕子呆住了，握著鞭子，直著眼睛，橫眉豎目的瞪著乾隆。

永琪收束心神，倉皇行禮：

『皇阿瑪……我們沒事，只是意見不合……』

小燕子直視著乾隆，穿過那張怒氣騰騰的臉，她看到了斷頭台，看到了自己的爹，正在斷頭台上，看到官兵飛騎大喊『殺無赦……』看到劊子手拿著巨斧劈下，看到她爹的腦袋滾落地……她的神情大痛，這麼多年，自己居然把殺父仇人當成阿瑪！天啊！她手持鞭子，驟然撲向乾隆。嘴裡怒喊著：

『哇……砍頭？砍頭？你還敢罵我……還想砍我的頭……』

乾隆見小燕子凶神惡煞般撲來，大驚。

永琪一看，嚇得心魂俱裂，已經來不及阻擋。急切中，想也沒想，就順手抓起桌上一個磁花瓶，對著小燕子背後一敲。他只想驚醒她，下手非常輕，誰知小燕子一動，花瓶無巧不巧，打在她的後腦勺上，『哐啷』一聲，花瓶應聲打碎，小燕子身子晃了晃，就暈了過去。永琪嚇壞了，急忙伸手一接，小燕子倒在他的懷裡。

乾隆震驚已極，睜大眼睛看著永琪和小燕子。

明月、彩霞、小鄧子、小卓子心驚膽戰的爬了起來，顫抖的對乾隆跪了下去。四人發抖的喊：

『皇上……吉……吉……吉祥！』

乾隆驚魂未定，一甩袖子：

『朕吉祥什麼？朕家門不幸，才有這樣一個兒媳婦！』

永琪抱著人事不知的小燕子，用手托著她的腦袋，覺得手心濕濕的，低頭一看，只見手裡有血，頓時又驚又怕又急又心痛，連聲急喊：

『小燕子！醒來！醒來！小燕子……』

乾隆伸頭一看，不知道為什麼，這樣莫名其妙的小燕子，仍然牽動著他的心，不禁急聲呼叫：

『大家呆在這兒幹什麼？還不快傳太醫！』

『傳太醫！傳太醫！傳太醫……』太監宮女們一路喊了出去。

永琪顫抖著，急忙把小燕子抱進臥室，放在床上，著急的搓著她的手，喊著她。

太醫火速的趕來了。小燕子躺在床上，臉色蒼白，昏昏沉沉。太醫診視了傷口，上了藥，再用布巾包紮起來。永琪目不轉睛的看著。明月、彩霞在一邊侍候，給太醫送上這個，送上那個。太醫包紮妥當，再仔細的把脈，又把明月彩霞叫到一邊細問，神色凝重。永琪緊張起來，心裡充滿了害怕、自責、心痛、和後悔。明明只是輕輕的敲了一下，怎麼會敲到頭？怎麼會這樣嚴重？天啊！自己到底做了什麼？居然砸破她的腦袋？萬一她有個什麼，他也不要活了。他看著太醫，急促的問：

『怎麼樣？我看血流得不多……但是，腫了好大一個包，人也昏迷不醒，會不會很嚴重？』

乾隆一直沒有離開景陽宮，聽到永琪的詢問，就走了進來，也抬頭看著太醫。

太醫躬身回答：

『回皇上，回五阿哥！還珠格格後腦勺上，只是一點點皮肉傷，幾天就會好，沒有大礙，就怕……就怕肚子裡的孩子，保不住了！』

永琪大驚失色，震動至極。

『什麼？她肚子裡有孩子？』

乾隆也驚呼出聲：

『她有孕在身？』

『大概只有兩個月的身孕，臣……不敢一個人診治，請傳孟大夫過來，一起診治，看是留得住，還是留不住……』

『那還等什麼？快傳呀！快傳！』乾隆急呼。

明月，彩霞就一疊連聲的喊出門去。

『傳孟大夫……傳孟大夫……』

永琪低頭看著小燕子，伸手去握住她的手，心裡，是翻江搗海的痛。

『我不知道……我一點都不知道……妳怎麼不說？怎麼又是這樣？』

小燕子動也不動，闔著眼瞼，了無生氣。

乾隆看到這樣，心灰意冷，一甩袖子，說：

『有了身孕，還在房裡演出全武行！這個小燕子……』他的眼前，又浮起剛才小燕子持鞭揮來的樣子，眞讓人不寒而慄。大嘆一聲：『算了算了！氣死朕！』

乾隆就掉頭而去了。

永琪顧不得乾隆了，他沒有起身，也沒有送乾隆，只是摧肝斷腸的看著小燕子。心裡在瘋狂般的禱告著，神啊！讓她好好的，讓她度過所有的磨難！

接著，景陽宮裡有一陣忙亂，幾個太醫，穿出穿進的忙了半天，無數宮女，緊急的熬湯熬藥，小鄧子小卓子和太監嬷嬷，忙著燒熱水，提熱水進房。忙到晚上，小燕子的孩子還是失去了。在診治和搶救的過程中，小燕子始終昏昏沉沉，沒有甦醒。或者，這也是上蒼給她的一種保護，讓她不至於在清醒的狀況下失去孩子，避免了立時的傷痛。但是，永琪的傷痛就不是筆墨所能形容的，他把她打傷，眼看她倒地，眼看她流血，眼看她失去孩子，眼看她昏迷不醒……他的心，整個都痙攣成一團，什麼叫『心痛如絞』，這才深深體會了。看著她那像沉睡般的臉孔，依舊帶著幾分她獨特的稚氣，他更加自責，後悔得快要瘋掉！千不該萬不該，不該拿花瓶打她！

夜，悄悄的來了。室內燃起了燈火，明月、彩霞帶著宮女，不住幫小燕子擦汗，搓著手腳。永琪站在床前，一動也不動的看著她。

小燕子終於呻吟一聲，睫毛顫動著。明月驚喊：

『醒了醒了，格格醒了！』

小燕子呻吟著，弓著身子，嘴裡喃喃的說著：

『痛……痛……』

永琪一下子就撲了過來，推開明月彩霞，坐在床沿，俯頭熱切的看著她。

『那裡痛？那裡痛？睜開眼睛，看看我！』他啞聲的喊。

小燕子動了動身子，睜開了眼睛。在模糊的視線中，看到了永琪蒼白的臉。

『哎喲！好痛！』她虛弱的說，伸手去摸腦袋，摸到了包紮的布巾。

『不要碰！』永琪一把抓住她的手。

小燕子凝視永琪，覺得自己不對勁，抽回了手，壓著肚子，咕噥著：

『怎麼這兒也痛，那兒也痛？外面也痛，裡面也痛？』

『太醫說……休息休息就會好，妳……怎麼不告訴我？』永琪的聲音裡滴著淚。

『告訴你什麼？』她忽然臉色一變，睜大眼睛看他：『我……我……太醫來過了？』

他點點頭，充滿了憐惜和傷痛的看著她。

『對呀，把我折騰了好半天……』小燕子在昏迷中，也曾感到許多太醫把她翻來翻去，原來太醫來過了！她心中猛的一陣跳動，難道難道……自己懷疑的事成真了？她的眼中，驀然閃出希望的光彩來。她盯著永琪，吶吶的、結舌的、羞澀的問：『我……是不是……是不是有了？』

看到她眼裡的閃光，聽到她聲音裡的希冀，永琪的眼眶，驀然濕潤。

『已經……沒有了！』他痛楚的說。

她怔了怔，疑惑的看著他。他困難的嚥了一口氣，伸手握住了她的雙手。

『原來……妳自己都不知道，妳怎麼總是這樣？有了上一次的經驗，妳怎麼還會不知道？』他輕聲的埋怨，不忍責備。如果自己知道，怎麼也不會和她動手。

『有了，又沒有了？我……』小燕子心中一抽，她明白了：『我……我又失去一個孩子？』

永琪看到她眼中的光彩，立刻暗淡下去，心裡，更是湧上排山倒海般的痛。他吸了口氣，忍住自己的痛，去安慰她：

『沒關係，不要難過，孩子有什麼希奇？我們再接再厲！嗯？』

她不說話，思前想後，眼裡的痛楚越來越深。半晌，才喃喃的說：

『這次，我是有感覺的，我懷疑了好多天，不敢說！就怕弄錯了，鬧笑話……結果，沒有了！我連小名都想好了，假若眞的有了，就叫「南兒」，紫薇有「東兒」，我們有「南兒」，是「南巡」時候有的……怎麼又沒有了？』

永琪聽她這樣說，心裡更痛，把她的手拉到唇邊，吻著，啞聲低語：

『別說了！』

明月、彩霞在一邊掉眼淚。這時，宮女捧著藥碗過來。明月急忙說：

『五阿哥！讓我先侍候格格吃藥！』

永琪接過藥碗說：

『讓我來！』

小燕子眼裡，逐漸充盈著淚水。她把頭一轉：

『我不想吃！』

『格格不要說傻話了，藥，那有想吃不想吃的呢？一定要吃呀！』彩霞著急說。

『是呀！吃了才有力氣揮鞭子啊！打架啊！練工夫啊！』明月哄著。

揮鞭子？小燕子想起揮鞭子的事了，想起乾隆，想起殺父之仇，想起還困在密室裡的哥哥，想起太后的提議，想起知畫……她都想起來了，她的臉色，隨著回憶越來越沉痛，越來越愁苦。

『不吃不吃不吃！就是不吃！』她轉開頭。

『就看在五阿哥親自幫妳捧著藥碗的面子上，也要吃啊！』彩霞柔聲說。

『不吃不吃！我說不吃就不吃！』她含淚帶恨的說，吃什麼藥？死掉算了！

永琪痛楚的看著她，把藥碗放在床頭的小几上，對明月彩霞說：

『妳們通通出去！讓我跟她說！』

『是！』

明月、彩霞不放心的看了永琪一眼，帶著宮女們退了出去。

永琪見室內沒人了，就把小燕子的身子拉了起來。

『小燕子！妳看著我！』

小燕子坐起身子，抬起眼睛看著他。永琪非常非常溫柔的說：

『妳跟我生氣沒關係，等妳身子好了，要揮鞭子要打人都隨妳！千萬不要和自己的身子過不去！藥，一定要吃！』他祈求的看著她：『小燕子，我心裡已經像燒火一樣，燒得全身都痛，妳不要再讓我急，我求妳了，吃藥好不好？』

小燕子見他低聲下氣，心裡一陣痙攣，眼淚就湧進眼眶。她可憐兮兮的說：

『不是，我不是跟你生氣，我很傷心呀！我知道……我又闖了大禍，我居然揮著鞭子要打皇阿瑪……我哥還關在密室裡……我又弄掉了孩子……躺在這兒，怎麼去救我哥？』說著，淚珠就滾下面頰，跌碎在棉被上。她用力的看他，好像要看進他的靈魂裡去，她的聲音，充滿了哀求：『你，到底要不要娶知畫？』

永琪深深的凝視她，他的眼光，也看進了她的靈魂深處，答非所問的說：

『對不起，打到了妳的頭，當時，已經神志不清了……』

小燕子沒有力氣管自己的頭，現在，痛的不是頭，是她的心！她盯著他，用十分溫柔的聲音，諒解的說：

『幸虧你打昏了我，如果你不打到我的頭，不知道會弄成怎樣？以後……不要打那麼重，打輕一點嘛！』

永琪聽到她這樣溫柔的聲音，這樣體諒的言詞，還有……她還想說笑話，來緩和自己的犯罪感……他心裡眞是如火如荼，一股熱浪直往眼裡衝，他想給她一個微笑，不知怎的，笑沒有成型，眼淚卻滾滾而下。

看到永琪的淚，小燕子大震，心臟劇烈的抽搐，說有多痛就有多痛。她伸手摸永琪的臉頰，永琪的淚，驚愕的，震動的說：

『永琪，你哭了？』

他一語不發，把她的身子，拉進了懷裡，用嘴唇去吻她的額，再吻她的眼睛，繼續吻她的鼻尖，又吻她的面頰，再吻她的唇……一面吻她，眼淚一直掉。

看到他這樣，她那兒還忍得住，眼淚也瘋狂的落下。她伸手去攬住他的脖子，在他耳邊哽咽的、心痛的、自責的、慌亂的說：

『不要這樣，你不要哭，你這樣，我很難過呀……我……我知道我有很多錯，我以後不兇你了，不亂發脾氣了……也不闖禍，不攻擊皇阿瑪……不打架，不弄掉孩子……我吃藥！我馬上吃藥……』

聽到她這麼溫柔而惶急的聲音，感受著她那份眞摯的愛。永琪心裡，就燃燒起熊熊的火焰，每一朵火焰裡，都是對她的『熱愛』，這才知道，愛爲什麼是熱的？這麼灼熱，燒痛了他的五臟六腑。爲了她，刀山油鍋，他都可以下！天堂地獄，他都可以去！他還有什麼可顧慮的呢？他低低的說了幾個字：

『我娶知畫！』

小燕子一怔，沒聽清楚，慌忙問：

『你什麼？』

『我娶知畫！』他噙著淚，清楚的說：『如果這是唯一的解決辦法，如果這樣可以救簫劍，我娶知畫！』

小燕子心情一鬆，眼睛一閉，淚珠成串的滾落。她不知道是喜是悲，只是把永琪緊緊緊緊的摟著。心裡，在瘋狂般的吶喊，永琪，我愛你愛你愛你愛你……

室內一燈熒然，兩人就這樣緊擁著，誰都不願放開手。好像彼此不抱緊，就會失去對方一樣。

26

太后知道，要永琪娶知畫，還有一關要過，就是乾隆。她也不明白，爲什麼乾隆這麼喜歡小燕子？他自己有三宮六院，卻爲了維護小燕子的專寵，在她生不出兒子的情況下，還沒給永琪再娶幾房福晉，實在是奇哉怪也！

晚上，太后到了乾清宮，乾隆就關心的問。

『小燕子怎樣，孩子保住沒有？』

『孩子已經掉了！孟大夫說，好像是個男胎！』

『唉！可惜！』乾隆跌腳嘆息。

『掉了就算了，也沒什麼可惜，小燕子的孩子，誰知道長大會怎樣？生下來是福是禍，都很難預料！』太后想著小燕子的身世，不寒而慄。

乾隆眼前，就浮起小燕子把宮女太監打了一地，還拿鞭子對他衝來的樣子，他不能不承認，當初太后認爲小燕子不學無術，不能娶爲媳婦的言論，確實有理。

『皇帝，我不是來報信的，我來和你商量一件事！』

『老佛爺請講！』

太后摒退了左右，這才慎重的開口：

『你是不是已經決定，要立永琪爲太子？』

『怎麼？宮裡有什麼傳言嗎？』乾隆不安的問，這個問題，一直是大忌。

『不是！是我想瞭解一下！』

『是！除了他，還有誰能當此重任？』乾隆證實了太后早有的預測。

『那麼，你認爲小燕子能當未來的國母嗎？你不怕她成爲天下的笑柄嗎？她連一個孩子都保不住，結婚四年，掉了兩個孩子！再說……你對她的身世，一點都不在乎，但是，天下人是不是也能不在乎？如果永琪一直迷戀小燕子，不趕緊再娶一個福晉，只怕這個太子，他也承擔不起！』

『老佛爺的意思是……』乾隆看著太后。

『馬上給永琪再辦一場喜事！知畫雖然是個漢人，卻是陳家的女兒，是名門閨秀！知書達禮，才貌雙全，比小燕子強太多了！』

『知畫？她願意嗎？永琪和小燕子……同意嗎？』

『知畫、永琪、小燕子都是我的事，我去擺平！現在，我需要你點頭！』

知畫確實是個太好的人選。他能不點頭嗎？乾隆眼前，再度浮起小燕子凶神惡煞般撲來的情形，啞然無語，嘆了口氣，點頭了。

『老佛爺怎麼說，就怎麼辦吧！』

太后在積極的安排永琪娶知畫，爾康卻在積極的給小燕子找生路。

這天，爾康一大早就出門，到慧心院去找那位靜慧師太。紫薇憂心忡忡，又不敢讓福倫和福晉知道這事，一整天都坐立不安。一直等到晚上，爾康才匆匆忙忙的回來了，拉著紫薇就進了房，神色悽然。紫薇一看他的臉色，就緊張起來。

『你找到靜慧師太了嗎？有沒有和她溝通好怎麼說……』

『沒有找到！我去了慧心院，尼姑庵裡的住持說，她去雲遊了，行蹤不明！』

『那怎麼辦？怎麼回復老佛爺？』

『我已經進宮，回復了老佛爺！這事不能拖，免得老佛爺疑心我又在耍花樣！』爾康握住紫薇的手，沉重的說：『進宮才知道，小燕子好慘，昨天差點打了皇阿瑪，被永琪敲破了腦袋……還有，她又流產了！』

『流產？』紫薇大驚：『她幾時懷的孕，怎麼我都不知道？』

『永琪說，誰都不知道！小燕子自己也糊裡糊塗，還一會兒揮鞭子，一會兒打架！再加上旅途勞頓，揭開身世的刺激……總之，孩子就掉了！』

紫薇難過極了，走到床邊去，跌坐在床沿上，說：

『小燕子會心痛死了！你不知道，她外表嘻嘻哈哈，什麼都不在乎，心裡是很在乎的，上次流產，她也難過得要命！』

『還有更慘的事……』爾康重重的嘆口氣：『永琪已經答應娶知畫！』

紫薇驚跳起來，脫口驚呼：

『什麼？永琪答應娶知畫？那……小燕子怎麼說？』

『小燕子還能怎麼說？爲了救簫劍，就是要她死，她也義無反顧！』

『但是，永琪娶知畫，比要她死還嚴重，那是生不如死呀！』紫薇將心比心，覺得茲事體大，實在太嚴重了，著急的問：『那個知畫，也願意嗎？』

『知畫心裡怎麼想的，我真的不瞭解！』爾康深思的說：『這次，老佛爺從擺鴻門宴，迷昏我們，到放出我們，談條件，各個擊破……簡直是快刀斬亂麻！使我不能不猜想，後面還有軍師！這麼大的事，皇阿瑪那兒，她能沉住氣，消息滴水不漏，好像也不是她的作風！』

『你是說，知畫是那個軍師？不可能！她那麼小，不會那麼厲害！』

『人不可貌相，海水不可斗量！』爾康深思的說，覺得隱憂重重。

紫薇想到小燕子的處境，想到關在密室裡簫劍，想到有情卻不能相守的晴兒，想到驚知真相，左右爲難的永琪……心裡越來越沉重。她也想到知畫，知畫知畫知畫……她扮演的又是什麼角色？是宮裡的另一個悲劇嗎？她的眼睛頓時一亮。

『這事還有希望，如果知畫不願意，老佛爺也不能勉強。知畫太年輕，她不懂小燕子和永琪的感情，如果她明白，自己嫁過去，會成爲一個傀儡，一個怨婦，一個破壞別人婚姻的人，甚至是個眼中釘……大概她也不願意！』

爾康看著紫薇，眼裡燃起希望，她說得有理！

『或者，應該有人去和知畫誠懇的分析一下！不過，老佛爺要我們促成這件事，我們反而破壞……』

『顧不了那麼多了，我們不是破壞，只是分析！』紫薇急促的打斷：『我明天就進宮！明月和慈寧宮的綠娥，相處得不錯，讓她傳個話！』

紫薇說做就做，事情十萬火急，不能再耽擱了。現在，所有的希望都在知畫身上。第二天，她就在宮女們的穿針引線下，見到了知畫。明月彩霞把風，她把知畫帶到宮裡一個隱密的小角落，四面花木扶疏，假山重疊。

知畫站定了，四顧無人，就急促的說：

『紫薇格格有話快說，我偷溜出來見妳，只怕老佛爺發現，會以爲我和妳串通，在欺騙她，那就慘了！』

『知畫！』紫薇開門見山：『我直話直說，妳要聰明一點，不要嫁給五阿哥！』

知畫抬眼直率的看著紫薇，大大的眼睛裡，一片認命的溫柔，說：

『紫薇格格，妳要說的話，我都明白了！坦白告訴妳吧，老佛爺這個決定，我早就體會到了！在海寧的時候，老佛爺和我爹娘，就有了默契，不管有沒有小燕子身世這件事，我想，遲早老佛爺都會跟五阿哥攤牌！至於我，不過是個女人罷了！女人有什麼地位呢？還不是聽爹娘的！有老佛爺作主，我還能說什麼？』

『不對不對！』紫薇急切的說：『中國的女人，就是有妳這種思想，才做了幾千年的奴隸，幾千年男人的附屬品！我們不能太被動，應該爭取自己的主權，應該爲自己的幸福著想！妳跟著五阿哥，是不可能幸福的！五阿哥全心全意，都在小燕子身上，妳難道沒有看明白嗎？妳這樣嫁過去，是一種悲哀呀！』

知畫垂下睫毛，無奈的說：

『我也明白啊！但是，老佛爺的命令，不能不聽啊！我也跟老佛爺說了，還珠格格和五阿哥情深意重，我不想攪和進去！可是，老佛爺說，如果我不答應，她就告訴皇阿瑪眞相，殺了還珠格格！』

『啊？』紫薇大驚，看著知畫。

知畫拚命點頭，繼續說：

『還有晴格格，她也走投無路了，簫劍還關在密室裡，幾天來，都沒吃什麼東西，事情再拖下去，恐怕簫劍也難逃一死！』她懇切的凝視紫薇，眼神裡一片眞摯：『我不是你們的敵人，我不是還珠格格的破壞者，在海寧和杭州，我目睹了你們幾個做的事情，我也感動啊！假若，嫁進景陽宮，是我的悲劇，爲了救小燕子，救簫劍，救五阿哥，救晴格格……我，也義不容辭了！』

知畫一篇話，說得那麼情眞意切，紫薇又是震動又是感動，還有深深的慚愧。

『對不起！我誤會了妳……』紫薇吶吶的說：『這樣，妳的犧牲不是太大了？』

『只要五阿哥和還珠格格瞭解我的苦衷，不要讓我的日子太難過，我也認了！』

『永琪和小燕子都是很心軟的人，不會爲難妳的……但是，妳的爹娘，願意這樣做嗎？他們不擔心嗎？』

知畫看著紫薇，推心置腹的說：

『我想，老佛爺說服了我爹娘……我爹和我娘，教我各種學問，栽培我，可惜我只是女兒身！就算力爭上游，也是嫁給人當老婆！爹娘最大的希望，就是我能嫁個好人家，生活得有地位！老佛爺到了海寧，讓我爹娘瞭解了，女人最高的地位，活到老年的時候，就像老佛爺那樣吧！』

紫薇睜大眼睛，驚愕的看著知畫。

『難道……老佛爺答應妳爹娘，如果妳嫁給了五阿哥，就扶持妳當「皇后」？』

知畫垂下頭去，默認了。

『可是……可是……皇阿瑪的阿哥那麼多，不一定會立五阿哥作太子呀！』

『那……我爹娘就賭輸了！』知畫無奈的笑了笑。

紫薇看著她，越看越驚，不禁抽了一口冷氣。

『原來，妳爹妳娘，一心要妳「當皇后」！』

知畫抬眼看紫薇，眼裡，有委曲求全的痛楚。臉上，帶著嫻靜和柔順，『理所當然』的說：

『我從小是唸四書五經長大的，爹娘生我育我，恩重如山。我無以回報，「孝」字做不到，起碼要做到「順」！我的婚事，長輩們早有計劃，我自己的意願，根本微不足道！我爹娘送我進宮的時候，我就不再考慮自身的幸福了！景陽宮，是冷宮還是熱宮，我也……只能聽天由命！這是我們做女兒的，唯一可以安慰父母的事吧！』

知畫說得悲哀，說得誠懇，紫薇瞪著她，這是多麼偉大的一份孝心，多麼『無我』的順從！紫薇在震動和佩服中，啞口無言了。

和知畫見完面，紫薇立刻去了景陽宮。爾康、小燕子、和永琪都在那兒等紫薇的消息。小燕子頭上包著布巾，躺在靠椅裡，身上蓋著薄被，形容憔悴，永琪不比小燕子的情況好，臉色也是蒼白的，眼睛深陷，顯然幾夜都沒睡好。當紫薇把見面經過細述一番之後，永琪猛然跳起身，驚喊：

『原來，陳家以爲我一定會當太子，所以要知畫嫁我！這事簡單了，我從來沒有要當太子的念頭，我只要去跟皇阿瑪說明白，讓皇阿瑪放出風聲，不會立我爲太子，知畫和老佛爺就會自己撤兵了！』說著，眼睛一亮，向外就走：『小燕子，妳不要急，這事還有轉機，我這就去找皇阿瑪！』

爾康一把拉住了永琪。

『不忙！爲了一個知畫，失去太子的地位，未免不值得！』

『有什麼不值得？』永琪著急的問：『你們看我，像是一個當皇帝的人嗎？』

爾康和紫薇，雙雙點頭。

『你仁民愛物，心地寬容，能文能武，又接近百姓，知道民生疾苦……確實是個好皇帝的人選！』紫薇說。

『你不當皇帝，我不為你可惜，我為天下的蒼生可惜！』爾康接口。

『謝謝你們兩個的抬舉！』永琪著急的說：『可是，我不想當皇帝，不要當皇帝，行嗎？在宮裡，所有的麻煩，都是「當皇帝」三個字引出來的！我沒有這個野心，也沒有這種壯志！』就看著小燕子問：『小燕子，妳在乎當皇后嗎？』

小燕子怔怔的看著永琪，大惑不解的問：

『怎麼有人把「當皇后」做為一個「目標」？我們宮裡，就有一個剃光了頭髮，比坐牢還慘的皇后！』

『就是呀！知畫也看到皇后的下場了，不過，這並不是她的意願，她都在為我們著想！』紫薇嘆了口氣，看永琪：『其實，知畫實在是個好心的姑娘……』

永琪一跺腳，喊：

『所以，嫁給我太委屈了！』

『假若知畫這麼善良，為了救小燕子和簫劍，寧可和小燕子共有一個丈夫……五阿哥，這可是「恩重如山」，你更難辦了！』爾康沉吟著說。

『有什麼難辦？』小燕子眼眶一紅：『我把永琪讓給她就是了！反正我也生不出孩子……反正……她的聲音顫抖著，又想起那個『殺父之仇』了。『我也不想給「愛新覺羅」家生孩子，就讓她去生吧！』

『小燕子！此時此刻，妳還說這種話……』永琪苦惱已極的喊。

這時，在小鄧子的通報聲中，晴兒氣急敗壞衝進房，一進門就對永琪求救的說：

『五阿哥！老佛爺說，皇上已經同意你娶知畫！事情也不能再拖了……因為……』她的眼淚掉下來：『簫劍每天坐在密室裡吹那支簫，除了喝幾口水，幾乎什麼都不吃……老佛爺不許我去看他，我很害怕……再熬下去，他也撐不住了！老佛爺說，你成親之後，才要放人！』

眾人大驚，小燕子就跳下靠椅，激動的衝到永琪面前，推著他，嚷著：

『你快去告訴皇阿瑪！你明天就成親，不不不！今晚就成親！你快去快去……』

永琪怔忡著，無暇細思，急急的衝出門去。一口氣衝到了乾清宮，見到了乾隆，三言兩語說明來意，乾隆驚愕的看著他，大爲意外。

『你要馬上娶知畫，小燕子也贊成，這事，實在有些奇怪！』

『皇阿瑪不要問了，我一定有苦衷……』永琪答得又痛楚又勉強。

乾隆盯著永琪，自以爲瞭解了，壓低聲音問：

『你對人家姑娘做了什麼？一時之間，把持不住嗎？聽說，幾天前，你們在慈寧宮喝醉了，是不是你酒後做了什麼？』

『不是不是！不是皇阿瑪想的這樣！』永琪面紅耳赤的說，這是什麼話？

『好吧！不管是怎麼樣，知畫也不會委屈你！要辦，就馬上辦吧！』

永琪吸了一口氣，忽然說：

『皇阿瑪！您能不能宣佈，不會把我列入太子人選！』

乾隆一個震動，立刻抬眼正視著永琪。

『爲什麼？』

『我覺得我不適合當太子！六阿哥、八阿哥都不錯！尤其六阿哥，書唸得比我好，他比我強！還有幾個小弟弟，長大了也是人才……』

『永琪！』乾隆凝視著他，重重一嘆：『不瞞你說，自從南巡回來，朕覺得一天比一天老了，體力精神，都大不如以前了。』

『是不是旅行的疲倦還沒恢復？太醫怎麼說？』永琪立刻著急而關心起來。

『太醫可以「治病」，不能「治老」啊！』乾隆盯著他：『讓朕跟你說兩句知心話，你的幾個哥哥，都幼年夭折，沒有帶大。目前，適合當太子的人選，永瑢已經過繼給愼郡王，沒有繼承皇位的機會了！永璇年齡還小，學問是做得不錯，騎射工夫就弱了些，氣勢和人緣都輸給了你！剩下的幾個小阿哥，都是孩子，不成氣候……你放眼看去，除了你，朕還能選誰？』

永琪這才知道乾隆早已決定了，不禁驚看乾隆，頓時冷汗涔涔。

『皇阿瑪！可是……我從來沒有想過要當太子……』

『那麼，從今天起，你應該想一想了！』

『皇阿瑪……』

乾隆站起身子，再度打斷他，沉重的說：

『你們曾經說服朕，要朕以大局爲重，放棄盈盈！但是，你和爾康，卻把感情看得比任何東西都重要！朕也要告訴你，人生有許多責任，是超過感情的！你不能做一個「唯情主義」的人，你沒有資格這樣做！你的生活裡，不止小燕子，還有這個天下的重責大任！如果你成天陷在「小兒女」的私情裡，你怎麼成大事？繼大統？』

永琪越聽越惶恐。

乾隆充滿感情，幾乎有些脆弱的繼續說：

『你，也要爲朕想一想呀！朕已經步入老年，假若，你腦子裡，只想著自己，只想著小燕子，甚至想著遠走高飛，你，要朕把這江山百姓，交給誰去？』

永琪震動著，慚愧得無地自容了。

『皇阿瑪，永琪知錯了！』

乾隆走過來，安慰的拍了拍他的肩，誠摯的說：

『哪個皇帝不是三宮六院？就從知畫開始吧！不爲了作伴，也要爲了皇儲著想！小燕子連個孩子都保不住，說話做事，毫無分寸……老佛爺用心良苦，朕和你，都接受事實吧！』

永琪沉痛的看著乾隆，一句話也說不出來了。

27

一切的努力都宣告失敗，永琪娶知畫，成了定局。剛好三天後就是良辰吉日，太后生怕夜長夢多，立刻宣布這天爲大喜之日。日子定得這麼倉卒，連陳邦直夫婦都趕不及參加。太后未雨綢繆，把知畫改了自己的姓氏『鈕祜祿』，算是過繼給自己的姪兒，這樣，知畫就算是滿人了，更成了太后的姪孫，身分何等尊貴！她將由慈寧宮嫁到景陽宮。頓時間，慈寧宮也好，景陽宮也好，全部忙成一團。

太后的親信桂嬤嬤，帶了許多太監和宮女，都趕到景陽宮來佈置新房，從院子開始，到處張燈結彩。太監們架著梯子，在門楣上，大樹上、圍牆上、照壁上……凡是可掛宮燈的地方，全部掛上宮燈，可貼囍字的地方，全部貼上囍字。還有那些彩帶彩球，更是掛得琳瑯滿目。

桂嬤嬤站在院子裡，指揮這個，指揮那個，得意洋洋的嚷嚷著：

『門框上的灰，要先擦一擦！先掛彩帶，再掛彩球，中間掛囍字宮燈……太低了！太低了……高一點……不不不！又太高了，低一點……』回頭一看，大喊：『翠兒！珍兒……妳們麻利一點，圍牆上，樹上……全部要掛滿彩帶，等會兒老佛爺要來看！做得不好，我扒了妳的皮……小鄧子，小卓子，你們倒舒服，就站在一邊看熱鬧，怎麼不動手？』

小鄧子和小卓子，看到這種架式，深爲小燕子叫屈，正在敢怒而不敢言，聽到桂嬤嬤的吆喝，小鄧子就沒好氣的衝口而出：

『你們那麼多人在忙，我們也插不上手！』

『就是！』小卓子接口：『這麼多彩帶，不怕把人絆個觔斗嗎？又不是第一次辦喜事，這麼誇張幹什麼……』

小卓子話沒說完，桂嬤嬤走了過來，揚手給了他一巴掌。大罵：

『討打！這話是你說的！我告訴老佛爺去！』

小卓子摀著熱辣辣的臉孔發呆，小鄧子一拉他的衣服：

『幹活去！幹活去……別說話了！掛彩帶……』

小鄧子抓了一堆彩帶，就往小卓子手裡塞。小卓子氣沖沖的，走開去掛彩帶了。

大廳裡，也是張燈結綵，一片喜氣洋洋。無數宮女，在花瓶上、窗子上、擺飾上、牆上……貼著囍字。明月、彩霞也在貼著，兩人都氣呼呼的，憤憤不平。明月對彩霞低聲說：

『這是幹什麼？當初還珠格格成親，也沒把房間弄成這樣？聽說，結婚排場比兩位格格成親的時候還要大，這不是給還珠格格下馬威嗎？』

『就是！』彩霞撇撇嘴：『不管知畫姑娘的家世怎樣，不管老佛爺多喜歡，總之，是娶二房嘛！說穿了，就是討小老婆嘛……』

桂嬤嬤不知何時，已經站在兩人身後，衝上前來，彩霞也挨了一個耳光。彩霞大驚，抬頭看著桂嬤嬤，喊：

『妳怎麼打人？』

『妳嘴裡不乾不淨，我代老佛爺教訓妳！』桂嬤嬤盛氣凌人。

『我有什麼不乾不淨？我說的是事實……』

桂嬤嬤一伸手，就扯住彩霞的耳朵，彩霞拚命掙扎：

『哎喲！哎喲……』

明月看到桂嬤嬤欺負彩霞，就撲了過來，去拉桂嬤嬤的手，要搶救彩霞：

『桂嬤嬤！放手！格格說過，不可以打奴才……』

『老佛爺可沒這麼說過！』桂嬤嬤嚷著。

小燕子早已被驚動，站在大廳門口，看到這一幕，氣得臉色發青。她忍無可忍，衝了過來，一把拉開了桂嬤嬤的手，攔在彩霞面前，大叫：

『住手！誰敢打我的人，就等於打我！桂嬤嬤，妳在老佛爺那兒威風就夠了，這兒是景陽宮，妳睜大眼睛看看清楚！』

桂嬤嬤趕緊行禮，堆下滿臉的笑，說：

『還珠格格吉祥！身子還沒好，怎麼不躺在床上休息？這兒的事，有我桂嬤嬤監督著，不勞格格費心！至於教訓彩霞，那是不得已，還珠格格也不希望奴才們，仗著有格格撐腰，就作威作福吧！趕明兒，新福晉就進門了，老佛爺要奴才跟著過來，免得景陽宮的奴才們沒規沒矩，奴才只好先提醒她們！』

小燕子一楞，睜大眼睛問：

『老佛爺要妳一起過來？』

『是啊！以後，這景陽宮的家務事，格格都不用操心了！交給奴才就是！』

小燕子呆住了。這以後，景陽宮還有她的地位嗎？還有好日子過嗎？

桂嬤嬤抬頭一看，宮女們都在傾聽，就揮手大嚷：

『怎麼都站著不動？快幹活！彩球、囍字、宮燈、彩帶都掛起來……』

小燕子滿臉挫敗，臉色蒼白。眼光向裡面看，那兒是知畫和永琪的新房，從家具到擺飾，全部從慈寧宮搬來，件件都是精雕細鑿的。她身不由己，就慢慢的走了過去。

宮女們正在新房忙碌著，滿室喜氣。雕花床上，垂著紅色的帳子。珍兒、翠兒是慈寧宮的宮女，這時正忙著鋪床。一條繡著鴛鴦戲水的紅色床單，鋪上了床。然後是一疊錦被，有的繡著比翼雙飛的大雁，有的繡著四季花卉，有的繡著成雙成對的蝴蝶……被兩人摺疊成條形，一條條放在床裡。接著，繡著囍字的枕頭，成雙的放好。然後，是最重要的一件東西，一條白色的、兩端繡囍字的「白喜帕」打橫鋪在紅被單上。看來十分醒目。

珍兒吃吃笑著，低問翠兒：

『這個「見紅」的事，老佛爺也會親自檢查嗎？』

『可不是！萬一沒見紅，那不是丟人嗎？』

『我聽說，老佛爺要檢查，是怕五阿哥不洞房……』珍兒壓低聲音。

『不洞房？那怎麼可能？知畫姑娘那麼漂亮，又是老佛爺和皇上指婚，只怕五阿哥來不及要洞房呢……男人就是男人嘛……』

兩個宮女就悄悄笑著，忽然一抬頭，發現小燕子挺立在門口，不禁吃了一驚，兩人慌忙屈膝行禮：

『還珠格格吉祥！』

小燕子瞄了宮女們一眼，再看看那張床，那些錦被，那對枕頭，那條觸目驚心的白喜帕……一咬牙，出去了。

外面忙得人仰馬翻，永琪卻把自己關在書房裡，背負著手，像困獸般在房裡走來走去。一聲門響，小燕子衝了進來，關上房門，一下子就站在他面前，痛苦的喊：

『我後悔了！我接受你的提議，你去找爾康，找柳青，找所有能找的人，今晚，我們來一個大鬧皇宮，火燒慈寧宮，救出我哥哥！』

永琪大驚，看到窗外人影綽綽，都是慈寧宮派來的宮女太監和嬤嬤，急忙用手蒙住小燕子的嘴巴，緊張的低聲說：

『噓！妳在胡說什麼？此時此刻，計劃也來不及，行動也來不及！』他盯著小燕子，無奈至極：『我們被困住了，除了遵守承諾，沒有第二條路了！』

小燕子掙脫他，眼眶漲紅了。心裡酸澀到極點，委屈的說：

『我知道我知道，你巴不得娶知畫，巴不得和知畫「洞房」！男人就是男人……當然什麼都來不及了！』

『妳這是什麼話？』永琪臉色慘變，轉身就走：『好！我去慈寧宮，我去見老佛爺，告訴她我變卦了！至於簫劍，他有他的命，看他的造化吧！』

小燕子頓時瓦解了，飛奔過來，攔住他，用帶淚的聲音，悽然的喊：

『不不不！我胡說八道，我腦筋不清，你不要理我！你不要變卦，你娶知畫，娶知畫……娶知畫……』

永琪把她一拉，就拉進了懷裡。他用胳膊緊緊的箍著她，似乎恨不得把她壓進自己的身體裡面，他的嘴唇貼著她的耳朵，痛楚的說：

『小燕子啊！人生有這麼多的無可奈何，我們有了生命，就逃不掉各種責任！昨天，皇阿瑪也跟我有一番懇談，我生在帝王家……未來的生命裡，說不定還有更多的考驗！我們一起去面對吧！不要再逃避了！妳那天說，幼稚的事，我們不能再做了！妳知道嗎？這句話讓我有多大的震撼，妳終於成熟了！』

小燕子推開他一些，仰頭看著他，眼裡盛滿了感動，可憐兮兮的問：

『是嗎？』

『是！但是……在娶知畫以前，我還是要去一趟慈寧宮，不見簫劍一面，我不放心！也不甘心！』

『我也要去！』小燕子背脊一挺，急忙說。是啊，好幾天沒看到簫劍，不知道他被折磨成什麼樣子，萬一沒有救出簫劍，再迎娶了知畫，那豈不是冤枉透頂！

『妳到床上去躺著吧！剛剛流產沒有幾天，跑到慈寧宮，老佛爺看到又生氣！何況，妳的身子重要，聽我的話！』

『我已經好了，沒事了，我一定要去！這次和哥哥分手，誰知道什麼時候才能再見？』小燕子急急的說，迫不及待了。

太后完全瞭解永琪和小燕子的擔心，爲了不要在這緊要關頭再起變化，她很爽氣的答應了兩人，於是，永琪和小燕子重來密室，見到了簫劍。只見簫劍在室內盤膝而坐，神色憔悴，逕自吹著簫，簫聲在整個石室中迴響。

鐵門『欽欽哐哐』的打開，永琪和小燕子衝進房，高庸帶著侍衛緊跟在後。

『哥……哥……簫劍……』小燕子痛喊著，好像幾百年沒看到簫劍了。

簫劍看到兩人，一躍而起，驚喜的喊：

『你們來了？』

高庸行禮說：

『五阿哥，還珠格格，你們和簫大俠快快談！奴才告退！』

高庸帶著侍衛出門去，關上了房門。

小燕子立刻衝到簫劍面前，拉著他的手，上看下看，左看右看，又悲又喜。

『哥哥！你怎樣？好不好？聽說你都不肯吃東西！你幹嘛那麼傻？吃東西才有力氣呀！吃東西才能打架呀！你爲什麼不吃？餓成猴子頭，還能做什麼？』

『你們怎麼會過來？』簫劍震動已極的看二人：『自從你們出去以後，一點消息都沒有，我急呀！那裡還有胃口吃東西……』

『沒辦法呀！這個慈寧宮，都是老佛爺的人，高庸守著，滴水不進，晴兒的宮女，想賄賂太監，一個都動不了……』小燕子有一肚子的話想說。

『小燕子，我們時間不多！說要點吧！』永琪趕緊打斷，看著簫劍，鄭重的說：『簫劍，所有的問題都解決了！老佛爺瞞住了眞相，皇阿瑪什麼都不知道。明天晚上戌時，高庸會把你送到神武門，爾康的馬車在那兒等！上了馬車，你就去吧！從此，不要再回北京了！小燕子有我照顧，你儘管放心！』

簫劍神色一凜。

『就這樣？』他問。似乎太簡單，太容易了。

『就這樣！到了馬車上，爾康再跟你細談！』

簫劍輪流看兩人，看到小燕子的憔悴，也看到永琪的憔悴。他咬牙問：

『你們答應了什麼條件？』

『我們答應終身保密，小燕子答應忘掉仇恨！也代你答應……遠走高飛！』永琪說。

『晴兒呢？答應留在老佛爺身邊，侍候老佛爺一輩子？』

永琪怔住，答不出來。小燕子眼神一暗，哀求的看著簫劍說：

『你先不要急，出去了再說！關在這兒，和晴兒只隔幾步路，還是見不著面！出去了，我們再幫晴兒想辦法，再幫你想辦法！哥……我保證，讓晴兒跟你團圓！』

簫劍沉吟不語，永琪一巴掌拍在他肩上，義正辭嚴的說：

『簫劍，來日方長！事在人爲！小燕子說得對，出去是第一要事！目前，我們除了妥協，還是妥協！因爲……每個人都在爲其他的人犧牲！』

簫劍看看永琪，看看小燕子，看到兩人都是一股倦容，尤其小燕子更加蒼白消瘦，猜到她已心力交瘁，想到她的處境，毅然點頭。

『我明白了！我聽你們的！明晚戌時……爲什麼是戌時呢？』

『因爲……』小燕子眼眶濕濕的：『因爲那是吉時良辰……』

簫劍納悶不懂，永琪趕緊接口：

『簫劍！明晚我們就不送你了！出了宮門，走得越遠越好！』

小燕子一把抓住簫劍的手，緊緊的握了握，淚珠在眼眶裡打轉，她哽聲說：

『哥！那把劍還在爾康家，我沒時間去學士府，明晚，爾康會帶給你！從今以後，爾康家，會賓樓都不能再住！北京也不能再留，你保重……我們大理見！』

簫劍驚看小燕子，被她的穩重和訣別似的句子震動了。

這時，門開了，高庸進房來：

『五阿哥！還珠格格！老佛爺要奴才送你們回景陽宮！』

小燕子心中一痛，生怕再也見不到簫劍，握著他的手不放，心碎的喊：

『哥！哥！哥……你保重……哥……』

簫劍心中已經瞭然，此次一別，再見難期，就把那支簫往小燕子手中一塞。

『小燕子，這支簫妳拿去！我拿劍，妳拿簫，我確信這簫和劍，總有一天，還會合在一起！』

小燕子就緊緊的握著那支簫，痴痴的看著簫劍。

永琪凝視著簫劍，和簫劍的手，緊緊一握。

『珍重！後會有期！』永琪語重心長。

『彼此彼此！』

永琪掉頭，拉著小燕子就走。小燕子淚汪汪，一步一回頭，含淚喊：

『哥！哥……下次見面的時候，我吹簫給你聽！』

『一言爲定！』簫劍答了四個字，就轉過身子，背負著手，不再看兩人。

小燕子被永琪拉走了。一路上，一直喊著：

『哥！哥！哥……你保重，不要記掛我，我會好好的，我會懂事的……你照顧好自己……哥……哥……哥……』

簫劍聽著她那悽楚的喊聲，覺得心如刀絞。他不敢回頭，饒是身經百戰的英雄人物，此時此刻，也不禁淚盈於眶。小燕子！這深宮高牆，到底是不是妳的天堂？妳到底用什麼條件，來交換了我的自由？

這晚，永琪和小燕子站在窗前，看著窗外的月亮。這是永琪娶知畫的前夕。眞是『今夕知何夕？共此燈燭光！』永琪從她身後，抱著她，他的下巴貼著她的髮鬢。他和她，那麼知心，共度了那麼多恩愛的歲月，她的每一縷心思，他都幾乎都讀得出來。感到她的身子僵硬，看到她目不轉睛的盯著天邊的月亮，他知道她想的是明晚，他知道她的心在淌血……他攬緊了她，輕聲說：

『不要對著窗子發呆了，身子還沒恢復，去床上躺躺吧！』

『我那有那麼嬌弱？』她咬咬嘴唇：『明晚，你手臂裡抱的，就不是我了！』

『我的手臂裡，只會有妳一個，妳心裡明白的！』他苦澀的說。

『我不明白啊！我害怕啊！』她陡然熱情奔放：『永琪，抱緊我！』

『是！』他用力抱緊了她，吻著她的耳朵和頭髮：『妳要信任我，瞭解我，否則，我的所作所爲，就一點意義都沒有！我是爲了救簫劍，爲了把妳留在身邊，不得不這麼做！但是，妳是無法取代的，知道嗎？』

『我知道！可是……我吃醋呀，我嫉妒呀，只要想到明天晚上，你會和她進洞房，我就難過得快要死掉了！這兩天，看著景陽宮張燈結綵，我眞想把那些囍字，全部撕得粉碎！怎麼會這樣呢？』

永琪心裡一痛，想到自己即將面對的新娘，心裡更是充滿怯意。

『妳這麼難過……或者，我錯了，不該答應妳的，不該這麼做的，還沒到明天，我已經後悔了……或者……』

小燕子心裡狂跳，知道不能再變卦，急忙喊著：

『我胡說的！我不吃醋，我不嫉妒！你別後悔，老佛爺說了，知畫的花轎進了景陽宮，我哥就出了神武門！我哥……他困在那個密室裡那麼多天，瘦了那麼多，他嘴裡不說，我也看得出來，他快要瘋了！他能不能獲得自由，就靠你了！永琪，謝謝你……』

『妳還謝我？我怎麼弄成這樣的局面，我到現在還搞不清楚！只有一件事，我是明白的，不管怎樣身不由己，就是對不起妳！』

『別婆婆媽媽了！哇！』她抬眼看天空，故意歡聲的叫：『月亮出來了！你看你看……好圓的月亮！』看著月亮，又失神了：『明晚的月亮，不知道會不會也這麼好？一樣的月光，會照著結婚的隊伍、會照著花轎進門，會照著新房的窗子，會照著你挑喜帕、喝交杯酒……』

『不要再說了！』

永琪把小燕子的身子一轉，讓她面對著自己。她痴痴的看他，痴痴的說：

『明晚，你也會這樣看知畫嗎？你的眼睛，也會這樣濕濕的嗎？』她緊咬了一下嘴唇：『在那個喜帳裡，你要和她「得成比目何辭死，願作鴛鴦不羨仙」嗎？你會記住我嗎？會不會慢慢的，就把我忘了……』

『我說，不要說了！』

『可是……』

永琪痛楚的俯下頭去，痛楚的吻住了她的唇，堵住了她的嘴。她什麼話都說不出來了，只是緊緊的攀著他，狂熱而纏綿的響應著他。在這一刻，天地萬物，昨天明天都不存在，他們擁有著彼此，完完全全的，完完整整的，不容分割的，不可分裂的……他們根本就是一體，她是他，他也是她。

28

終於到了這一天，是永琪和知畫大喜的日子。

在慈寧宮，幾乎所有的嬪妃都趕來道喜。知畫在晌午時分，就開始盛裝打扮，穿著一身新娘的紅衣，她端坐在椅子裡，讓一群嬪妃圍著她，給她梳妝穿戴。到了晚上，屋裡的人越來越多，穿流不息的宮女嬪妃們，忙裡忙外，吉祥物，喜帕，蘋果……一一捧來。

晴兒也在侍候著，卻完全心神不寧，帶著一臉的擔心和焦灼，眼神不時飄向屋外。知畫馬上就要嫁進景陽宮了，小燕子最痛楚的時刻也要到了，怎麼太后還沒釋放簫劍呢？太后會不會達到了目的，再向簫劍下手呢？不會吧！太后是宅心仁厚的，是吃齋唸佛的，不會做這麼殘忍的事！她想東想西，坐立不安。

太后在嬪妃簇擁下笑吟吟的走向知畫，打量著她。見她一身火似的紅，像朵盛開的牡丹花，真是顧盼生姿，風華絕代。這樣的一個『可人兒』，放在永琪身邊，就算他是鐵打的，也會動心吧！太后想著，就親手把一條吉祥如意鎖，戴在知畫脖子上，寵愛的說：

『知畫！妳太漂亮了，這樣一打扮，更是美得不得了！這個吉祥如意鎖，是我當年賠嫁的吉祥物，給妳了！預祝妳有一天，也像我這樣，子孫滿堂！』

知畫凝視太后，感動得一塌糊塗，想起身行禮：

『謝老佛爺！知畫怎麼擔當得起！』

『別起來別起來！別把衣裳弄亂了！』太后一把按住她，回頭喊：『桂嬤嬤！珍兒！翠兒！』

桂嬤嬤也衣飾光鮮，帶著兩個宮女上前行禮。

『喳！奴婢在！』

『妳們三個，從今晚起，就派給知畫姑娘了……』太后嚴重的吩咐：『這以後，可得改稱呼，叫「福晉」！妳們到了景陽宮，好好的侍候知畫姑娘！不要讓她缺這個缺那個，也不要讓她受委屈！知道了嗎？如果她有什麼不如意，我可不饒妳們！』

『奴婢知道了！』桂嬤嬤帶著珍兒翠兒大聲答應。

『晴兒！』太后又喊。

晴兒正在門口張望，魂不守舍，根本沒聽見。

『晴兒！』太后又大喊。

晴兒這才聽見，慌忙上前。

『老佛爺！』

太后見晴兒神色，心知肚明，不太愉快的說：

『妳快把那尊「送子觀音」捧來，讓桂嬤嬤一路捧進新房裡去！』

『是！』晴兒找到送子觀音，捧來，交給桂嬤嬤。

這時，外面傳來太監大聲的通報：

『皇上駕到！』

一屋子的人趕緊肅立，行禮喊道：

『皇上吉祥！』

乾隆已經帶著太監，大步走進大廳，笑著對太后說：

『兒子特地趕來，跟老佛爺道個喜！這知畫成親，好像老佛爺嫁格格一樣！總算讓老佛爺心想事成了，可喜可賀！』

『還不是皇帝的玉成！』太后喜孜孜。

知畫急忙起立，嬪妃們趕緊扶住，知畫就羞澀而謙卑的低聲說：

『皇上！知畫給您磕頭！』說著，就要跪下去。

『扶起來，扶起來！現在磕什麼頭？到景陽宮再磕吧！』乾隆喊。

『這個頭遲早是要磕的！拜過堂，就要改口叫皇阿瑪了！』太后對乾隆笑著：『皇帝，你不在景陽宮等著他們行禮，還來回跑！』

『老佛爺還不是得來回跑！邦直來不及趕來，這娘家婆家都是咱們，朕就忙一點吧！』乾隆看著知畫，忽然笑不出來了，對知畫鄭重的說：『知畫是陳家的閨女，知書達禮，不是一般小家小戶的女兒……到了景陽宮，要知道「和爲貴」！小燕子好歹先進門，雖然老佛爺說，妳算正室，但是……妳們也別分什麼大小，妳喊她一聲姐姐吧！她的脾氣強，妳讓著點兒！』

太后這才明白，乾隆特地來一趟，是要在知畫進景陽宮以前，先給她幾句下馬威！這麼千方百計護著小燕子，他如果知道，這個小燕子，根本是個叛黨餘孽，該當如何？太后眼神一暗，心裡十分不快，此時此刻，不便表現。

知畫卻斂眉屏息，誠惶誠恐的回答：

『皇上的教訓，知畫謹記在心！』

『那麼，朕先走一步！景陽宮見！』

乾隆帶著太監們，在大家的恭送聲中，先離開了慈寧宮。

這時，院子裡的吹吹打打之聲，喧囂的響起。桂嬤嬤上前，對太后說道：

『老佛爺！吉時快到了！』

『快！帽子霞帔，戴起來！要上花轎了！』

帽子戴上，霞帔蓋下，蘋果握住……一屋子響起恭賀之聲。

『老佛爺大喜了！知畫姑娘大喜了！』

就有十二個喜娘上前，攙扶起知畫。桂嬤嬤捧著送子觀音，珍兒翠兒捧著吉祥物，一行人浩浩蕩蕩出門去。

晴兒眼看知畫已經上了花轎，心裡更急。『可憐的小燕子，可憐的永琪，可憐的簫劍，可憐的我……』她想著。聽著外面鞭炮聲劈哩叭啦的響起，看到院子裡煙霧騰騰，她再也控制不住自己，倉卒的奔向太后。太后正往門口走，被她一撞，差點站不穩，幸好宮女急忙扶住。

『晴兒，妳幹嘛？』太后皺眉問。

『老佛爺……』晴兒急急的，哀求的說：『知畫已經上了花轎，簫劍是不是可以放了？以後，我會跟在老佛爺身邊，永遠孝敬您！可是……現在，能不能允許我送簫劍到神武門？我答應，這是我見他的最後一面！』

『別擋著我，我還要趕去景陽宮！』太后板著臉，知道晴兒要親眼看到簫劍脫險才放心。

『老佛爺！求求您……』晴兒急切的說，什麼教養害羞都顧不得了。

幾個嬤嬤過來，催促太后動身。晴兒不斷哀求：

『老佛爺……老佛爺……求求您！』

『妳會斷得乾乾淨淨嗎？』太后沒時間跟她磨，不耐的問。

『我發過重誓了，不是嗎？』晴兒苦澀的，哀懇的看著太后。

太后凝視晴兒，這個從小跟在她身邊，侍候了她許多年的格格！在這一刹那，她心裡湧起一股惻然的情緒，當初，誤了晴兒嫁爾康的機會，才造成今天這許多故事。她心中一嘆，最後一面？料她不敢違誓。以自己的身分，也不能言而無信，那個簫劍，只好放了！放簫劍，是經過她千思萬想後的決定。她知道簫劍把小燕子和晴兒，看得比自己的生命還重。現在，宮裡押著他最在乎的兩個人，爲了保護這兩個女子，他再也不敢輕舉妄動了！太后看到晴兒這樣急迫，正好示好給他們，讓小燕子和永琪感恩，給知畫的未來奠下基礎。於是，太后網開一面，簡單的說了：

『去去去！高庸！陪她一起去！』

『喳！奴才遵命！』

晴兒悲喜交集，匆匆屈膝，說了一句：

『謝老佛爺的恩典！』

晴兒就轉身，在高庸和眾多侍衛的押解下，到了密室。

簫劍正肅立在門內，等待著。吹吹打打的聲音傳來，鞭炮不絕於耳。簫劍不知道宮裡有什麼喜慶？他只怕小燕子的消息不正確，怎樣也無法相信，自己已經進了這個牢籠，還有機會脫身？正在心煩意亂，房門一響，只見他朝思暮想的晴兒，衝進了房門，在她身後，高庸帶著侍衛，全副武裝，攔門而立。

『簫劍！』晴兒喊著，淚在眼眶。

簫劍目不轉睛的看著晴兒。她含淚看高庸：

『給我一點點時間，讓我和簫大俠說兩句話！』

高庸對這位晴格格，是深深敬愛的。她在老佛爺身邊多年，待人寬厚，從來不曾作威作福。他同情的頷首，帶著侍衛退出門外，關上房門。

簫劍看到沒人了，就把晴兒拉進懷中，死死的凝視她。兩人熱烈對看，簫劍就俯頭，炙熱的吻住她。晴兒心碎腸斷，恨不得把自己全部的愛，都化在這一吻裡。

一吻既終，晴兒抬頭，心痛如絞的看著簫劍，啞聲說：

『老佛爺答應我送你到宮門口，爾康在那兒等你！這個皇宮，銅牆鐵壁，所有的人，勾心鬥角，實在不是你可以適應的地方！從此，你就好好的去吧！不要再記掛我！如果有緣，我想，天上人間，我們都會再相遇的！』

『妳在和我訣別嗎？』簫劍一瞬也不瞬的看著她，在她耳邊飛快的說：『我不管妳答應了什麼條件，到了宮門口，妳跟我一起上車！知道嗎？』

晴兒踉蹌一退。

『不行！你千萬千萬不要冒險！不爲了你，也要爲小燕子、紫薇、爾康著想！爲了讓你脫困，我們每個人都付出了代價，付出最多的，是小燕子！你……不要再讓她爲難了！難道，你想害死她嗎？』

簫劍神情一痛，著急的問：

『小燕子付出了什麼代價？』

晴兒驚覺說溜了嘴，搖了搖頭。

『你別管了，五阿哥會好好待她的，我留在宮裡也好，可以照應著她！走吧！這個皇宮，早點脫身爲妙！』

簫劍的眼光，不捨的看著她，鄭重的，堅決的說：

『晴兒，我長話短說！要我從此放棄妳，那是我根本做不到的事！目前，爲了脫困，我只好什麼都聽你們的！但是，那絕不表示我同意和妳分手！妳等著我，我去安排，我們一定會在最短的時間裡團聚！今天，我聽妳，到時候，妳得聽我！』

晴兒拚命點頭，也不分辯。

高庸開門進來，說：

『簫大俠！是時候了！走吧！』

『老佛爺讓我送簫大俠一程！』

高庸不語，帶著侍衛，全副武裝的押著兩人出門去。

簫劍和晴兒走到御花園，就碰到了喜樂的隊伍。只見兩排宮女手持燈籠，迤邐前行。儀仗隊高舉著各式華蓋，亭亭如傘。樂隊奏著喜樂，帶著宮廷舞蹈隊，跳著『花月良宵』舞，簇擁著花轎向前走，許多嬪妃命婦，宮女太監，都圍著看熱鬧。

簫劍驚奇的看了看那個隊伍。高庸帶著侍衛，緊跟著簫劍。

『晴格格，簫大俠！我們走這邊！』高庸避開了大婚的隊伍，往另外一條路走。

『宮裡在辦喜事？』簫劍困惑的問。

『咱們快走！』晴兒加快了步子，走進那條花木扶疏的小徑。

簫劍對宮裡的喜事也沒興趣，一心要離開這個皇宮，大踏步走去。

轉眼間，到了宮門口。一輛馬車停在那兒，等候多時的爾康，立刻迎了過來。

『簫劍！』爾康興奮的喊。

簫劍和爾康，兩人的手，重重的一握。高庸急忙對爾康行禮：

『額駙大人，簫大俠交給你了！老佛爺說，剩下的事，額駙知道該怎麼辦，不要讓皇上和福大人爲難！』

『高公公！我知道了！』爾康回答。

『晴格格！』高庸看晴兒：『奴才護送妳回去！』

晴兒看簫劍，依依不捨，柔腸寸斷，就急忙從懷中掏出一張摺疊的小紙箋，塞進了簫劍的手裡，強忍著淚，匆匆說：

『我不能不回去了！你上車吧！爲我，保重你自己！』

簫劍凝視晴兒，一摔頭。

『妳也是！記著我的話！』

晴兒拚命點頭。

簫劍就跟著爾康，跳上了馬車。車夫一拉馬韁，馬車立刻啓動了。簫劍從車窗伸出頭來，依依不捨的凝視著晴兒。

她佇立在那兒，像一座石像，雙眼定定的看著他，直到那輛馬車，越走越遠，越走越遠，越走越遠……終於絕塵而去。

看不到晴兒，看不到宮門，看不到那個禁錮著小燕子和晴兒的紫禁城……簫劍收回了視線，坐進馬車裡。爾康深深看了他一眼，就把長劍往他手中一塞：

『這是你的劍！』再拿起一件件行李說：『這個包袱是紫薇幫你準備的行李，她在宮裡陪著小燕子，不能送你了！這是一些乾糧，路上吃！這是盤纏，夠你一路用了……』把東西分別往他身上塞的塞，背的背。

簫劍一抬頭，眼神銳利的看他，問：

『什麼意思？難道，你們要我真的走？』

『什麼意思？』爾康睜大眼睛說：『難道，你還想在北京耗下去？這兒，你還沒待夠？』

『你明明知道，不帶著晴兒，我那兒都不去！』

『你不要傻了！』爾康正色的說：『晴兒不是今天明天的事，甚至不是今年明年的事，你能夠逃掉一死，是上蒼有好生之德，你就好好的珍惜這條生命吧！晴兒對你的心，你是知道的！只要她不變，又豈在朝朝暮暮？你先走，等到老佛爺不再戒備了，對小燕子也放了心，我負責把晴兒送到你身邊！』

簫劍瞪著爾康，爾康也瞪著他，壓低聲音再說：

『暫時別去大理！我怕老佛爺明著放人，暗中捉人！去西藏找爾泰，明年，我會去西藏看爾泰，到時候，我帶晴兒來！君子一諾！我欠晴兒很多很多，她的幸福，是我和紫薇的責任！我會幫你照顧她！』他有力的拍拍他：『信任我！』

『我從來沒有陷在這樣兩難的局面裡，這樣走，我太不甘心！』簫劍忽然嚴重的問：『小燕子付出了什麼代價？』

爾康凝視他，知道宮裡這樣盛大的辦喜事，北京城總會傳言紛紛，這件事怎樣也瞞不住，就坦率的說了：

『今晚，五阿哥娶了知畫！此時此刻，正在和知畫拜堂！』

簫劍大震，眼前，閃過那壯觀的結婚隊伍。

『什麼？宮裡張燈結綵，原來爲了這個！』

『你知道小燕子的個性，這個犧牲，比要她的命還嚴重！』爾康死死的盯著他：『她要我告訴你一句話，方家只剩下你這一脈香煙，爲了方家的香火，要你保重！如果你再婆婆媽媽，你還不如小燕子勇敢果斷！你別輸給你的妹妹，爲了方伯父，爲了方伯母，留下你這條寶貴的生命！』

簫劍呆著，完全震住了。

爾康拍拍他的肩，指指暗夜的前方，低語：

『我在那個路口，準備了一匹快馬，柳青在那兒等你……我想，老佛爺應該言而有信，遵守承諾放了你。但是，我寧可多此一舉，還是要防備一下！這輛馬車，不知道有沒有被監視？到了路口，馬車不停，你跳車出去……我駕著馬車往南走，你騎上馬往北走！一路上多多小心，謹防刺客！咱們後會有期！』

簫劍從震驚中醒悟過來，理智和鎮定一起恢復。如今虎落平陽，三十六計，走爲上計！他看爾康，鄭重的託付：

『爾康！不止晴兒，還有小燕子……』

『她們兩個，都包在我身上了！』爾康定定的看了簫劍一眼：『別爲小燕子太擔心，她福大命大，每次都能化險爲夷！我已經派人去找靜慧師太，放心！我會打點好！知畫的事，也沒什麼可擔心的！五阿哥情有獨鍾，你還怕什麼？』

『我明白了！』簫劍一點頭。

車子已到路口，爾康打開車門，簫劍一翻身，輕巧的跳出車去。

『駕！駕！駕……』車夫嚷著。

車子繼續在路上飛馳。

簫劍的身影，沒入了黑暗裡。

同一時間，在景陽宮，新娘的花轎已經進了院子。

院子裡，眞是熱鬧非凡。樂隊吹奏著迎親喜樂，許多紅衣的宮女，在院中跳著迎親舞。永琪一身吉服，身上掛著大紅彩球，站在大廳門口等候著。有個太監捧著紅布，上面放著紮著紅結的弓箭，站在永琪身邊。嬪妃、親王、阿哥、格格、宮女、太監……黑壓壓的站了一院子，嘻嘻哈哈的觀看著。在院子一隅，小燕子和紫薇，也站在迴廊下觀望。小燕子情不自禁的看向永琪，只見他像個被擺飾的玩偶，帶著滿臉的無奈，眼神空洞的看著前方，面無表情的佇立著。

舞蹈告一段落，花轎在燈籠隊和喜娘的引導下站定，司儀高唱：

『鳳凰三點頭！新娘收心！』

轎夫就將花轎連著顚了三次。轎中，紅帕蒙頭的知畫差點滾下坐位，趕緊坐穩。轎子停了，放在地上。太監捧上弓箭給永琪，司儀再度高唱：

『新郎三射箭，驅除紅煞！』

永琪面無表情的搭弓，射箭，三支箭都射在轎門前。司儀再唱：

『新娘下轎！』

知畫被喜娘攙扶下來。司儀再唱：

『新娘跨馬鞍，事事平安！』

早有太監將馬鞍放在門檻前，喜娘就扶著新娘跨過馬鞍。這才把新娘身上的紅綢帶交給永琪，永琪掉頭，牽著知畫進門去。

鞭炮劈哩叭啦的響起，眾人鼓掌聲，恭喜聲不斷，喜樂囂張的響著。

小燕子神情落寞，看看紫薇，低聲說：

『當初我們結婚的時候，怎麼不記得有這些花樣？』

紫薇代小燕子痛楚著，勉強一笑：

『那晚，我們緊張都來不及，轎子又弄錯了，一團混亂，那兒還記得有些什麼禮節？』

小燕子回想到那晚的情形，想笑，笑容在唇邊一閃而過，根本沒辦法成型。紫薇同情的看看她，一拉她的手。

『我們進房去吧！』

紫薇和小燕子進了臥室。外面，司儀的高唱聲還是不斷的傳來，一拜天地，二拜高堂，夫妻交拜……她們聽著高唱聲，想像著乾隆接受一對新人行禮的樣子，兩人都情緒低落。小燕子在房裡走來走去，整顆心都像燒火般的痛楚著。怎麼會這樣呢？怎麼會有這樣一天？她必需接受永琪的另一個新娘？她跺跺腳，懊喪的說：

『早知道，當初在南陽，就應該死也不要回宮，什麼免死金牌，什麼宮中小點心……把我們感動得唏哩嘩啦，這，就是唏哩嘩啦的結果！』她看著紫薇，眼眶紅紅的：『妳說，人生最大的美德，是饒恕！我說，人生最軟弱的行爲，是饒恕！』

紫薇難過的吸吸鼻子，還試圖安慰她：

『我們回宮，並沒有錯！饒恕也沒有錯，一步步走來，變成今天這樣，實在沒有想到！小燕子……已經是這樣了，妳一定要勇敢，要相信永琪！』

小燕子心中一抽，說不出有多痛。她無助的說：

『我不知道我還能相信什麼？我老實告訴妳，我心也痛，胃也痛，頭也痛……到處都痛！』她走到窗前，看窗外：『戌時已經過了吧？』

明月、彩霞匆匆進門來。

『格格！格格！小鄧子說，簫大俠已經平安出宮了！』

小燕子和紫薇都呼出一口氣來。紫薇就一把拉住小燕子的手，激動的說：

『小燕子！妳沒有白白犧牲，妳很偉大，救了簫劍，救了我們大家！妳放心，簫劍只要出了宮門，就是生龍活虎，什麼都難不倒他了！你們方家的一脈香煙，總算保住了！』

這時，門外傳來司儀的高唱：

『禮成……送進洞房！』

喜樂聲再度喧囂的響起，鞭炮聲也不絕於耳，恭喜聲，笑鬧聲不斷，人聲鼎沸。

小燕子臉色一慘。

明月、彩霞悲哀而不平，兩個宮女就捧了點心和熱茶過來。

『這兒有一口酥，還有棗泥核桃糕……格格，妳一天都沒吃東西了！』

小燕子抬眼，哀哀欲絕的看了明月彩霞一眼。

『我還有什麼胃口吃東西？他們進洞房了！』她轉眼看紫薇：『今晚的知畫，一定美得像天仙吧！永琪現在正在挑喜帕吧？他們也要吃什麼紅棗花生桂圓蓮子吧……紫薇，妳不去道喜嗎？妳不去新房裡看熱鬧嗎?』

紫薇把她的手,緊緊一握。

『我來陪妳的,我不是來道喜的!妳不要想東想西了,永琪不會負妳的,我保證!既然嫁到皇室,就要有這種準備,遲早,會有這一天!』

『如果今晚是爾康再娶,妳會怎樣?』小燕子問。

如果是爾康再娶?紫薇不敢想這個問題,事實上,爾康也是名門望族,三妻四妾是很自然的事,說不定也有這樣一天吧?紫薇這個念頭才掠過,心臟就像被針扎到一樣,痛得痙攣起來。愛是什麼東西?讓人如此無法拋捨?愛是什麼東西?讓人時而甜進心底,時而痛入骨髓?她吸口氣,難過的說:

『我不知道!假若是爲了救人,我也會這樣做!但是……』她看著拚命在忍淚的小燕子,突然熱情奔放,心痛的喊:『小燕子!如果妳想哭,就抱著我哭吧!因爲,我已經想哭了……』紫薇說著,眼淚情不自禁的落下來。

小燕子咬著嘴唇,沉重的呼吸,倔強的說:

『我不哭!我不哭!我不會被打倒,我是小燕子嘛!天不怕地不怕的小燕子嘛!刀擱在脖子上,我也不會投降,怎麼會怕知畫呢?我不哭……』她挺直背脊,啞聲喊:『紫薇!我都不哭,妳哭什麼?』

紫薇的眼淚拚命掉,明月、彩霞跟著哭。

小燕子沒有哭,她拚命忍住淚,咬著嘴唇。眼睛瞪得大大的,圓圓的,眼珠像浸在水霧裡的星星,閃亮深邃,深不見底,裡面盛滿對永琪的熱愛。

小燕子在房裡強忍淚珠,在新房裡的永琪和知畫也不好受。

知畫蓋著紅頭巾，端端正正的坐在床沿。她垂著睫毛，不安的等待著。

六個喜娘分站兩旁，六個紅衣宮女，捧著喜秤，交杯酒、紅棗、花生、桂圓、蓮子等喜盤站立於側。桂嬤嬤站在最後面，一聲不響的觀看著。

永琪站在床前，呆呆的看著蓋著喜帕的知畫。

喜娘把喜抨送到永琪面前，恭恭敬敬的說：

『請新郎用喜秤挑起喜帕，從此稱心如意！』

永琪看看喜秤，看看知畫，眼前，忽然浮起小燕子當新娘的樣子。他心中一痛，頓時踉蹌一退。他這一退，竟然把喜秤撞翻，喜秤落地，發出一陣『欽欽哐哐』的響聲。整隊捧交杯酒、紅棗、蓮子……等的宮女，都慌忙後退，保護手裡的東西。喜娘弄翻了喜秤，大不吉利，嚇得要死，一疊連聲說：

『哎喲！奴婢該死！奴婢該死！』喜娘猛的發現新房中說死字，又是大不吉利，更加害怕。就『啪』的一聲，給了自己一耳光，惶恐的說：『掌嘴！說話沒個忌諱……掌嘴……』

知畫蒙著喜帕，不知道發生了什麼事，聽著一連串的聲音，喜帕沒人挑，她動也不敢動，心臟砰通砰通的跳著，又是害怕又是心慌。

喜娘趕緊拾起喜秤，再度捧到永琪面前。重新說一遍：

『請新郎用喜秤挑起喜帕，從此稱心如意！』

永琪無可奈何，只得拿起喜秤。他覺得，手中那把秤，好像有千斤重。他握著喜秤的手，竟微微顫抖著。無法逃避，他還是挑起了喜帕，喜帕飄然落地，露出知畫美麗絕倫的臉龐。

知畫垂著頭，不敢抬眼看永琪，臉上有股怯生生的表情。

喜娘捧上交杯酒。

『請新郎和新娘喝交杯酒，從此長長久久！』

就有喜娘，把永琪扶到床沿，側身和知畫對坐。兩杯酒，分別送進知畫和永琪手裡。兩人手腕相交，永琪瞪著那酒杯，卻遲遲沒有喝酒。知畫被動的坐在那兒，也不敢喝酒。眾宮女喜娘面面相覷，急得不得了。喜娘只得再說一遍：

『請新郎和新娘喝交杯酒，從此長長久久！』

永琪呆呆的坐著，就是無法喝下那杯酒。

桂嬤嬤急得暗中跺腳。喜娘悄悄催促：

『五阿哥！五阿哥……喝呀！』

知畫再也忍不住，飛快的抬眼，看了永琪一眼。只見他眉頭深鎖，一臉的愴惻之情，他的心，顯然飄蕩在別人的身邊。他的這個表情，打倒了她。她眼睛一眨，一顆大大的淚珠，奪眶而出。

永琪正好抬眼，一眼看到了知畫的淚。他的心一跳，有個聲音在心底響起：

『我在做什麼？知畫也是被動啊！我們都是老佛爺的棋子，知畫也是！如果這場婚禮，是我和小燕子的悲劇，那也是知畫的悲劇啊！』

永琪這樣想著，不敢再讓知畫難過，急急的低頭去喝交杯酒。

知畫也趕緊含淚去喝交杯酒，淚珠滑落面頰，跌碎在酒杯裡。

桂嬤嬤見禮節結束，悄悄的出門去了。

新房和小燕子的臥房，只隔著一條走廊。永琪就在對門的房間裡，和知畫『洞房』，小燕子情何以堪！她站在窗前，痴痴的看著窗子外的月亮，想像著洞房裡的情況，喃喃的說：

『紫薇，妳說，他們現在在洞房裡幹什麼？』

明月、彩霞在鋪床。紫薇過去幫忙拉平床單，不願回答小燕子的問題，顧左右而言他：

『小燕子，我今晚不回學士府，我們和以前一樣，睡在一張床上講悄悄話……好久沒有跟妳一起睡了，妳還記得大雜院裡，那個「抬頭見老鼠，低頭見蟑螂」的房間嗎？』

小燕子回身，看著紫薇，不禁出神了。

『大雜院！那好像是幾百年前的事了！好像是我們的上輩子！』她走過來，拉著紫薇的手，不禁悲從中來：『我好想念以前的日子，那時候，雖然很窮，可是很快樂！現在呢？穿的吃的戴的都這麼好，住在皇宮裡，怎麼活得這麼累呢？紫薇……我好沒用，我連一個孩子都保不住，如果肚子裡有個孩子，我現在也會高興一點，偏偏孩子也沒了！』

紫薇同情極了，安慰的說：

『孩子的事，慢慢來，只要會懷孕，就會有！下次有了，千萬不要再打架，跳上跳下練武功！這次也是湊巧，在慈寧宮一場大鬧，又給老佛爺下了藥，說不定會影響孩子，掉了也算了！』

『可是……我連小名都想好了，南兒！不管男孩女孩都可以用！我還想，萬一是女兒，我就把她許給妳的東兒，讓我們兩家的情份，再延續下去！』

『那……我們就一言為定！』紫薇笑著說，急於找個題目來打亂小燕子的思想：『如果妳生了女兒，一定要給東兒！我們現在，就結下兒女親家吧！』她湊近小燕子，臉紅紅的低聲說：『假若妳生了兒子，我一定努力，生個女兒許給妳！』

小燕子果然笑了，歡聲說：

『不許賴喲！妳要努力喲……』她話沒說完，笑容驀然一收，眼淚湧上：『我怎麼會有兒子女兒呢？

永琪……在和別的女人「洞房」，我還做什麼夢？』

紫薇呆了，看樣子，怎樣也無法把她的思想轉到別的方向。

這時，有人敲門，小鄧子，小卓子開門進來，急急的說：

『明月，彩霞！桂嬤嬤在叫人！要我們趕快去新房！』

紫薇和小燕子一怔。紫薇驚愕的問：

『新房裡發生什麼事情了？』

『回格格，沒發生什麼事情！』小卓子不情不願的說：『禮節結束了，桂嬤嬤說，要我們景陽宮的奴才，全部到新房裡去拜見「福晉」，少一個都不行！』

小燕子一震，這是給景陽宮的下馬威！也是給小燕子的下馬威！明白在告訴大家，從今以後，知畫才是『福晉』，小燕子的『主子』地位，再也不保！她已經憋了一整天，這時，快要爆炸了。她深吸了一口氣，掉頭就往外跑，嘴裡嚷著：

『我也去「拜見」這位「福晉」！』

明月、彩霞、小鄧子、小卓子都飛快的攔住門。同時驚喊：

『格格別去！千萬別去！』

『我要去我要去！她要我的人去拜見她！是存心要我難看……我受不了！紫薇，我真的受不了，我快要爆炸了！』

紫薇死命拉住了她，急喊：

『不能去不能去！已經走到這一步了，只能打落牙齒和血吞！如果妳今晚去大鬧新房，整個皇宮都會看笑話！明天，所有的嬪妃都會談論這件事！老佛爺一定不會善罷干休，皇阿瑪也不會同情妳，那妳的處境，就更困難了……』

小燕子那裡肯聽，還要往外衝，紫薇不顧一切的攔，小燕子用力一推，紫薇站不穩，就摔了一大跤。她故意趴在地上大聲呻吟：

『哎喲！哎喲……我這個倒楣的膝蓋，八成又流血了！』

小燕子急忙過來扶，明月、彩霞也撲上來扶住。

『怎樣？摔得重不重？』小燕子著急的問。

『當然重！妳那麼大力氣……』紫薇瞬了她一眼，摸摸肚子：『還好，肚子裡沒有妳媳婦，要不然，也給妳撞掉了！』

小燕子瞪著她，想笑，笑不成，淚光閃爍。

『妳眞好，千方百計說笑話，逗我開心！可是，我怎麼不會笑了？』她說著，淚珠掛在睫毛上，懸然欲墜。

彩霞看到這樣，心裡不平，喊著：

『小鄧子！小卓子！你們去告訴桂嬤嬤，我們要服侍小燕子格格和紫薇格格，沒空去「拜見」！如果拜見的人不夠，儘管去慈寧宮調人！』

『這樣不好！』紫薇站起身來，穩重的說：『明月，彩霞，忍一口氣，第一個晚上，就弄得這樣壁壘分明，以後更難相處！妳們都去「拜見」吧！』

明月、彩霞、小鄧子、小卓子只得勉勉強強的去了。

小燕子看著他們的背影，知道紫薇的話，永遠沒有錯，自己弄到這個局面，除了忍，就只有忍。可是，那個新房裡，是她深愛的永琪呀！要她眼睜睜看著永琪再娶，還是處處比她強的知畫，她怎能心平氣和呢？天啊，人間還有比她更慘的女人嗎？在這一瞬間，她深深體會到皇后的悲哀了！

洞房裡，所有的禮節都結束了。知畫和永琪並坐在床沿上，喜娘把兩人的衣襬打上『如意結』，說：

『祝新郎新娘「永結同心」！「早生貴子」！』

宮女喜娘們魚貫退出。

桂嬤嬤就帶著眾多宮女太監，包括明月、彩霞、小鄧子、小卓子一擁而入。全部匍匐於地，朗聲說：

『奴才們拜見五阿哥和福晉！祝五阿哥和福晉百年好合，事事如意！』

永琪動也不動，聽到『福晉』兩字，不禁皺了皺眉頭。

知畫震動的抬眼，看了看眾人，看了看桂嬤嬤，輕聲說：

『起來！』

桂嬤嬤帶著宮女太監們起身。

知畫悄悄的，再去看永琪，就對桂嬤嬤低聲說：

『這個衣服下襬，可不可以解開？我想起來走走！』

『走走？』桂嬤嬤一驚，困惑已極。

永琪低頭，三下兩下就解開了那個如意結，開口說：

『妳可以起來走走了，我也想起來走走！』

知畫就站起身子，對桂嬤嬤說：

『我要去拜見還珠格格，妳給我帶路！』

永琪大為意外，不禁驚看知畫。只見她端莊美麗，落落大方，帶著一臉的純眞和善良，眼底，綻放著清亮澄澈的光芒，皎潔如月，光明如星。

『現在嗎？好像……好像……』桂嬤嬤張口結舌。

『好像什麼？』知畫溫和卻有力的問。

『好像不合規矩耶！何況……何況……』

『何況什麼？』她還是溫和而有力的問。

『何況，還珠格格剛剛失去一個孩子，福晉要圖個吉祥，那個房間……最好不要進去！不大吉利。』

『我沒有那麼多規矩，也沒有那麼多忌諱！』知畫仍然溫和卻有力的：『我要去拜見格格，是妳帶路？還是明月，彩霞，妳們帶路？』

明月彩霞心裡一喜，這才像話嘛！就急忙答應：

『我們帶路！』

明月彩霞往前走，知畫就跟著二人走去。桂嬤嬤無可奈何，趕緊對宮女們使眼色，許多宮女嬤嬤趕緊相隨。永琪看著她們出門去，一時之間，對這個『新娘』，也有幾分感動。

知畫就在宮女和嬤嬤們的簇擁下往前走。彩霞一路喊著：

『格格！格格！知畫姑娘來「拜見」格格了！』

桂嬤嬤狠狠的瞪了彩霞一眼，低聲提醒著：

『是「福晉」！「福晉」！』

『妳們主子是「福晉」，那我們主子是什麼？』彩霞嘰咕著。

『妳們主子，就是「格格」唄！』桂嬤嬤低聲接口。

就在拌嘴中，一行人已經走進了小燕子的房間。小燕子、紫薇正並坐在床邊講知心話，看到知畫進門，都大出意料之外，驚愕的抬頭。

只見知畫一身新娘妝，美得不得了，不疾不徐的走到二人面前，請下安去。

『知畫拜見還珠格格，拜見紫薇格格！兩位格格吉祥！知畫奉老佛爺命令，進了景陽宮，不敢有絲毫越禮之處！還珠格格，妳進宮早，請允許我稱妳一聲姐姐！以後，還要姐姐多多照顧！』

知畫說得誠惶誠恐，小燕子驚得睜大眼睛，頓時不知所措了：

『啊呀！這個……這個……那個……妳起來，別行禮了！』

知畫起身，再看向紫薇，誠摯的說：

『紫薇格格，妳更是姐姐了，我的心事，妳都明白！如果我有不周到不對的地方，儘管告訴我！桂嬤嬤說，我在這個時候過來，不合規矩和禮數，但是，我也顧不得了，不給兩位姐姐請安，我覺得坐立不安呀！』

紫薇急忙站起身子，感動的說：

『知畫，別客氣了！我和小燕子，都是民間來的，沒有那麼多規矩和禮教。妳唸書多，學問好，進了景陽宮，千萬要包容小燕子，要和和氣氣啊！』

『知畫會記著紫薇姐姐的話！今兒個太晚了，不敢打擾，知畫告辭！』

知畫再度福了一福，轉身離去。小燕子呆若木雞，連反應都沒有。

『知畫好好走，當心門坎，別絆著！桂嬤嬤……大家扶著！』紫薇急忙招呼著。

桂嬤嬤趕緊扶著知畫，宮女嬤嬤們又簇擁著知畫而去。

知畫走了之後，小燕子才怔怔的看著紫薇，不敢相信的說：

『她來「拜見」我？洞房花燭夜，她來拜見我？』

紫薇又是感動，又是意外，又是震撼，又是同情，眼神深邃的看著前方，說：

『從今以後，宮裡再添一個可憐人！』

知畫回到了『洞房』裡，永琪背負著手，正在房裡走來走去踱方步。

桂嬤嬤帶著珍兒翠兒，給知畫卸下那頂綴著珊瑚東珠寶石的帽子，取下沉重的如意鎖，卸下珍珠項鍊，耳環首飾……一一放進錦盒裡。知畫對著鏡子，被動的坐著，洞房的最後一刻就要來了，她心慌意亂的看著鏡中的自己，眼神中，帶著些兒惶恐，帶著些兒耽心。

釵環盡去，知畫的長髮如水披瀉。桂嬤嬤把她的長髮，梳成一條大髮辮，用紅繩繫住打結，再解開她的衣紐，脫下那件描金繡鳳的紅色外衣。珍兒捧著一件特製的、有繡花的、鏤空的紗衣，走上前去。

永琪背負著手，一直在踱方步，踱著踱著，就踱到窗前去了。抬頭一看，窗外月明星稀，月色把宮裡的樓台亭閣，都染上了一層銀白色。昨晚此刻，他正和小燕子相擁看月亮……他的心，又飛到小燕子身上去了。

『小燕子……小燕子……』他在心裡低低呼喚：『此時此刻，妳在恨我吧？怨我吧？妳知不知道，今晚這漫漫長夜，我比妳更難挨，我真不知道，接下來我要怎麼辦？』

永琪嘆了口氣，回頭看一眼。正好看到珍兒翠兒把新娘衣服從知畫肩上褪下，露出她潔白的雙肩，和那只穿著一件繡花肚兜的身子，燭光下，冰肌玉膚，晶瑩剔透。永琪一震，急忙又回頭去看窗外，想著：

『天下還有比我更無助的新郎嗎？平常碰到爲難的事，身邊總有一群人在幫忙，今晚，我只能單打獨鬥了！』

永琪抬眼看月亮，又嘆了一口氣。

知畫聽到永琪左嘆一口氣，右嘆一口氣，她隨著他的嘆氣聲，眼神越來越不安，越來越憂鬱。桂嬤嬤擔心的悄看了永琪一眼，就把那件薄紗的衣裳，披上了知畫的身子。一切就緒，桂嬤嬤扶著知畫，坐在床沿。

珍兒翠兒掀掉了床上的紅色繡花被單，露出裡面白色的喜巾。

桂嬤嬤走到永琪身邊去，請安說：

『五阿哥！洞房花燭夜，別耽誤了吉時！奴才們告退了！』

桂嬤嬤給了知畫一個眼光，就帶著珍兒翠兒退出房去。

轉眼間，房裡剩下了永琪和知畫兩人，永琪心裡一煩，又開始踱方步。

紅燭高燒，薰香繚繞，送子觀音像高高的站在案上，俯瞰著滿屋的尷尬。坐的人靜靜的坐著，走的人繼續踱方步。夜漸漸的深了，紅燭漸漸的短了，燭淚漸漸的多了……坐的人不動，走的人不停。床上那條繡著雙囍字的白色喜巾，一直不受干擾的維持著潔白無瑕，刺目的躺在那兒。在房間外面，桂嬤嬤打濕了窗紙，帶著一群嬤嬤宮女在偷看，個個急得咬斷牙根了。

永琪不知道已經繞室幾百次，知畫再也沉不住氣，終於抬頭，凝視他，低低的開口了：

『你預備就這樣走到天亮嗎？』

永琪一驚，走到床前站住了。逃不掉，只好面對！他咬咬牙，下定決心，說：

『知畫，我要坦白的告訴妳，我們這個親事……』

知畫看看窗子，著急的說：

『噓！隔牆有耳……』她哀懇的看著他，低語：『你可不可以坐下來？』

永琪怔了怔，在床沿上坐下，和她仍然保持著距離。她那美麗的胴體，在透明的薄紗下，幾乎是一覽無餘的。知畫沒有忽視他的『正襟危坐』，看了他一眼，她的大眼中，盛滿了委曲求全的悲哀，輕聲的說：

『我知道，你有幾千幾萬個不願意，從拜堂到現在，你的眉頭沒有舒展過……我……我……』她心中一酸，突然覺得無力應付這個場面，淚水就湧了上來。

永琪看她又落淚了，心裡惶恐，急促的說：

『不是妳的原因，妳什麼都好！是我自己，心裡有太多的事……』

『不用解釋了！』她輕輕打斷，看看那塊白色喜巾，羞澀的說：『那個，你預備怎麼辦？明天一早，桂嬤嬤就要來收，老佛爺要檢查的……』說著，實在太害羞了，頭低低的垂了下去，聲音也沒有了。

永琪看她這樣，心裡一陣惻然，除了惻然以外，也知道她說的都是事實，明天太后要檢查，他是逃不掉這一關的！他心中再一嘆，就勉強的伸出手，去褪她那件薄紗。她屏息坐著，動也不敢動。紗衣沒有紐釦，輕輕一拉，就滑落下去，露出那裸露的肩，和紅色繡花小肚兜。他楞著，眼前，忽然閃過小燕子新婚時的臉孔……他突然把那件紗衣拉回到她的肩上，就放手預備起身。她情急的伸手，一把抓住了他的手。

『別動！』她低語：『聽我說……那個喜帕……也可以做假的，你有沒有小刀？我怕痛……你割破手指就行了，我們好歹裝個樣子，我猜桂嬤嬤在外面看……只要瞞過去了，就沒關係……』

永琪驚看知畫，眉頭一鬆，如釋重負，慌忙點點頭，低聲說：

『知畫，謝謝妳的瞭解，謝謝妳的配合！』

『那麼，我們就裝樣子吧！』知畫的臉孔嫣紅，伸手幫永琪解衣領上的扣子：『這外衣，還是得先脫掉……』

『我自己來！』永琪急忙自己解衣。

『我來比較好……』知畫看了窗子一眼，窗外，桂嬤嬤等人的衣衫聲窸窸窣窣。

永琪也看了窗子一眼，就站起身子，知畫也站起身子，她開始爲他解紐釦，一個一個慢慢的解，終於，把外衣褪下，放在床前的衣架上。

窗外的桂嬤嬤和眾嬤嬤宮女，擠來擠去，看來看去，開始吃吃的笑，低低驚呼：

『看到沒有？看到沒有？福晉在爲五阿哥解紐釦呢！』

不知何時，小燕子已經溜出了房間，站在迴廊的柱子旁，看著桂嬤嬤們發呆。解紐釦？知畫在爲永琪解紐釦？她突然想起，結婚四年多，自己從來沒有爲永琪解過紐釦！那種羞人答答的事，她可做不來！

桂嬤嬤突然用手蒙住嘴，笑得吱吱咯咯，低語：

『躺下了，躺下了……帳子放下了……』

眼看帳幔中，一對新人的剪影，相擁著倒上了床，桂嬤嬤樂得闔不攏嘴。

『男人嘛！怎麼逃得過美人關？』

珍兒翠兒和幾個嬤嬤，就悄悄的笑成一團。珍兒看著翠兒說：

『就是嘛！我說的唄！老佛爺有什麼好擔心的？』

宮女嬤嬤們掩著嘴笑，議論紛紛，珍兒一轉身，忽然看到小燕子呆立在那兒，她趕緊拉拉桂嬤嬤，大家這才止住笑，急忙站好。

小燕子含淚一摔頭，進房去了。

小燕子知道自己不該吃醋的，是她懇求永琪娶知畫，是她勉強他去做的。但是，知道是一回事，做不做得到就是另外一回事，她管不住自己的心，管不住自己那瘋狂的思想，瘋狂的嫉妒，瘋狂的心痛。這是她的永琪呀，她愛得那麼深，愛得那麼多的永琪，他居然和知畫『洞房』了！

小燕子神思恍惚的回到房間，跌坐在梳妝台前。

『妳何必虐待自己呢？還不趕快上床睡覺？我幫妳卸妝梳頭！』紫薇爲她卸下旗頭，取下釵環，放下頭髮，細細的梳著。

『紫薇，妳相信嗎？他眞的和她洞房了……他怎麼可以呢？如果他心裡有我，他還能抱其他的女人嗎？妳的爾康一定不會這樣……』

『是妳求他的，妳不能再怪他呀！』紫薇勉強的說：『妳要他怎麼做呢？已經娶進門了，總不能把她冰在那兒，何況……妳也知道的，這宮裡規矩，還有那條白喜帕呢，賴也賴不掉……』

小燕子猛的推開紫薇，站起身子，開始繞著房間走。

『我沒辦法睡覺，我不能睡覺，我腦子裡全是那張床，那個房間，還有那個送子觀音像！紫薇，我要瘋了，我要做點什麼……我去院子裡練劍……』說著，就開始翻箱倒櫃，找劍：『我的劍呢？又擱那兒去了？』

『妳幹什麼？』紫薇拉住了她：『半夜三更去院子裡練劍？那些宮女嬤嬤都沒睡，妳要讓自己變成大家笑話的對象嗎？何況，妳剛剛流產沒幾天，妳也要爲身體著想！現在，妳要和知畫比賽，比賽妳們誰先有孩子！妳聰明一點，別糟蹋自己！要打贏這一仗！』

『這個比賽，我一定輸！不練劍，那我做什麼？我去打拳！』

『不許！不許出去！妳就呆在這個房間裡，那裡都不許去！』

小燕子無可奈何，呆呆的站著，想著想著，神情又一痛。她就衝到桌子前，打開抽屜，鄭重的拿出那支簫。

『不許我練劍打拳，我練簫……我答應了我哥，下次見面的時候，要吹給他聽！』

她坐了下來，開始吹簫。

簫聲忽大忽小的響了起來，她吹著〈你是風兒我是沙〉，又吹〈不能和你分手〉，再吹〈夢裡〉……沒有一首吹得完整，全是斷斷續續的。

紫薇瞅著她，看了半天，蹲下身子，拍拍她的手，勸阻的說：

『別吹了！妳的簫聲不太好聽耶！很吵耶！恐怕整個景陽宮，都被妳鬧得不能睡覺了！』

小燕子推開她，眼淚一掉，哽咽的說：

『妳讓我吹嘛！這是我爹的簫耶，我爹吹的時候，鳥兒都會來聽……我拚命練拚命練，總會練好的！至於吵了人家睡覺，我也管不著！整晚，我必需聽樂隊吹吹打打，也沒人關心我能不能睡覺！現在，我吹吹簫都不行嗎？』

小燕子說完，拿起簫，繼續吹，一面吹，眼淚一面撲簌簌的滾落。

簫聲清楚的傳進了新房裡，知畫和永琪躺在床上，知畫面對床裡側睡著，眼睛睜得大大的。永琪平躺，用雙手枕著頭，眼睛也睜得大大的，一瞬也不瞬的看著帳頂。那簫聲，打破了寂靜的夜，也絞痛了永琪的心。聽著聽著，他和小燕子的點點滴滴，就在眼前重演。他體會到她此時的心情，簫聲每斷一次，他的心就絞緊一次。心裡在低語著，小燕子！發洩吧！如果這樣會讓妳好受一點！他不由自主，又是長長一嘆。

小燕子的簫聲，永琪的嘆息，交織成知畫整個的『洞房花燭夜』。那夜，難挨的並不是只有小燕子和永琪，知畫也是徹夜無眠的。

29

早晨的陽光，燦爛的照射著景陽宮的屋宇樓台。新的一天開始了。

景陽宮的宮女、嬤嬤、太監都已起身，忙忙碌碌的在新房內外出出入入。珍兒翠兒，捧著洗臉水和水瓶進房去。正好，桂嬤嬤捧著紅綢，上面是那條摺疊好的白喜帕，笑吟吟的出門來。珍兒、翠兒就站住了，看著桂嬤嬤悄聲問：

『桂嬤嬤，有沒有啊？老佛爺那兒，可以交差了嗎？』

『當然當然，這還要問嗎？妳們快進去侍候！』桂嬤嬤眉開眼笑。

『是！』珍兒對翠兒笑著說：『都說五阿哥對還珠格格怎樣恩愛，還不是……』

『妳們兩個少說幾句！快去！福晉等著要梳頭呢！』桂嬤嬤笑著罵。

桂嬤嬤一抬頭，忽然看到小燕子像個雕像般杵在那兒，靜靜的看，靜靜的聽，她趕緊請安，不禁得意洋洋了：

『格格吉祥！這麼早就梳妝好了？』她笑吟吟的溜了新房一眼：『五阿哥和福晉，才剛剛起床呢！』

小燕子瞪了那喜帕一眼，桂嬤嬤就故意把喜帕放低，讓那抹『喜紅』映入她的眼簾。她腦中轟然一響，好像挨了一棒，一聲也不響，轉身就走了。桂嬤嬤看著她的背影，自言自語：

『就算妳吹了一夜亂七八糟的簫，這喜事還是照舊！誰是東風，誰是西風，妳該明白了！』

桂嬤嬤就捧著喜帕，去慈寧宮覆命了。

在新房裡，永琪帶著一臉的倦容，剛剛起身。知畫還沒梳妝，站在臉盆前，看著珍兒倒水進臉盆，她把帕子打濕絞乾，雙手遞給永琪。永琪一驚，看了知畫一眼，見她眼睛腫腫的，知道她也是一夜不眠，心裡實在充滿歉疚。

『我自己來！自己來！』他急忙說。

『丫頭們看著呢！我得表演一下。』知畫低語。

永琪只好接過帕子，擦臉。知畫又從翠兒手中，接過漱口水，再雙手捧給他。珍兒早就捧著水盂在等候，永琪漱口，把水吐進水盂裡，珍兒捧著退下去。翠兒拿起永琪的外衣，幫他披上，知畫就上來幫他扣紐釦。她的纖纖十指，一個紐釦一個紐釦慢慢的扣著，臉頰幾乎依偎在他胸前。

『這清裝，就是紐釦多！』她再接過坎肩，給他穿上，繼續扣坎肩的紐釦。

房門開著，小燕子站在門外，瞪大眼睛看著。珍兒捧著水盂出門去，幾乎撞在她身上。珍兒驚呼：

『哎喲！格格早！嚇了奴婢一跳！』

永琪大吃一驚，驀然抬頭，接觸到小燕子的眼神，那大大的眼睛，一瞬也不瞬的看著他，裡面，是一種他完全陌生的，從來沒有在小燕子眼中看到過的神情。那是動物受傷時才有的反應，充滿了哀痛、迷失、無助、和悲憤。在那一瞬間，他明白什麼叫『傷害』，什麼叫『痛楚』。他還來不及說話，知畫已經對小燕子請下安去，歉然的攏著頭髮，拉著衣襟說：

『姐姐早！對不起……我起晚了，還沒梳頭呢！』

小燕子嚥了口氣，看著知畫那件薄紗的衣裳，想說話，卻什麼話都說不出來。正在這時，紫薇大步走來，看到這種情形，趕緊笑著幫小燕子找理由下台階：

『小燕子說，昨晚，知畫來拜見了她，讓她很過意不去，今早，輪到她來給兩位道喜了！』

小燕子這才接口，聲音卻不受控制的顫抖著：

『是！我來道喜！五阿哥和福晉，恭喜恭喜！一千個恭喜！一萬個恭喜！我不打攪你們梳頭洗臉扣紐釦，你們慢慢來，我去練劍……』

小燕子說完，就掉頭而去。紫薇情不自禁，給了永琪很不友善的一瞥，眼神裡充滿了責備。小燕子說得對，如果你心裡有她，你怎能和另一個女人寬衣解帶進洞房？明知小燕子心都碎了，你就完全不顧她的自尊，一早就表演這種卿卿我我？她帶著一臉的不以爲然，追著小燕子而去。

永琪想追，知畫的手，又上了他的衣襟，繼續扣著紐釦。他只得呆呆的站著。

小燕子奔進房裡，拿起她的長劍，再奔進院子，一陣亂舞，劍氣如虹。紫薇、明月、彩霞、小鄧子、小卓子都站在一旁觀望。紫薇著急的喊：

『一清早，練什麼劍？妳這個身子，到底要不要保護好？把身子弄壞了，是別人吃虧還是妳吃虧呢？』

小燕子充耳不聞，劍舞得密不透風。明月彩霞拚命勸阻：

『格格！好歹吃點東西再練劍！早餐我都準備好了，怎麼不吃呢？』

『從昨天起，妳就沒吃什麼！』紫薇哄著，求著：『這樣吧！讓彩霞去拿幾個包子來，妳先吃了，再練劍，好不好？』

小燕子一面舞劍，一面嚷著：

『空肚子才能練劍！吃飽了就練不動了！』她忽然跳起身子，發洩的大叫：『哇……我砍了你，我修理你……』一面大叫，一面用劍舞向一排矮樹栽成的短籬。

一陣『嘁吒卡嗜』，只見樹葉樹枝像雪花般飛舞起來，葉片碎枝四射，打得小鄧子小卓子抱頭鼠竄，紛紛躲避。一會兒，葉片碎枝飄墜落地，大家一看，一排短籬全部變成禿頭。

小鄧子、小卓子趕緊鼓掌，要讓小燕子高興，個個張大眼睛驚呼：

『格格好厲害！』

『好久沒看到格格練劍了！太精彩了！好！』

珍兒、翠兒也圍過來看。

這時，永琪訕訕的走了過來，對小燕子苦笑了一下，眼裡有懇求有祈諒，有溫柔有深情，有委曲有愛憐，柔聲的說：

『一起吃早飯好不好？』

小燕子看到他，一口氣憋在胸口，差點沒憋死，持劍瞪著他問：

『扣子總算扣好了？這個清裝，就是扣子多……』說著，就氣不打一處來，忽然又大叫：『哇……』就飛舞著劍，對著永琪直撲而來。

永琪大驚，喊：

『小燕子！妳幹嘛？』

紫薇嚇得花容失色，急喊：

『小燕子！別發瘋呀……』

永琪眼見長劍已到胸口，急忙飛身而起，長劍從腳下掠過。小燕子持劍，又『哇……』的喊著，再度撲上前來。永琪一竄，從院中一座銅馬的肚子底下穿過去。小燕子再刺，永琪左閃右躲，小燕子的劍，根本碰不到他。

『永琪，有本事！別躲！』小燕子邊打邊喊。

『我不躲，妳就成寡婦了！』永琪嚷著，唇邊依然帶著苦笑。

『你不怕我成寡婦，怕別人成寡婦吧！』小燕子直刺過來。

『我們放下武器，進房裡去談！』永琪央求。

『和你這種人，沒什麼好談！』

兩人對話中，已經連續過了好多招，小燕子招招逼近，絲毫不肯放鬆。永琪眼看這種情況，她不刺他一劍，就不能洩恨，突然站住了。

『妳到底要幹什麼？眞要刺我一劍嗎？』

永琪這樣一停，小燕子的劍已到他面門。永琪閉上眼睛，一股『妳殺死我算了』的樣子。小燕子的劍，停在他面門，看著他那張憔悴的臉，無法下手。心裡的悲憤，又無法自抑。於是，她劍鋒一轉，在他胸前一陣飛舞，就像給矮樹理髮一樣，『嘁叱卡嗏』，永琪那件坎肩上的紐釦竟然紛紛掉落。

小燕子伸手一接，八顆紐釦落進她的掌心。她抓起永琪的手，把紐釦往他手掌中一放，大聲說：

『拿去給那位福晉！她對紐釦挺有學問，這扣子縫得不牢，恐怕要麻煩她慢慢的縫上去！再慢慢的扣起來！』

小燕子說完，拿著劍，轉身就走。永琪怔了怔，急忙追上去：

『小燕子！小燕子……』

這時，桂嬤嬤從慈寧宮回來，笑嘻嘻攔住了永琪，請安說：

『五阿哥！老佛爺要奴才傳話，請五阿哥和福晉去慈寧宮，跟老佛爺一起用早膳！老佛爺說，按規矩，今天新娘要回門，慈寧宮就算福晉的娘家吧！』忽然看到永琪衣衫不整，驚呼著：『這坎肩怎麼回事？一個紐釦都沒有！趕快去新房換一件！』

這樣一耽誤，小燕子已經進房了。紫薇瞪了永琪一眼，心裡也是不平著，搖搖頭，也進房了。明月、彩霞眼睛濕濕的，看了永琪一眼，都進房了。小鄧子小卓子拿起掃帚，開始清理一地的樹枝樹葉。

永琪握著一手的紐釦，看著大家的背影，有苦說不出。覺得那些紐釦，都變成了燒紅的烙鐵，烙得他手也痛，心也痛。

紫薇陪著小燕子，吃完早餐，實在掛念著東兒，不能一直陪著她，勸了她一大篇話以後，回學士府了。見到爾康，她非常感慨。男人，是不是生來和女人就不同？『痴情』只是女人的專利，男人不『濫情』就不錯了，妄想痴情，更妄想專一！永琪這麼容易就接受了知畫，完成了那條『白喜帕』的使命，不止打擊了小燕子，也打擊了紫薇。紫薇對『情有獨鍾』四個字，一直像是一種宗教般崇拜景仰著，雖然有一個到處留情的皇阿瑪，總希望年輕的他們，體驗過『生死相許』的他們，是與眾不同的。看著爾康，她嘆息的說：

『永琪也是……居然玩眞的……』

爾康非常同情永琪，這件事，永琪實在情有可原，身不由己。他嘆口氣：

『妳也要爲永琪想，這件事，能玩假的嗎？老佛爺把自己的心腹桂嬤嬤，都派到景陽宮去了！多少雙眼睛看著呢！他敢玩花樣，小燕子的身世就保不住！』

『可是……永琪一定也爲知畫動心了，是不是？要不然，是不能勉強的！男女之間，情不到，心不到，怎麼會上床呢？小燕子最嘔的，也是這個！我最不瞭解的，也是這個！』她凝視爾康：『爾康，易地而處，你會不會和永琪一樣？』

爾康想了想，坦白眞誠的看紫薇：

『沒有易地而處，不可能易地而處，這種狀況，永遠不會發生在我身上，如果發生，我也沒有永琪那麼能幹！』說著，想到簫劍，就神色一正，說：『我要到會賓樓去看看柳青！不知道簫劍是不是出城了？往那個方向走的？我對他，也是非常不放心，就怕他根本沒出城，還在等機會救晴兒！』

紫薇拚命點頭，定定的看著爾康，忽然就走上前去，勾住爾康的脖子，靠在他的肩上。爾康因這個舉動而受寵若驚了，柔聲問：

『怎麼了？』

『我有點害怕！』

『別怕！現在總算化險爲夷了！我想，簫劍心思細密，不會那麼傻，他知道他的任何行動，都影響到小燕子和永琪，就算他現在恨死老佛爺和皇阿瑪，他也不會再輕舉妄動的！』

『我不是怕簫劍輕舉妄動，我是怕……我們這些人的命運！你看，晴兒和簫劍被迫分手，小燕子和永琪又變成這樣，只有我們兩個，還擁有幸福！看到小燕子和晴兒，我幾乎爲了自己的幸福，充滿了犯罪感！爾康……我們是唯一的一對了，我們會長長久久的，是不是？』

爾康把紫薇的手，緊緊一握。

『是！我們會長長久久！別難過了，那有人爲了自身的幸福，充滿犯罪感呢？人間，就是這樣，老天沒辦法把「幸福」這玩意，平均分給每一個人！只能各人擁有各人的幸福！但是，我仍然堅信，晴兒和小燕子，都有她們的幸福！』

簫劍不在會賓樓，柳青把他一直送出了北京城，他一人一騎，走向了北方，走向了孤獨，走向了天邊。眼看著層雲飛捲，大地蒼茫，他越走越孤獨，越走越愴惻。他很想策馬回頭，但是，他知道，除非他策劃得萬無一失，他再也不能輕舉妄動。他的懷裡，揣著晴兒寫給他的信，那內容他早已可以倒背如流。

『簫劍，當你看到這封信的時候，希望你已經遠離北京城了！從今以後，你將活在我的記憶裡！就像你說的，這是我們生命中最美麗的一段，你不後悔，我比不後悔更多，我充滿了對上蒼的感恩！終於，我的生命沒有白活！爲了小燕子和永琪，我們必需犧牲！犧牲，需要勇氣和決心，我的勇氣，來自你的勇氣！所以，請不要用任何魯莽的行爲，破壞了比我們相愛更重要的事……我會照顧小燕子，你放心，時時刻刻，我心與你同在！』

晴兒一句：『我的勇氣，來自你的勇氣！所以，請不要用任何魯莽的行爲，破壞了比我們相愛更重要的事……』不斷縈迴在他的心頭，『爲了小燕子和永琪，我們必須犧牲』更是他心底的聲音。但是……但是……永琪娶了知畫，小燕子的處境將如何？晴兒，我們的犧牲，是不是眞能換得小燕子的幸福呢？

小燕子怎會幸福呢？一整天，永琪和知畫都沒有回到景陽宮。晚上，乾清宮大宴賓客，永琪和知畫，直接從慈寧宮赴宴。紫薇回家了，小燕子一個人待在景陽宮，第一次體會到『冷宮』的滋味。夜漸漸深了，永琪和知畫都沒回來，明月、彩霞鋪床的鋪床，點薰香的點薰香，一面向小燕子報告永琪他們的行蹤。

『後來，皇上請了晚膳，嫁出宮的格格都來了，只有紫薇格格沒到，說是東兒少爺著涼了，走不開！可是，福大人、福晉、額駙都來了！』

小燕子喉嚨裡堵著一個硬塊，鼻子塞塞的問：

『很熱鬧是不是？既然是家宴，爲什麼沒有人請我去？難道我不是格格了嗎？』

『我聽小桂子說，皇上也要格格出席的，但是，老佛爺說，格格才流產，身子不好，也不方便出席！』

『哼！』小燕子咬了咬嘴唇。

明月看了小燕子一眼：

『今晚，妳就早點睡！天大的事，也留到明天再說！』

『別再吹簫了！』彩霞接口。

小燕子繞室徘徊，伸頭對外面看了一眼。今晚，他當然還要在新房裡睡。他們又會在新房裡解鈕釦，紅羅帳裡，不知是怎樣的情景？她跺跺腳，越想越難過。怎麼會弄成這樣呢？早知道，不如跟著簫劍一起走！爲什麼要留在宮裡呢？爲什麼要冒著生命危險，繼續當永琪的妻子呢？她自問著。心底，也雷鳴似的響著答案：爲了永琪，爲了永琪，爲了永琪……但是，永琪配嗎？永琪也像她一樣，在乎著她嗎？

小燕子正在愁腸百結，房門一響，永琪快步進房來。小燕子一驚抬頭，不敢相信的呆看著他。永琪看了她一眼，就對明月彩霞說：

『妳們先出去！等一下再來侍候！』

明月、彩霞有意外之喜，兩個丫頭就匆匆行禮出房去，並且，仔細的關上房門。

永琪就一步上前，緊緊的握住小燕子的手。小燕子心裡一酸，用力要摔開他，他卻死死的緊握不放。她瞪著他，眼眶不爭氣的濕了，聲音哽著：

『你到我這個不祥的「冷宮」來幹什麼？我又不會扣紐釦，又不會解紐釦……』

『可是……』永琪勉強的笑著：『妳會「劍刺紐釦」，唰唰唰唰！一排紐釦全部落光光！』

『你心情很好是不是？很開心是不是？還能講笑話！』她抽抽鼻子，眼淚在眼眶裡打轉，她拚命忍著，我不哭，我不哭！

永琪笑容一收，深深的盯著她，眼睛裡，是無盡的深情。他低聲而嚴肅的說：

『小燕子……我沒有跟她圓房！』

小燕子大震。

『什麼？你沒有……沒有？』

永琪搖頭，誠實的、認眞的說：

『我沒有！知畫說，她配合我演戲，免得老佛爺起疑心……所以，我們就演戲給桂嬤嬤她們看，事實上，什麼事都沒發生，我們只是合衣睡了一夜……事實上，我也沒睡著，因爲……因爲……有人吹了一夜的簫，聽得我渾身冒冷汗，五臟六腑都絞在一起，痛了我一夜！』

小燕子一瞬也不瞬的看著他，無法相信，怔怔的說：

『我不信……我不信……我親眼看到，桂嬤嬤捧著那條白喜帕……』

永琪就伸出左手的食指給小燕子看。只見食指上，刀痕鮮明。

『是知畫提議這樣做……我沒經驗，一刀劃下去，割了好深一個口子，血一直流……妳看！』

小燕子捧起那隻手，看著，看著，眼淚在眼眶裡怎麼也待不住，跌落在他的手上。她哽咽的低問：

『眞的？你沒有……你居然沒有……』

他長長嘆息，眼光纏著她。

『小燕子，我心裡只有妳，怎麼可能去抱別的姑娘？我躺在那兒就想，皇阿瑪實在是個奇人！就這一點，我也輸給皇阿瑪太多了！』他頓了頓，再說：『這幾晚，我大概都得留在新房，免得桂嬤嬤她們疑心，去打小報告，我不會做什麼……妳，不要胡思亂想好不好？』

她仰望著他，忽然覺得他那張臉，那麼漂亮，他那雙眼睛，那麼明亮，他那個人，那麼偉大！他是她的一切，他值得她愛，值得她受苦，值得她深陷在這個皇宮裡，值得她離開哥哥，當爹娘的罪人！她想著，眼光也纏著他，說：

『知畫居然配合你演戲？她怎麼會那麼好？我……我……』她心中一熱，感激涕零而自嘆不如了：『我誤會她了，我那麼小心眼，簡直是用小人的心去想君子的心！』她想想，又耽憂起來：『但是……你已經娶了她，總不能跟她演一輩子的戲，遲早，你還是要和她圓房的！』

永琪一本正經的說：

『沒有「遲早」！我就和她演一輩子的戲！我想過了，老佛爺認爲妳的身世不如她，那麼，將來如果有冊封，妳讓給她！是我欠她的。至於我這個人，老早就屬於了妳，她只好讓給妳！』

『她肯嗎？她願意一輩子都這樣過？』

『這不是她願不願意的問題，是我的問題！』他把她的雙手，拉到自己的胸前：『小燕子，我沒辦法……我的心裡，全是妳！在那間新房裡，我絕對不會比妳的日子好過，對我而言，每個時辰，都像一百年那麼長！最糟糕的是，妳的影子老在我眼前晃，我卻得面對另外一個女人！妳不能想像我的滋味，那是一種煎熬，一種苦刑呀！再加上妳的簫聲……妳實在厲害，就有本事把我折騰得亂七八糟！如果妳再不信任我，還跟我嘔氣，不愛惜身體……我都不知道自己在幹什麼！這種日子，我怎麼繼續下去呢？』

永琪說得那麼溫柔，字字句句，打進小燕子的內心深處。這一番肺腑之言，她都聽進去了，聽得淚眼模糊。一個激動之下，就痛悔的低喊：

『我錯了！我錯了！你打我好了！』

她抓起他的手，『叭』的一聲，給了自己一耳光。

他慌忙抽手，一把就把她緊緊抱住，抱得那麼緊，她不能喘氣了。她的手，情不自禁的勾住他的脖子，兩人緊緊的、緊緊的依偎著。他的嘴唇，貼在她的耳邊，熱氣吹在她的髮際。他在她耳邊說：

『我不能再停留……我必須去那間「新房」……妳信我了嗎？』

她拚命點頭，雙手卻不捨的勾緊了他。

這樣熱情奔放的小燕子，讓他的心跳加快，好想好想，跟她進紅羅帳，好想好想，跟她共度春宵……但是，不行！多少雙眼睛在看著，簫劍也不知道平安沒有？想到簫劍，永琪才驀然醒覺，別讓這番犧牲，變成白費才好！他趕緊問：

『簫劍怎樣？』

『應該已經走得很遠很遠了！老佛爺很守信用，昨晚就放了他！』

永琪吐出一口長氣來，如釋重負。他再看小燕子，許多現實問題，一一浮現。

『還有一件事，那個殺父之仇，妳必須徹底忘記！見到皇阿瑪，還要和以前一模一樣！上次揮鞭子那種事，再也不能發生，要不然，我們的日子會更加難過！爲了我，點個頭，怎麼樣？』

小燕子的臉，本來帶著無限柔情，聽到這話，頓時僵了僵，眼裡，閃出了矛盾和痛楚。

『答應我！』永琪低聲而急促的說，幾乎是在懇求她。

他這麼好，爲了他，她什麼都可以不要，生命都可以不要！她熱烈的看著他，終於點點頭。

永琪長嘆一聲，在她的臉頰上飛快的吻了一下，推開她，出門去了。再不走，他就捨不得走了！

小燕子仍然站在那兒，用手摀著被吻的臉頰，臉上漾起作夢似的表情。雖然，永琪走向了另一個女人的身邊，她心裡卻漲滿了被愛的感覺。回憶起來，她初戀的時期，稚氣未除，是糊糊塗塗的。在他的一再表白下，都弄不清自己是他的夢中人。現在，這份感情才真正成熟了，她終於瞭解，什麼叫作『生死相許』，什麼叫作『天長地久』。這種愛情，那麼炙熱而強烈，溫馨而酸楚，讓她心甘情願付出一切！在這一刻，殺父之仇也變得很渺小，偉大的，是永琪的愛！

景陽宮自從知畫進門，就有了很多的改變，不止小燕子倍感壓力，就連宮女太監們也沒有好日子過。這天一清早，明月、彩霞、小鄧子、小卓子照例在大廳中打掃，有的掃地，有的擦桌子，有的擦擺飾，有的撣灰塵，忙得不得了。

珍兒翠兒進房，翠兒看著四人，不滿意的說：

『新房也要打掃喲！誰負責打掃新房？幾天了，都沒有好好的收拾！』

明月聽到『新房』兩個字，就爲小燕子憤憤不平，沒好氣的抬頭，一瞪眼說：

『新房？新房不是歸妳們管嗎？我們是「舊房」的宮女，只管「舊房」的事！』

『是呀！』彩霞跟著接口：『這舊房可比新房多！又有格格房，又有書房，又有大廳，還有客房、廚房、院子……那有時間管「新房」？妳們都在幹嘛？』

『我們要管福晉的吃呀，穿呀，戴呀……』珍兒嚷著。

『老佛爺把我們從慈寧宮調來，是侍候福晉的，不是清潔打掃的！這景陽宮的奴才不夠用，還是怎的？』翠兒嘴巴更兇。

彩霞被小燕子寵慣了，那裡受過這個氣，背脊一挺：

『翠兒，妳這話就難聽了！什麼奴才奴才，我們的主子，也沒把我們當奴才！』

小卓子也憤憤不平，插嘴：

『就是！主子常常說，只有自己把自己當奴才，才是最沒出息的奴才！翠兒，我看妳，就是這種人！』

翠兒雙手一插腰，往前一衝，氣沖沖的喊：

『你罵我沒出息！你是那根蔥？你敢罵我？』

小卓子還沒說話，桂嬷嬷進門來了，眼睛一掃，大聲嚷：

『珍兒翠兒，妳們不幹活，在這兒吵架？五阿哥和福晉都起床了，洗臉水呢？漱口水呢？早餐準備了嗎？』眼光銳利的盯著明月彩霞等人，一兇：『明月，彩霞，等會兒去收拾新房！小鄧子，小卓子，這新房裡，怎麼連一盆鮮花都沒有？你們去御花園採一點！福晉喜歡紅色的花，那些黃色白色紫色……都免了！』

小鄧子見桂嬷嬷盛氣凌人，忍無可忍，往前一站說：

『桂嬷嬷！妳搞錯了，我們不是福晉的奴才，我們主子沒有叫我們去採什麼花花草草，妳自己去！』

桂嬷嬷大怒，上前，舉起手就要打小鄧子。小鄧子跟著小燕子多年，已經練了一點拳腳，一閃身就跳開了。桂嬷嬷用力太猛，打了一個空，就摔了一跤。

『哎喲！哎喲……閃了腰了……』桂嬷嬷按著腰，痛得站不起身子。

珍兒、翠兒趕緊去扶。小鄧子不禁得意起來，笑著說：

『跟著主子這麼多年，工夫也學會了一點點……』

小卓子、明月、彩霞全都笑了起來。桂嬷嬷站穩身子，不禁怒不可遏，指著明月、彩霞、小鄧子、小卓子四人怒喊：

『你們給我站住！掌嘴！』說著，就近給了彩霞一巴掌。

彩霞來不及閃，被打了一個正著，氣壞了，摀著臉喊：

『妳又打我！那天過來佈置新房，妳也打我！妳看我們景陽宮的人好欺負，說打就打，說罵就罵……我跟妳這個老太婆拚了！』

彩霞就撲到桂嬤嬤身上去。桂嬤嬤尖叫：

『反了！反了！珍兒，翠兒！妳們站著不動，是要我被人打死嗎？』

翠兒上去拉彩霞，明月就上去拉翠兒。彩霞和明月只得放開桂嬤嬤，和珍兒翠兒扭打起來。桂嬤嬤乘機脫身，氣勢凌人的對外大喊：

『小順子！小豆子……趕快去慈寧宮叫人，這個景陽宮的奴才，全體造反了！再不教訓，就無法無天了……』

小鄧子挽袖子，怒沖沖大喊：

『妳還想搬救兵，我先教訓妳！』

小鄧子撲上前去，小卓子見鬧得不可開交，急忙拉架：

『不要呀！小鄧子……不可以這樣，快住手，快住手……』

這樣一場大鬧，就驚動了小燕子、永琪、和知畫，全部奔進門來，見狀大驚。小燕子大喊：

『住手！通通給我住手！』

太監嬤嬤宮女全部起身，這個旗頭歪了，那個旗鞋掉了，大家狼狼狽狽站穩，急忙對永琪知畫和小燕子行禮。

『五阿哥吉祥！格格吉祥！福晉吉祥！』

小燕子看到永琪和知畫一起從新房出來，心裡依舊有幾千幾萬個不是滋味，又見滿屋零亂，更氣，再看到彩霞臉上的手指印，氣上加氣，大聲的說：

『明月！彩霞，小鄧子，小卓子！你們眞沒用！又被欺負了是不是？彩霞，臉孔紅紅的，還有手指印！誰打妳了？』

彩霞還來不及說話，桂嬤嬤挺身而出：

『格格！這個景陽宮，規矩實在不太好，奴才們又頂嘴又偷懶，新房都沒人收拾！如果傳到老佛爺耳朵裡，大家的日子就不好過了！奴婢只好幫格格教訓她！』

小燕子瞪著桂嬤嬤，爆發了：

『景陽宮的規矩不好，輪到妳來多事嗎？』她指著門口：『妳馬上去！走走走！去告訴老佛爺，我不許妳再進景陽宮！看老佛爺是休了我，還是廢了妳！』

永琪急忙上前，看著小燕子，委婉的說：

『小燕子，一清早，幹嘛跟宮女嬤嬤們嘔氣？忍一忍不好嗎？』

桂嬤嬤就走到知畫身邊，委屈的說：

『福晉！奴婢還是回到慈寧宮去吧！這兒的事，奴婢管不來……』

知畫看看四周，心中早已瞭然，她嘆了口氣，不惱不火的說：

『桂嬤嬤！五阿哥昨晚忙了一夜，看奏摺，寫計劃！到現在早餐還沒吃呢！邊疆問題，國家大事，黎民百姓，五阿哥樣樣要管！你們居然在這兒搞一些雞毛蒜皮的戰爭，吵得五阿哥不能休息，實在太丟臉了！』說著，就走上前來，對小燕子請了一個安：『姐姐，早！』

聽到永琪昨晚在忙『國家大事』，小燕子臉一紅，覺得自己也是『雞毛蒜皮戰爭』中的一員，不禁汗顏了。

『哎呀哎呀！別叫我姐姐，叫我小燕子就好了！我和紫薇，結拜了半天，還是叫名字！』就看著永琪問：『邊疆怎麼了？皇阿瑪沒放你假？這種時候還要看奏摺？』

『皇阿瑪存心考我呢！』永琪對小燕子笑笑，解釋著：『都是緬甸的問題，緬甸的老國王死了，新國王猛白繼位，有些蠢蠢欲動……雲貴總督劉藻是個讀書人，帶兵有問題，緬甸邊境的大姑碟、小姑碟……』說到這裡，看到小燕子一臉的糊塗，知道這麼複雜的事，她一定聽不懂，就住口了。

小燕子很關心，急忙問：

『這大姑爹跟小姑爹怎麼了？吵架啦？』

知畫一笑，從容的接口說：

『大姑碟，小姑碟都是地名，是邊境的兩座城市！』

小燕子臉孔又一紅，頓時，充滿了挫敗感，自言自語：

『地名？那有這麼奇怪的地名，大姑爹小姑爹？還大嬸婆小嬸婆呢！』

知畫再一笑，立刻丟開了這個問題，走上前去，親自幫彩霞扶正旗頭，和顏悅色，幾乎是小心翼翼的說：

『彩霞，不要難過，桂嬤嬤脾氣急，心眼是好的！都是爲了我，口氣才那麼壞！護主心切嘛！明月，妳也別生氣，還有小鄧子小卓子……大家分什麼景陽宮慈寧宮呢？都是一家人嘛！來，到我房裡來，我準備了一些小禮物，這兩天忙著大宴小宴，一直沒時間給你們！』又對桂嬤嬤和珍兒翠兒招手：『妳們也來！我也有禮物給妳們喲！從今以後，看我的面子，誰也不許吵架，知道嗎？桂嬤嬤，不是我說妳，彩霞明月都是小輩嘛，妳多寵愛她們一點，少指責她們一點，不就皆大歡喜嗎？』

知畫說著，一手牽著彩霞，一手牽著桂嬤嬤，就往大廳外走去。

明月、小鄧子、小卓子還在猶豫，不知是跟著走好，還是不走好。

『怎麼？』知畫回頭一笑：『還在生氣啊？總不是跟我生氣吧？不拿我的禮物，我會很難過的！』她的笑容，燦爛如陽光：『來來來！都來！』

明月、小鄧子、小卓子見知畫如此放低身段，再也無法堅持了，嘻嘻一笑，跟在她身後去了。轉眼間，一屋子的人，都跟著知畫走了，大廳裡剩下永琪和小燕子。

兩人對看著，小燕子就低低的問：

『昨晚，忙著看奏摺？』

『是！』

『她也陪著你看奏摺？』

『是！』

『想必，也和你一起討論，一起研究吧？』

永琪楞了楞，覺得小燕子的語氣中有些酸意，卻不能不誠實的回答：

『是！』

小燕子瞪著他，心想，所以她知道『大姑爹，小姑爹』是什麼，自己都不知道！想必，討論研究之餘，端茶奉水裁紙磨墨都是她吧！看奏摺的時候，也一定頭貼著頭，身子靠著身子吧！她想著想著，眼眶一紅，一摔手，掉頭就出門去了。

剩下永琪，呆呆的站在那兒。他茫然佇立，一臉的無辜和無可奈何。

30

這晚，乾隆在慈寧宮舉行家宴，太后、小燕子、紫薇、爾康、永琪、知畫、晴兒、令妃都在，大家圍著圓桌在用晚膳。一副『家庭和樂圖』。桂嬤嬤帶著珍兒翠兒和嬤嬤宮女服侍著。宮女們穿流不息的上菜、上湯、斟酒。

知畫不時幫太后挾菜，也不忘幫小燕子挾菜。

乾隆看看小燕子，看看知畫，見二人似乎相處得還不錯，有些意外，感動的說：

『朕最喜歡這樣吃晚飯了！大家和和氣氣，三代同堂，眞是一種幸福呀！』

『皇帝喜歡這樣，咱們可以天天這樣！只是，每次要紫薇進宮吃晚飯，她都是推三阻四的……』太后說著，看爾康：『爾康，你捨不得紫薇進宮啊？』

『老佛爺說那兒話？紫薇最近，在宮裡還比在家裡多呢！』爾康笑著回答。

『老佛爺，也不要太勉強紫薇……』令妃幫紫薇解圍。

『我知道，我知道！做過娘的人，誰不瞭解這種牽腸掛肚呢？』就看著紫薇說：『紫薇，怎麼不帶東兒進宮呢？』

『本來要帶來的，可是，前兩天著涼了，有些發燒，今天就不敢帶他出門！明後天，一定帶來給老佛爺和皇阿瑪看！』紫薇笑著說。

知畫就非常羨慕的說：

『額駙和紫薇格格的孩子，一定長得好漂亮！我聽小燕子姐姐說，東兒好聰明，不到三歲的時候，就會認字了！』

『認字？太誇張了吧？』乾隆驚訝的說。

『那也沒有什麼誇張，爹和娘都聰明嘛！』太后接口：『我在海寧的時候，聽陳夫人說，知畫兩歲就會認字！說不定，知畫和永琪的兒子，不到兩歲，就會背詩了！』說著，就用別有深意的，充滿期待的眼光，瞄了知畫和永琪一眼。

知畫臉一紅，急忙低下頭去。

小燕子臉色難看極了，心裡百味雜陳，吃得不是滋味。

永琪埋著頭吃飯，一語不發。

晴兒從頭到尾，都默默無言，食不知味。

乾隆看看眾人，忽然想了起來，說：

『好了，這個知畫的喜事，總算鬧完了！接下來，應該要忙晴兒了！』眉頭一皺：『奇怪，怎麼這些日子，都沒看到簫劍？景陽宮辦喜事，也沒看到他參加！』

乾隆此話一出，大家的神色都變了。這宮裡演出一連串的好戲；鴻門宴、捉六人、關密室、講條件、闖簫劍、逐簫劍……乾隆是一概不知。演變到今天，簫劍走了，晴兒不會笑了……景陽宮裡，多了一個知畫，小燕子也不會笑了……小燕子想著，神色慘淡，瞪著乾隆，衝口而出：

『我哥和這個回憶城八字不合，走了！和晴兒的婚事，也沒了！』

『這是什麼意思?』乾隆瞪大了眼睛，吃驚的問。

永琪生怕小燕子說出什麼不妥的話來，就急忙接口：

『皇阿瑪!本來我也預備這兩天向皇阿瑪報告的，簫劍經過了仔細的考慮，認為宮中生活，他不能適應!做官也做不來，怕耽誤了晴兒的終身，所以，他走了!』

晴兒滿臉悽惶，低俯著頭，放下筷子。

乾隆困惑已極，不禁生氣的說：

『豈有此理!他在杭州，表演了那麼轟轟烈烈的一幕，帶著晴兒私奔，鬧得人盡皆知!這會兒，朕也答應他的婚事了，他又說不耽誤晴兒的終身，那有這麼莫名其妙的事?晴兒!妳也同意了?還是不得不同意?這是怎麼回事?』

晴兒抬頭看著乾隆，強忍著淚，挺直了背脊。清楚的說：

『皇上!是晴兒要他離開的!』

『妳要他離開……』乾隆不解：『為什麼?』

『皇上!』晴兒嘆息著說：『簫劍那個人，一向雲遊四海，以天地為家!如果我把他綁在宮裡，他會變成一個被感情所困的囚犯!簫劍，他就像一隻老鷹，有他的天空和樹林!這個皇宮，對他而言，是一個豪華的金絲籠!我不能因為我的自私，讓他成為金絲籠裡的老鷹呀!所以，我讓他飛了，讓他飛回他的樹林和天空!』

乾隆驚看晴兒，震動中，有些瞭解了。

『那他……也就走了?』

『是!』晴兒抬頭看看窗外：『天空有更大的力量，他逃不掉這種力量的呼喚，他走了!』

乾隆懷疑的環視眾人，爾康就急忙笑著說：

『皇阿瑪！我知道您代晴兒生氣，但是，退一步想，這樣也很好！您不知道，簫劍雖然跟我們回北京了，其實痛苦得不得了！如果今天一定要留住他，他遲早會怪晴兒困住了他！所以，他的離開，是福不是禍！』

太后心虛，生怕再扯出其他事故，急於轉換話題，就頷首同意說：

『對！是福不是禍！爾康這話對極了！皇帝，事已至此，你也別追究了！』

乾隆注視晴兒，憤憤不平的說：

『好！讓他走！讓他飛到他的天空裡去！晴兒，朕馬上給妳找一門好親事，給妳辦個盛大的婚禮，讓他去後悔！』

晴兒大震，一驚而起，悽然的說：

『皇上！不要！請讓晴兒侍候老佛爺一輩子，我願意終身不嫁！』

乾隆銳利的看晴兒，感慨的說：

『晴兒晴兒，妳終身不嫁，也成不了簫劍的天空！妳別傻了！』

晴兒眼中，驀然充淚了。

小燕子再也忍不住，推開飯碗站起身來，憋著氣說：

『我胃痛，我吃不下，何況，這酒這菜，不知道裡面放了什麼作料，吃得我反胃，我還是少吃爲妙……我先走一步！』

小燕子掉頭就走，太后聽她話中有話，大怒，大聲喊：

『小燕子，妳也想飛到妳的天空和樹林裡去嗎？回來！』

小燕子站住了，回頭看太后，痛楚的說：

『老佛爺，您已經稱心如意了，一件件目的都達到了，何必還要逼我呢？如果我能飛，我也飛了！』

一句話說盡小燕子的心事和委屈，永琪聽了，最是感觸。起身說：

『皇阿瑪！小燕子身體還沒復元，胃口也不好……讓她去休息吧！』

紫薇急忙站起身來，說：

『我陪她回景陽宮！皇阿瑪，老佛爺，我也先走了！』

知畫跟著站起來，說：

『還是讓我送姐姐回去吧！』

乾隆大為掃興，帶著困惑和不滿，看著這群兒女：

『怎麼回事？一個個都要走？』

正在這時，小鄧子急急走進，甩袖行禮，急促的說：

『皇上吉祥，老佛爺吉祥！』就轉向爾康和紫薇：『額駙大人，紫薇格格！學士府派人來，要你們趕緊回家！說是東兒發高燒，渾身抽筋，病得很嚴重……』

眾人大驚。紫薇和爾康雙雙變色了。

『東兒！』紫薇痛喊一聲，她什麼都顧不得，連行禮告辭都忘了，東兒，東兒！她轉身就往門外衝去。

『皇阿瑪！老佛爺，我們告退了！』爾康急喊，跟著紫薇衝出房。

室內眾人，全部驚呆了。令妃最冷靜，急忙喊：

『小鄧子，傳太醫！讓所有太醫，都跟爾康一起去學士府！如果不是事態嚴重，福大人不會驚動宮裡！』

『對！把握時間！』乾隆這才醒悟，跟著喊：『來人呀！傳太醫！尤其是胡太醫，他醫術高明！』

『喳！』一群太監答應著，飛奔出房去。

確實，東兒病得很重，學士府一團忙亂。

東兒躺在床上，昏睡著。李大夫坐在床前，滿頭大汗的在把脈。李大夫也是北京的名醫，東兒從小，就是他在照顧。福晉和福倫，焦灼的站在旁邊，目不轉睛的看著李大夫和孩子。丫頭奶娘圍繞，不住用冷帕子蓋在東兒頭上。福倫心驚膽戰的問：

『李大夫，到底情況怎樣？你前天診斷，不是說只是著涼嗎？』

李大夫把完脈，診視完畢，慌張的站起身來：

『福大人！對不起，可能……前幾天的診斷有誤，那時，病還沒發出來，只有一些輕微的發燒……現在，看這樣子，大概……大概……』

『大概什麼？』福倫著急的大聲問。

『福大人，您另請高明吧！小少爺的病，我沒辦法了！』李大夫惶恐的說，轉身就想走。

『什麼沒辦法？李大夫，你不能走！這孩子是我們的命呀！』福晉喊。

『不行不行！我的醫術不夠……我……我告退了！』

李大夫慌張的說，急於脫身，往門口逃去，福倫大震，一把抓住他的手腕。

『你告退？你怎麼能告退？你是他的大夫呀！你不許走！你得給他治……』

這時，爾康和紫薇帶著四個太醫，飛奔進房。爾康喊著：

『太醫來了!太醫來了!額娘……東兒怎樣了?』

紫薇就撲在床前，看著昏迷不醒的東兒，痛喊著：

『東兒!東兒……你怎麼了?你醒來!快醒來……』看到平時活潑的東兒，現在臉色慘白，氣若游絲，害怕極了，聲音顫抖著：『東兒!睜開眼睛看看娘……怎麼會這樣子?』她一把抱起東兒，親著，喚著：『東兒……額娘在這兒，額娘抱著你，你快睜開眼睛啊……』

胡太醫急忙趨前，著急的喊：

『格格，快把少爺放在床上，別搖他，讓我診治!』

爾康看了東兒一眼，見東兒這樣，嚇得魂飛魄散了，急急抱過孩子，放上了床。

『紫薇，妳冷靜一下，趕快讓太醫們診治!』

爾康就拉著紫薇起身，把位子讓給四位太醫。太醫們圍了過去，仔細診斷。

紫薇轉身，撲進福晉的懷裡，自怨自艾的說：

『額娘!都是我不好，這些天，因為小燕子太傷心了，我天天往宮裡跑，都沒有好好照顧東兒，才讓他著涼!我這個娘，是怎麼當的?』說著說著，就哭了。

福晉拍著紫薇的肩，也自責的說：

『不是妳!是我不好!那天，我帶他在花園裡玩，下雨了，他淋了雨，晚上就發燒了!是我沒照顧好我的孫子啊!』

婆媳二人，就抱在一起掉淚。爾康著急的喊：

『妳們不要這樣好不好?東兒只是著涼，不會有大事，妳們這樣哭，倒好像他有事似的!』

紫薇一聽，趕快擦眼淚，忍住淚，拚命說：

『我不哭不哭不哭……東兒沒事，哪個孩子不生病，明天就好了，他沒事沒事沒事沒事……一定沒事……我不哭不哭……』

福晉也趕緊拭淚，握住紫薇的手，顫巍巍的說：

『我們不要自己嚇自己！胡太醫來了，孟太醫也來了！東兒福氣大，有皇上的鴻福罩著，有福家祖宗的保佑，不會有事的，啊？』

李大夫趁亂，提著藥箱想溜走。爾康一把抓住了他。

『你不要走！這幾天，都是你在診治東兒……是怎麼個情形，你告訴太醫們！我也不怪你從頭就誤診，但是，你給東兒吃的是些什麼藥，你總得說明白！』

幾個太醫翻開東兒的衣領，又察看東兒的肚子，背部。然後，太醫們一臉驚嚇，彼此對看。胡太醫就起身，對李大夫說：

『你已經有了結論，是不是？』他轉頭看爾康，嚴重的說：『額駙大人，福大人……你們都出去等一等，讓我跟李大夫一起會診，再跟你們報告！』

爾康看到幾個太醫的神色都不對，心一沉，抬頭堅定的說：

『我不出去等，我守在這兒！這是我的兒子，我要知道他的情況！』

『我也是！我也不出去！』紫薇哀懇的喊：『胡太醫，他沒有危險，是不是？』

幾個太醫紛紛起身，跟胡太醫點頭，表示診治已有結論。

『胡太醫！你就直說吧！孩子是什麼病？能治還是不能治？』福倫嚷著。

『大家先不要急，病勢雖然兇險，也不是不治之症！』胡太醫看著福倫：『小少爺身上，已經開始出痘了，依我們看，是天花！』

滿屋子的人，全部大驚失色。屋裡的丫頭和傭人，頓時你推我擠，跑了一半。

『天花！不是著涼，是天花！』紫薇抽了一口冷氣，雖然知道這病兇險萬分，卻忽然堅定起來，一種母性的本能，和母性的勇敢，全部集中在她身上，她抬頭看著胡太醫：『沒關係，我守著他！要怎麼照顧，你告訴我！』

『格格，妳害過天花嗎？如果妳沒害過，妳不能接近這個孩子！』胡太醫說。

『我不知道我有沒有害過，我娘沒告訴我，說不定小時候害過了！但是，不管我有沒有害過，我不會離開我的兒子！在他好起來之前，我一步都不會離開！』

爾康往前一站。

『我跟妳一起照顧他，我也不會離開！』

『可是……』福晉驚喊：『爾康，你沒有害過天花，你會被傳染的！出去，你快出去！』就去拉爾康：『我在這兒，奶娘在這兒，還有紫薇守著，你出去！』

爾康掙脫了福晉，堅定的嚷著：

『要傳染，我早就被傳染了！別拉我！你們都出去，讓我和紫薇來！這是我們的兒子，我們要一起面對……』

福倫冷靜下來，看胡太醫：

『胡太醫，你肯定嗎？』

『我想沒錯了！』胡太醫急忙吩咐：『趕快把家裡消毒，最好讓家裡害過的人，過來照顧！這事不能大意，我們滿人，對這個病沒有抵抗力，不像漢人！我會寫一個單子，該怎麼照顧，會寫得清清楚楚！走！我們出去開方吧！福大人，這事我不能瞞皇上，恐怕學士府要隔絕一陣子！貴府上的人，一月之內，別再進宮了！』

胡太醫帶著幾個太醫出門去開方，福倫跟著去了。

奶娘急忙往前一步說：

『額駙，格格，我來侍候小少爺，我小時候出過天花！』

『好！妳留下！還有誰出過？』紫薇這時，已經平靜下來。

『還有我！』丫頭秀珠挺身而出。

紫薇挽起袖子，在水盆中擰帕子，細心的給東兒擦拭。

『奶娘，秀珠，妳們來幫忙！』她看著東兒：『東兒，不怕！額娘在這兒，我守著你，陪著你……請你爭氣一點，熬過去，挺過去……』

爾康想過去幫忙。福晉急促的上前，死命的拉著他，哀求的說：

『爾康！你不要感情用事，你給我出去！這個病，越小的孩子害，越容易好！到了你這個年紀，害了就麻煩了！順治爺是怎麼走的，你不知道嗎？』

紫薇站起身子，這時，她的脆弱都不見了，像一個勇敢的鬥士，她看著爾康說：

『爾康！你聽額娘的話，不要讓我操心兩個！你出去，你放心，東兒有我！我會非常細心的照顧他，一定讓他活得好好的！』

爾康看著紫薇，一急，往前大步一邁，義正辭嚴的說：

『額娘！妳看看紫薇，她細皮白肉，渾身一點痘疤都沒有，她怎麼會害過天花？她只是下定決心，要守著東兒而已！如果她被傳染了，誰來照顧她？她這樣不顧一切的守著東兒，我怎麼可能置身事外？不要拉我，也不要勸我！我的兒子和我的妻子，在這間房間裡抵抗死神！我，無論如何，都要跟他們在一起！倒是額娘和阿瑪，你們也沒害過天花，你們千萬不要再進來！』

爾康說著，就把福晉一路推出門去。福晉無可奈何，一路嚷著：

『爾康……紫薇……那你們要小心，我去看胡太醫的方子和注意事項，再來跟你們說……』

『有奶娘和秀珠在這兒就夠了！其他的人，都不要進來，少一個傳染的機會就好一個！額娘，爲了讓我們安心救東兒，妳不可以再來！』爾康喊著，言辭懇切堅決，福晉怔著，被推出門外去了。

爾康走到床前來，挽起袖子，開始絞帕子。紫薇抬眼看著他，眼裡，滿是震撼和感動。爾康鼓勵的看她，鄭重的點了點頭：

『我們要鎭靜一點，我有信心，東兒會度過難關的！』

紫薇拚命點頭。

兩人就一邊一個，守著東兒。

東兒染上了天花！這事傳進宮裡，整個皇宮都震動了。滿人最怕的疾病，就是天花。自從滿清進關以來，已經有許多阿哥死於天花，順治皇帝也因天花而駕崩，大家聞天花而變色。所以，消息傳來，皇宮就陷進一片忙亂裡，所有太監宮女嬤嬤都出動了，大家提著盛滿石灰水的木桶，到處噴灑，牆上、門上、窗子、台階、亭子、樓台、大殿……處處都是忙碌的人群。

太后扶著晴兒的手，看著滿屋子忙碌的人，心驚膽戰的嚷：

『天花？居然是天花！那還得了？這兩天，紫薇不是一直在宮裡出出進進嗎？還在景陽宮過夜，跟小燕子一起睡，那……這個病有沒有帶進宮呢？宮裡，又是小阿哥，又是小格格，如果傳染了，那可怎麼辦？』

晴兒趕緊說：

『老佛爺不要慌張，一大早，令妃娘娘就下令，整個宮裡都在消毒！胡太醫配的消毒水，所有太監宮女都出動了，到處在灑！景陽宮是第一個據點，每個房間都灑了！皇上問老佛爺，要不要帶著娘娘們，去避暑山莊避一避？』

『皇帝自己呢！』太后著急的問：『他一定不肯走！上次流行的時候，他也不肯走！再說……這避痘要避到哪兒去呢？沒有一個地方是安全的！』說著，就振作了一下：『皇帝不避，我也不避，我得守在宮裡，給大家做個榜樣！還有這麼多宮女太監，咱們一跑，人人都跑了！』想著，就著急的一昂頭：『咱們先去景陽宮瞧瞧！』

晴兒扶著太后，來到了景陽宮。

景陽宮也是一團忙亂，桂嬤嬤正帶著眾宮女、太監、嬤嬤也在拚命消毒。桂嬤嬤指揮若定，監督著大家，嚷著：

『不管是縫縫裡，角落裡，花瓶裡，古董架……通通不能放過！這個出花兒，是要命的事，大家不是幹活，是救命呢！麻利一點呀……』

外面傳來太監大聲的通報：

『老佛爺駕到！晴格格到！』

小燕子、知畫、永琪聽到喊聲，都從房裡奔進大廳。太后扶著晴兒，兩人匆匆走進。一屋子的人，趕緊請安的請安，行禮的行禮。

『老佛爺吉祥！晴格格吉祥！』

『別請安了！趕快消毒吧！』太后揮揮手。

知畫急忙上前，關心的看著太后，說：

『老佛爺！我正想去慈寧宮請安呢！您一定嚇壞了！慈寧宮消毒了嗎？要不要我去幫忙？那個餐廳……恐怕要特別消毒一下！餐具收起來，別再用了！』

『是呀！』太后一驚，想了起來：『紫薇昨晚還一起吃飯呢！晴兒，妳記著，那副餐具就毀了吧！』

『有那麼嚴重嗎？』晴兒問，那套餐具，是景德進貢的細磁。

『有有有！』太后拚命點頭：『這天花比任何瘟疫都厲害！十幾年前，在京裡大流行那一次，死了幾千人，那時妳還小，我記得，屍體堆在北門外，火化都來不及！』

小燕子聽到這兒，就忍不住氣呼呼接口：

『那麼，我們這個景陽宮，乾脆把家具門窗全部拆了燒掉，碗碗盤盤，杯子碟子，花盆水盆……一樣都不能留！』

太后瞪著小燕子，看到她這樣不知輕重，氣不打一處來，有力的說：

『妳說的不錯！紫薇每晚跟妳睡一起，那個帳子棉被衣裳……最好都燒掉！妳自己，從頭髮到腳趾，也好好的清理清理！』就掉頭看永琪，命令的說：『永琪！這個月，你就不要再進小燕子的房間！反正有知畫照顧著！』

永琪大驚，怎能用這個理由，不進小燕子的房間？小燕子震動極了，知道太后存心要找理由不讓永琪親近她，臉色慘變。知畫不知如何是好，看看太后，看看永琪，不敢說話。永琪就往前一步，笑著說：

『老佛爺過慮了！害天花的是東兒，也不是紫薇！整個學士府那麼多人，也只有一個東兒生病，連爾康都沒事！孩子的抵抗力弱，大人的抵抗力強。何況，景陽宮已經徹底消毒了……如果這個也怕，那個也怕，日子還怎麼過？』

晴兒也接口：

『依晴兒看，桂嬤嬤很能幹，消毒得非常仔細！等會兒，我留下來幫忙，再帶著明月、彩霞，把小燕子的房間和衣物，都徹底消毒一下！』

『晴兒！妳也避一避！整天跟著我，難道還想把這病，帶到慈寧宮去嗎？』太后掉頭看知畫，不解的挑起眉梢：『怎麼？知畫不想服侍五阿哥嗎？』

知畫有苦說不出，急忙應著：

『老佛爺說那兒話？我……我……』她看了永琪一眼，眼神中不由自主的透著幽怨，聲音低了下去：『我……只怕服侍得不好，人家不喜歡……』

太后銳利的看了三人一眼，心裡有些明白了，命令的說：

『永琪！你是皇室的根兒，太寶貴了，不能有任何閃失！知畫，妳好好服侍！聽到了嗎？』

『知畫謹遵老佛爺吩咐！』知畫屈膝，順從的說。

太后轉身，看了桂嬤嬤一眼，桂嬤嬤會意，點頭。

『晴兒！我們再去乾清宮、延禧宮……到處走一遍！走吧！』

『是！』晴兒臨走，還給了小燕子安慰的一瞥。

太后和晴兒走了，小燕子氣呼呼的一摔手，衝出了大廳，進房去了。永琪看到她這副樣子，身不由己，就追了過去。

到了臥房，永琪一眼看到，小燕子正在收拾行李，床上攤開了一條包袱皮，她手忙腳亂的，把許多衣服，雜亂的堆進包袱皮裡。

『妳幹什麼?』永琪問。

『你已經有人服侍了，我這個不會服侍的人，該走路了!』小燕子嚷著，拿起簫劍留下的那支簫，放在衣物最上面。

『妳又想出走?』他劈手就奪去了那支簫。『我不會讓妳出門的!外面正在流行天花，妳還是待在宮裡比較好!』

『我待在宮裡幹什麼?前一陣，是爲了救我哥，我才會忍受這些窩囊氣!現在，我哥走了，我也可以走了!』

『哦?』他不禁受傷了，盯著她:『妳哥已經脫險，我的利用價值就完了?妳要我做任何事，我都做了!現在妳說走就走，不管我了，妳不覺得妳很殘忍嗎?』

『我怎麼管你?』她瞪著他，嚷著:『我這間屋子裡，全部都是天花病毒，我渾身上下，也都是病毒，你是皇室的根兒，太寶貴了，如果有閃失怎麼辦?』說著，跳起身子去搶那支簫。『把簫還給我!我去學士府陪紫薇，紫薇一定需要我!』

『妳也不能去學士府，那兒有胡太醫守著，有許多家丁丫頭服侍著，不多妳一個!妳去了他們更亂!老佛爺有句話是說對了，不能把天花傳播到各處去!』

小燕子一聽，老佛爺的話對了，大受刺激，跺腳大喊:

『那你還在我身邊幹什麼?老佛爺的話你沒聽見嗎?這個房間不能進!我的身邊不能碰，我從頭髮到腳趾，都是不乾淨的……』

小燕子話沒說完，永琪把她一把抱住。

『好好好!妳不乾淨!妳把所有的病毒都傳染給我，要害天花，大家一起害!』

他說完，就一俯頭，炙熱的吻住了她。她一驚，想掙扎，但是，他的胳臂那麼有力，她怎麼掙扎得掉？她還想說話，但是，他的唇堵著她的，她還怎麼說話？她不動了，被動的站著，然後，手臂一勾，勾住了他的脖子，融化在他的熱情裡。

窗外，知畫帶著桂嬤嬤，震動的看著這一幕。

東兒病倒，金瑣幾乎立刻奔到學士府，她要侍候紫薇，照顧東兒。但是，她已經是兩個孩子的娘，小的一個才滿週歲。那個會賓樓，又是市中心的地區，平常人客眾多，紫薇怎麼允許讓金瑣涉險，萬一傳染給她的兩個孩子怎麼辦？更不能讓這個病傳染到整個市區去，立刻就義正詞嚴的把金瑣趕回去了。柳青知道紫薇都是對的，夫婦二人，除了著急以外，只能大力提倡消毒運動，帶著許多伙計，不止消毒會賓樓，把市區的街道，也一一灑上石灰水，還挨家挨戶，教導消毒的辦法。

幾天過了，東兒的病，卻越來越沉重，這天，已經陷進昏睡的狀態，嘴裡喃喃呼喚著額娘奶奶，臉上開始冒出了紅疹。紫薇和爾康都熬了幾天，衣不解帶。福倫和福晉，雖然不能進病房，仍然在大廳裡照顧一切，和太醫研究病情。整個學士府，又要消毒，又要照顧病人，個個都筋疲力盡。

『娘……娘……額娘……奶奶……』東兒意識不清的喊著。

紫薇和爾康立刻仆了過去，紫薇一疊連聲的說：

『娘在這兒，東兒，那裡不舒服？東兒……東兒……』見東兒不應，急摸東兒的頭，抬眼看爾康：『燒得像火一樣，怎麼辦？那個冷帕子，好像一點用都沒有！如果燒不退下去，會不會燒壞腦子呢？』

爾康拚命絞著冷帕子，不斷的送了過來，去取代東兒頭上的帕子。

『胡太醫說，這個發燒，只能靠東兒的生命力來挺過去！不過，胡太醫已經配了最好的藥，宮裡的藥材都拿來了，吃了可能會好些！至於發燒，主要是病沒好，我們給他不斷換帕子，總可以讓他舒服一點！』

奶娘和丫頭秀珠，在一邊幫忙。秀珠不斷提了乾淨的開水進來，把臉盆裡的髒水換掉。秀珠叮嚀著：

『額駙，格格！又該洗手了！胡太醫說，你們要不斷的洗手，免得傳染啊！還有被單！奶娘，我們先把被單換掉，拿去煮，乾淨的在這兒！』

紫薇就抱起東兒，奶娘和秀珠趕緊換床單，換棉被，換枕巾……把一切可以換的，全部撤換，抱出去煮的煮，燒的燒。

紫薇抱著東兒，對爾康急急的說：

『你快去洗手！我等會兒再洗！』

『洗了，馬上又會弄髒，這樣洗手有用嗎？』

『不管有用沒用，你去洗就是了！』紫薇著急的說。

爾康趕緊去洗手。床單換好，奶娘說：

『現在要把小少爺的衣服全體換掉！』

奶娘和紫薇就手腳麻利的給東兒換衣服。東兒斷斷續續的哭著，呻吟著。髒衣服全部丟進了木桶裡，秀珠提著木桶出去。

門外，福晉急急的捧著熬好的藥碗過來。

『藥來了！藥熬好了！』福晉伸頭進來喊：『紫薇！胡太醫親手熬的藥，他說，無論如何，要想辦法餵進去！』

爾康一眼看到福晉，著急的跺腳。

『額娘！妳讓別人送進來，妳不要過來！傳染了怎麼辦？』

奶娘接過藥碗。福晉急忙後退，含淚說：

『是是是！我這就去洗手，去消毒！』

奶娘捧著熬好的藥到床前來，說：

『格格，妳把小少爺抱起來一下，我來餵！』

紫薇抱起孩子，奶娘就餵藥。一湯匙的藥汁，吹冷了，送到東兒的唇邊。東兒哭著，掙扎著，就是不肯吃藥。紫薇著急，哀求的說：

『東兒！吃藥呀！你不吃藥怎麼會好呢？張開嘴巴，我求求你了！東兒……張開嘴，張開……』

爾康仆在旁邊看。不由自主，嘴巴張得好大。東兒那張嘴，還是閉得緊緊的。

『不行！我們用灌的！一定要他吃下去，能吃多少是多少！』爾康說，就捏住東兒的鼻子和面頰，強迫東兒張嘴，對奶娘急急的說：『快！灌進去！不要太多，一點一點的灌！』

紫薇目不轉睛，心痛已極的看著。東兒掙扎著，哭著，勉勉強強的灌進一些藥。

『灌進去了！再來……再來……』爾康喊著。

奶娘又準備了一匙藥汁，再灌。只見東兒身子挺直，手腳亂動，『噗』的一聲，藥汁噴了出來，噴到爾康一身，接著，東兒就痛苦的嘔吐起來。紫薇喊：

『都吐出來了！怎麼辦？怎麼辦？不要再灌了……他嚥不下去呀！』

紫薇抱起東兒，放在肩上，不住拍打孩子的背脊。

東兒在她肩上哭著，喘著，咳著。紫薇的心，隨著孩子的哭聲和咳聲，痙攣絞痛著。有什麼力量可以減輕孩子的痛苦呢？她願意付出任何任何代價，只要東兒痊癒！

爾康從奶娘手裡接過藥碗，堅決的說：

『紫薇，抱過來，我們繼續努力！再灌一次！這藥，他非吃不可呀！我們要救他的命，是不是？抱過來！』

紫薇點頭，抱過去，坐在床沿。

『妳捏著他的嘴巴，我餵！』

紫薇捏住了東兒的嘴巴，爾康就非常細心的，一點一點的把藥汁餵進東兒嘴裡。奶娘在一邊緊張的看。好不容易餵了一匙，爾康額上已冒出汗珠。

『他吃進去了！他沒吐……』紫薇小小聲的說，好像說得大聲，就會冒犯了那個照顧著東兒的神明。

『額駙，您眞有辦法，他吃了整整一匙啊！』奶娘欣喜的說。

爾康虔誠的看著東兒，在這一刻，他才體會出他對東兒的熱愛。

『是！他在戰鬥！他正用他的小生命，在和這個病打仗！』爾康凝視東兒，低低的對他說：『東兒，勇敢一點，你的生命，來自於愛！在人間，你比很多孩子都幸運，因爲你擁有最多的愛，爲了這些愛你的人，你不要放棄！來！我們要吃第二匙了！』

紫薇看看孩子，看看爾康，帶著一種嶄新的感動，體會著爾康對東兒的愛。以前，她總覺得爾康對孩子沒什麼耐心，現在，才明白，那份父子天性，是深深銘刻在爾康的生命裡的。是的，東兒的生命，來自於愛，他怎麼可以放棄那麼多的愛呢？

大廳裡，福倫福晉帶著四個太醫，幾個女僕，忙忙碌碌的熬藥。幾個家丁，不住用石灰水在各處潑灑。乾淨的開水，不斷提進房來。眾人輪流洗手，髒帕子全部丟進大木桶，再由家丁提出去煮沸。福倫看著胡太醫，著急的問：

『孩子的燒，一直沒退，到底要熬到什麼時候，才知道他脫離了危險？』

『現在，疹子才剛剛發出來，還只是初期，算是皮疹。』胡太醫解釋著病情：『然後會變成斑疹，那時，燒會慢慢退下去，斑疹會變成水泡疹，等到水泡疹化膿的時候，熱度又會上來，是最危險的時候！如果能夠平安的度過化膿時期，等到疹子結疤脫落，病也就好了！從現在到疹子結疤，每個過程都是逃不掉的！大概還要十四、五天的時間，這十四、五天，每天都很危險！』

『十四、五天！』福晉驚呼，這十四、五天怎麼熬呀？

『有的人身體好，十二、三天就好的，也有！』

『這麼說，熬過一天，就度過一天的危險期，是不是這樣？』福晉問。

『可以說是這樣！』

『我去燒香去！』福晉回頭就走。

『妳去那裡？』福倫問。

『我去觀音廟！』

『妳還沒弄清楚嗎？我們這座學士府，已經劃爲疫區，學士府的人，都不許出門！』福倫說。

『福大人，福晉……實在沒辦法，宮裡談天花就變色，人人自危，別說你們出不去，連我們幾個太醫，在一個月之內，都不能回宮了！』胡太醫說。

『可不是！連宮裡的人，也奉命不能出宮！傅雲暫時取代了額駙，帶著御林軍，守在宮門口，不許任何人出去，就怕帶回病菌來！』孟太醫接口。

『你們都知道，當初七阿哥，就是這個病夭折的……』崔太醫再接口。

胡太醫咳了一聲，太醫們趕緊住口。

福倫福晉，聽得更加膽戰心驚。就在這時，秀珠突然大喊著奔進門來：

『不好了！太醫！太醫……小少爺又抽筋了，身子都直了，臉色也青了……』

四個太醫跳起身子，往東兒的病房衝去。福倫福晉大震，再也顧不得傳染不傳染，也跟著衝了進去。大家衝進房，就看到紫薇面無人色的抱著東兒，繞室疾走。東兒在她的懷裡，劇烈的抽搐著，小小的身子，一挺一挺的，紫薇語無倫次的痛喊著：

『老天！饒了東兒吧！停止停止，不要抽筋了！停止停止……這樣抽下去，他怎麼活？東兒東兒……』

爾康追在紫薇身後，急切的喊：

『把他給我！讓我來抱……妳不要這樣走來走去，會顛著他，等會兒又吐了！紫薇……妳冷靜一下……讓我來抱……』

紫薇充耳不聞，急急的走著，神情陷進昏亂裡。她的聲音，惶急顫抖：

『東兒，為什麼是你呢？為什麼偏偏是你呢？讓我病，讓我死，東兒，我願意代你受苦呀！老天啊，孩子那麼小，他怎麼受得了這麼多的痛苦呢？你怎麼不饒了他呢？東兒東兒啊……』

胡太醫急呼：

『把孩子放在床上，我來看！』

紫薇抱著孩子不放，好像她一放手，東兒就會消失似的。爾康把她拉到床前，幾乎是從她手中，搶過了孩子，放上床。幾個太醫，全部圍了過去。

福倫和福晉，也伸頭去看。

紫薇挺立在房裡，頭髮零亂，神情憔悴如死，瞪著虛空，發誓一般說：

『如果東兒死了，我也不會活著！』

爾康大震，撲了過來，抓住紫薇的雙臂，搖了搖，有力的說：

『紫薇！東兒還在作戰，妳不要先倒下！勇敢一點，我們的東兒沒有那麼容易死！我們共同面對過好多苦難，每一次都度過了！這次，我們還會度過的……妳看！最好的大夫在這兒，我們不要放棄希望，聽到沒有？』

紫薇已經幾天幾夜不眠不休，精神也在緊繃的情況下，這時，她崩潰了，哭著：

『是我……是我……是我害了東兒……』

『妳的毛病就在這裡，每次出了危機，妳都要怪在自己身上！』爾康責備的說：『東兒生病，是傳染的，跟妳沒有關係！妳停止自責吧！』

紫薇眼睛直直的，中邪一般的說：

『那天，我說，我們的幸福太多了……老天聽到了，祂要收回我們的幸福……祂要從我身邊帶走東兒……』

『胡說！老天不會那麼殘忍……妳想到那裡去了？千萬不要這樣想，不要讓我在擔心東兒的時候，還要擔心妳！』爾康也快崩潰了。

太醫和福倫福晉，都圍在床前，看著東兒。

東兒的抽搐，越來越厲害，胡太醫急喊：

『給我一條乾淨的帕子……快快快……』

秀珠、奶娘、福晉都遞了帕子過去。

胡太醫搶過帕子，就塞進東兒的嘴裡，解釋的說：

『不能讓他咬到舌頭！』

紫薇爾康都衝回床前，心驚膽戰的看著。

『冷帕子！冷帕子……』胡太醫喊。

奶娘絞了帕子，遞過去。帕子蓋上了東兒的額頭，胡太醫緊張的喊著：

『你們喊他！跟他說話！』

胡太醫壓住東兒的身子，東兒滿臉疹子，嘴裡塞著手巾，額上蓋著帕子，身子顫抖抽搐，喉中急喘著，臉色越來越白，眼看就要嚥氣的樣子。爾康、福晉、福倫都嚇傻了，大家拚命喊著。

『東兒！東兒！東兒……』

紫薇看到這樣，淚不可止，哀求的喊：

『東兒，不要死！娘要你，你是我的命……東兒！求求你……不要死，不要死……我愛你，我要你，我不能失去你呀！不要死……』

爾康淚盈於睫，伸手握住了東兒露在被外的小手。忽然間，他心中狂跳，覺得那隻小手也握住了他的手。他幾乎不能呼吸了，屏息的大喊：

『他握住了我的手！紫薇！妳看妳看！東兒知道我在這兒，他握住了我的手！他聽到我們在叫他呀……』

紫薇就仆在床邊，急切的抓住了東兒的另一隻手。

『東兒！娘在這兒，娘一直守著你，這是娘的手，娘也握著你，你感覺了嗎？』

東兒感覺到了，他確實感覺到了，他的另一隻手，也握住了紫薇的手。紫薇驚喜莫名，喘息的低語：

『他握住我了！』她感激涕零的急呼：『太醫太醫！你們看，他不抽筋了！他安靜下來了！你快看……』

幾個太醫低頭檢視，一片『阿彌陀佛』聲。胡太醫鬆了一口氣：

『他闖過了一關……他度過了一次危機……他平靜下來了！』

『闖過一關是一關，希望不會再發作，我嚇死了！』福晉拚命拭淚。

胡太醫抽出東兒嘴中的帕子，抬眼看著眾人。

『他睡著了！讓他睡！別吵醒他！睡醒了再給他喝點湯，吃藥！現在，該離開房間的人，快點離開，去渾身沖洗換掉衣服……快去！』

胡太醫起身，福晉福倫這才驚魂未定的看著紫薇和爾康。福倫叮嚀：

『爾康，紫薇，你們也趕快去洗洗手，換件衣服！再來照顧！』

『就是就是！』福晉跟著說：『孩子睡了，你們兩個也要輪班休息，還有十幾天要熬呢！不要把自己累垮了！乾淨衣服已經拿來了，放在那兒！』

幾個太醫，不住的催著福倫和福晉。

『福大人！福晉，趕快出去！咱們都沒害過天花，不能不小心！爲了小少爺，也要小心！』

福倫福晉，就在太醫的拉拉扯扯下，一步一回頭的出門去了。

大家都出門去，爾康和紫薇，仍然一邊一個，握著東兒的小手，誰也捨不得放開那小手。兩人對看，都在對方眼中，看到那份死裡逃生的感恩，和強烈的父愛和母愛。紫薇懸弔著的心，這時才歸位，昏亂的神志，也才清醒，她低低的說：

『這隻小手……好像是我的整個天地，我不捨得放手，不捨得離開！』

『我也是！』爾康深有同感，別有體驗的說：『原來我們的幸福，已經被這雙小手，牢牢的握住了！他是幸福的中心，一邊是妳，一邊是我！』

兩人看看熟睡的東兒，再彼此深深刻刻的對視著。千言萬語，盡在不言中了。

31

學士府忙得人仰馬翻，紫薇和爾康都陷在水深火熱裡，小燕子幫不上忙，急得像熱鍋上的螞蟻。這天，她再也熬不住了，換了一身民間服裝，梳著普通的頭，帶著小鄧子、小卓子大步走到宮門口。侍衛趕緊一攔，行禮如儀。

『還珠格格吉祥！』

『別行禮了，趕快讓開！我有重要的事，要出去一下！』小燕子說。

『回格格，北京在鬧天花，皇上有令，任何人都不能出去！』

『可是……我要去看紫薇格格呀！她現在一定好慘，我有事，她都守在我旁邊，她有事，我怎麼能不去呢？我要去幫忙！』

『回格格，學士府尤其不能去！那兒已經隔離了，裡面的人，也不能出來！連額駙和福大人，現在都不上朝了！格格還是回去吧！』

『大家都不能進出，宮裡吃的喝的從那兒來？』

『宮裡有自備的菜園，這些天，都吃自己養的雞鴨，自己園裡種的蔬菜，連豬肉，怕不乾淨，好多天都沒吃了！』

小燕子急得跺腳：

『以前我住在大雜院，小虎子就出過天花，好幾個孩子一起發，我也沒有染上，那有那麼容易就傳染？太小題大作了！這不是等於在坐牢嗎？』

小鄧子和小卓子趕緊去拉小燕子，一人一句的勸著：

『回去吧！我跟格格說，不能出宮，格格還不信！眞的不能出去，誰都不能出去！』

『五阿哥說，四位太醫，都留在學士府照顧東兒少爺，格格放心吧！』

『那……東兒現在怎樣？已經病了快十天了，也沒有人來報信！萬一有個什麼事，紫薇會哭死的……』越想越怕：『萬一紫薇被傳染呢？萬一爾康也被傳染呢……』

小鄧子趕緊雙手合十，向天祈禱：

『天靈靈，地靈靈，保佑東兒少爺長命百歲！玉皇大帝，王母娘娘，觀音菩薩，齊天大聖，豬八戒，釋迦牟尼，天上所有救苦救難大菩薩……請保佑紫薇格格，保佑額駙，保佑學士府人人平安！』

小燕子這才驚覺自己又說了不吉利的話，趕緊跟著雙手合十，對老天說：

『天靈靈，地靈靈，天上所有的菩薩，你們聽小鄧子的，千萬別聽我的！』

『走吧！格格！』兩個太監拉著小燕子。

小燕子一肚子的氣，無可奈何的往回走。

景陽宮裡，永琪不知道小燕子去了那兒，不願進新房，就躲在書房練字。寫著寫著，知畫怯生生的，慢吞吞的走了進來。永琪看到她，本能的就想避開，放下筆起身。知畫看他起身了，而桌上筆墨紙張俱全，就坐到他的位子上，提起筆來，寫了一副對子：『立身以至誠爲本，讀書以明理爲先』。永琪看到她寫字，身不由主的站住了，伸頭看著她寫。等到她寫完，他情不自禁拿起對聯細看。不看還好，一看就佩服起來，心悅誠服的說：

『知畫，妳的字，是怎麼練出來的？上次看妳寫柳字，這次看妳寫趙字，都寫得這麼傳神，妳幾歲開始練字的？』

『五歲就開始練字了，寫得不好，你不要誇我了，我會當眞的！』知畫微笑著說，笑容裡帶著點兒蒼涼。

永琪放下了字，注視知畫。心裡，忽然浮起一股深深的歉意。這個知畫，長得如花似玉，書唸得比一般學子還多，家學淵源，才華蓋世……嫁給了他，天天當有名無實的『福晉』，實在太可惜了！

『難道妳以爲我說假話嗎？我眞的佩服啊！』他由衷的說，歉然的一嘆：『唉！知畫，對於妳的爲人處世，對於妳的忍讓和包容，我眞的佩服，也充滿了抱歉。跟著我，實在讓妳受委屈了！』

知畫的笑容一收，抬眼看著他，眼神幽幽的，眸子清清亮亮。她一語不發，忽然間，就用手摀著臉哭了。永琪一驚，頓時手足無措。

『怎麼了？我說錯什麼話了？』

『沒有沒有……是我失態了！』知畫狼狽的說：『我只是……一時之間，有些悲從中來……你不要理我，我平靜一下就會好！我……我……』她越想越難過，淚不可止，急切中，發現手帕又不知放在那兒了，就用衣袖擦淚：『我覺得自己很不爭氣，想到爹和娘，教我唸書，寫字、作詩、下棋、彈琴……幾乎應該學的，全都教了，我也很認眞的學，可是，有什麼用呢？就因爲我有點兒小才華，才會被老佛爺選進宮……這對我，也不知道是福是禍？現在，想再見娘一面，都好難！好多話，我很想跟娘說呀！我不能跟你說，不能跟老佛爺說，只能跟我娘說呀……』

知畫一邊說，眼淚一邊掉，永琪瞪著她，知道她所有的委屈，都是自己造成，就更加歉疚，充滿了犯罪感，也充滿了同情。

『原來妳在想娘啊！這不難，我明天就告訴老佛爺，馬上派人去海寧，把妳的爹娘都接進宮來，怎樣？』

知畫拚命點頭，淚珠點點滴滴繼續掉，兩隻手東摸西摸，在口袋裡找手帕。永琪走了過去，掏出自己手帕遞給她，柔聲說：

『把眼淚擦了，給桂嬤嬤她們看見，會以爲我欺負了妳……』

知畫接過手帕擦淚，幽怨的再看了他一眼，哽咽的低低問：

『你認爲，你沒有欺負過我嗎？』

知畫問得溫溫柔柔，永琪卻像挨了重重一棒，覺得無地自容了。是啊！他對她做的，是任何女人不能忍受的侮辱吧！娶了她，卻不要她……他看著她，出起神來。

這時，小燕子憤憤不平的衝進房來，嚷著：

『永琪！侍衛都不許我出門，我要去看紫薇，他們不許我去，你快想辦法……』

小燕子驀的住口，驚愕的看著永琪和知畫。

永琪看到小燕子突然進來，大吃一驚，不知怎的，就慌亂起來，抬頭掩飾的說：

『我們在寫對子……』

『又在寫對子啊？』小燕子問，看到知畫滿臉淚痕，手裡拿著永琪的手帕，四周連宮女嬤嬤都沒有，立即醋勁大發，銳利的問知畫：『上次寫了鴛鴦寫了魚，目的也達到了！這次又寫了什麼？怎麼寫得滿臉眼淚？珍兒翠兒沒有給妳準備水磨墨啊？還是妳又有新招，要用眼淚水來磨墨？』

知畫一怔，抬眼看小燕子，好委屈，眼淚更是成串的滾落。

永琪聽到小燕子口不擇言，措辭銳利，生氣的看她，聲音大了起來：

『小燕子，妳何必那麼刻薄呢？知畫只是想起她的爹娘，在這兒傷心罷了！這也是人之常情呀！妳也可以有點同情心吧……』

小燕子一聽，永琪居然護著知畫來教訓她，眞是氣到天崩地裂。這一陣，小燕子的日子，眞如同在煉獄油鍋裡煎熬。她還陷在身世的悲哀裡，陷在兄妹被迫分離的悽慘裡，又陷在永琪再娶的痛楚裡……偏偏這個節骨眼，東兒病了，她要擔心東兒，擔心紫薇，擔心簫劍和晴兒，擔心永琪變心，還要擔心如何面對那個殺掉她親爹的皇阿瑪！在這麼多的心事中，永琪不跟自己站在一邊，幫她消除煩惱，卻在這兒護著知畫責備她！他變了！他眞的變了！知畫在一點一滴的征服他！這樣想著，她的恐懼遠超過她的憤怒，但是，她只會用爆發的方式，來掩飾她的恐懼，她立即跳著腳，對永琪大嚷：

『我刻薄？我沒同情心？你這個小人！你這個僞君子！你這個沒良心的混球！知畫好可憐，她想起了她的爹娘，在這兒哭得傷心，你很同情吧！那麼，我的爹娘呢？我想爹娘的時候怎麼辦？你以爲我沒想過，是不是？我天天在想，夜夜在想，我的爹，他死了，我的娘，她也死了……他們怎麼死的？他們被人害死了……』

永琪大驚，急忙喊：

『小燕子！小燕子……不要說了！』

知畫也上前，急促的說：

『姐姐！妳跟我生氣沒關係，說話千萬小心！宮裡到處都是耳目……』

知畫說著，往前一撲，要去蒙小燕子的嘴。小燕子看著她撲了過來，只當她要和自己動手，大叫一聲：

『妳想打架嗎？妳敢碰我！』

小燕子就抓住知畫，一個過肩摔，知畫的身子對著牆壁飛了出去。永琪一看，想也沒想，就飛竄過去，接住了她。知畫可沒碰到過這樣的事，嚇得臉色慘白，倒在永琪懷裡。這樣一撲一摔一接之間，房間裡『欽欽哐哐』，東西散落一地。明月、彩霞、桂嬤嬤、珍兒、翠兒全部衝進房，大家七嘴八舌，各喊各的：

『格格！五阿哥！福晉！發生什麼事情了？』

大家一眼看到永琪抱著帶淚的知畫，和怔在那兒的小燕子，就全部呆住了。

就在這時，外面傳來小鄧子的大聲通報：

『皇上駕到！老佛爺駕到！晴格格到！』

永琪、知畫和小燕子，還沒從自身的驚嚇中恢復，又被驚得人人變色。永琪這才趕緊放下知畫，急急走到大廳去迎接。知畫慌忙擦淨淚痕，跟著永琪往外走。小燕子臉上青一陣，白一陣，無可奈何的跟在他們二人後面，也走向大廳。

乾隆帶著太后和晴兒站在大廳裡。乾隆正在問：

『大家都去那兒了？』

只見永琪、知畫都急急的迎了出來，小燕子跟在後面，三人臉色都是怪怪的。知畫淚痕未乾，和永琪一起請安。

『皇阿瑪吉祥！老佛爺吉祥！』知畫還特地加一句：『晴格格吉祥！』

小燕子的情緒，還陷在天崩地裂般的悲憤裡，看到乾隆，想起父仇，看到太后，想起這一步步的陷阱，真是氣到快斷氣，偏偏還不能不行禮，不能不招呼。她沉重的呼吸，橫眉豎目，嘴裡嘰哩咕嚕了一句誰也聽不清楚的話：

『你們通通都吉祥，讓我一個人去倒楣好了！』說著，馬馬虎虎的屈了屈膝。

明月、彩霞、桂嬤嬤、珍兒、翠兒跟在後面，急忙請安：

『皇上吉祥！老佛爺吉祥！晴格格吉祥！』

宮女嬤嬤們就趕緊倒茶，整理椅子上的坐墊，端瓜子點心出來。

太后看到知畫面有淚痕，又看到小燕子鐵青著臉，心裡已經有數，眼光銳利的上下打量小燕子，皺著眉頭問：

『小燕子，妳爲什麼不梳旗頭？妳這身打扮，是要幹什麼？』

『我要出宮去看紫薇！侍衛攔著宮門，不許我出去！』小燕子說。

太后立刻發怒了：

『宮裡三令五申，誰都不可以出宮，妳還不知道嗎？尤其紫薇家，怎麼可以再去？還好妳被攔下了，要不然，妳準備讓整個皇宮，都傳染天花是不是？妳在宮裡這麼多年，到底知不知道厲害輕重？懂不懂爲大局著想？』

小燕子背脊一挺，衝口而出：

『我那知道什麼叫「大局」？什麼叫「小局」？我只知道，宮裡個個人，都貪生怕死……』

『小燕子！』乾隆勃然大怒：『妳老毛病又發了是不是？妳在對老佛爺說話！妳看看妳，橫眉豎目，大呼小叫！老佛爺說的不錯，這麼多年，妳一點進步都沒有！反而更加囂張跋扈，變本加厲……』

小燕子眼睛漲紅了，瞪著乾隆，說：

『我這也不好，那也不好！你們把我休了就算了，反正知畫已經進門了，永琪有知畫侍候就夠了……』

『哦？搞了半天，是在跟知畫嘔氣！』乾隆大聲打斷，眉頭一皺：『我最討厭愛吃醋會嫉妒的女人！妒婦是犯了七出之條！妳知道嗎？現在爲知畫吃醋，將來說不定還有知梅、知蘭、知菊、知竹……妳要吃醋到什麼時候？永琪，他不是凡人，他是皇子呀！』

小燕子眼睛瞪得好大，胸口劇烈的起伏著，嘴裡喃喃的說：

『哈！還有那麼多？我明白了，明白了……』

永琪急壞了，生怕小燕子再說出不該說的話，就一步上前，急急說：

『皇阿瑪、老佛爺請息怒！小燕子只是在爲東兒著急，不能去看紫薇，她姐妹情深，難免心浮氣燥，並沒有在吃醋什麼的！皇阿瑪，你最瞭解小燕子，她每次一急，就口不擇言！她絕對沒有要冒犯老佛爺的意思……』

太后冷冷的打斷了永琪：

『是嗎？那麼，知畫爲什麼淚汪汪呢？』她看著知畫問：『誰讓妳受委屈了？妳老實告訴我，不要撒謊隱瞞！妳說！』

永琪著急的看知畫。只見她帶著笑，走上前去，勾住太后的手腕，甜甜的說：

『老佛爺，您誤會了！剛剛我和五阿哥在書房寫對子，談到我從小練字的事，讓我想起了爹娘，是知畫一時控制不住，就掉眼淚了！這是實話，和小燕子一點關係都沒有！自從我進了景陽宮，小燕子對我處處忍讓照顧，我感激都來不及，怎麼會嘔氣呢？』

太后狐疑的看著知畫。

晴兒不禁深深的看了知畫一眼，再看了小燕子一眼。知畫一臉的溫柔恬靜，小燕子卻一臉的劍拔弩張。

乾隆被知畫一句『寫對子』引出了興趣，揚聲問：

『你們在寫對子呀？』

『是呀！皇阿瑪要不要看？我寫得不好喲！』知畫笑著說。

乾隆興致來了，往書房就走。

『去去去！看看你們寫的字！朕這幾天，心裡眞煩！東兒的事，弄得大家都不安極了！朕平時也愛練字，這個練字，是修身養氣的好方法，寫著寫著，就心平氣和了！小燕子……妳沒事的時候，就跟著知畫練字，說不定修養會好一點！』

乾隆一走，大家都跟著乾隆往書房走。

小燕子和晴兒，落在後面。小燕子聽到乾隆這麼說，更是氣得快要死掉了。晴兒悄悄的捏了她一把，在她耳邊低低說：

『那個什麼「小人」，什麼「大貓」的成語，別忘了！』

小人大貓，是小燕子初學成語時，把『小不忍則亂大謀』聽擰了，不斷追問：『小人怎樣？大貓怎樣？』引得大家鬨堂大笑，從此，他們就常常用『小人大貓』來取代那句『小不忍則亂大謀』。現在的小燕子，當然瞭解這句成語，她看著晴兒，悲哀的說：

『妳看我現在這個樣子，「大貓」在那兒？如果我能夠養「大貓」，犧牲還有價値，要不然，我在做什麼？』

晴兒深深看她：

『妳還是有「大貓」！妳的「大貓」就是永琪！爲了他，什麼都値得！』

小燕子凝視晴兒，見她形容憔悴，心中一酸，悽苦的說：

『晴兒！我養「大貓」養得好辛苦，妳養「大老鷹」，更辛苦！』

晴兒悲苦的一笑，眼神盛滿了思念和落寞。兩人手拉著手，雖然不是『同病』，卻彼此『相憐』。

晴兒看著書房，低語：

『大老鷹不知飛到那兒去了？大貓好歹還在眼前啊！』

書房裡的零亂，早已被收拾乾淨了。乾隆拿起知畫的對子，看得眉飛色舞，高興的唸著對子：

『立身以至誠爲本，讀書以明理爲先！』揚聲大笑：『哈哈哈哈！知畫，好字！沒想到妳能寫趙字！寫字也罷了，這副對子，妳從那兒看來的？』

知畫微笑的看著乾隆。

『皇阿瑪！這種名句，人人都知道呀！』

『名句？』乾隆睜大眼睛，更樂：『哈哈哈哈！』就看著永琪說：『永琪，你這個媳婦了不起！這是朕十幾歲寫的對子，很多年沒有人寫過，朕都幾乎忘了！』

『皇阿瑪，』知畫笑得更甜了：『不止對子，還有一本「樂善堂文抄」，我從小就拿來寫，都寫得倒背如流了！』

乾隆一聽，更是心花怒放，讚美的說：

『好！好！好！太好了！好一個知畫，不愧是陳邦直的女兒！朕終於明白，老佛爺爲什麼喜歡妳了！』說著，一抬頭，看到小燕子和晴兒落在後面，就招招手喊：『小燕子！過來！』

小燕子不情不願的走了過來，沒聽到他們在談些什麼，也不知道乾隆在樂什麼。乾隆就問小燕子：

『妳知道《樂善堂文抄》嗎？』

小燕子怔在那兒，吶吶的說：

『什麼糖？怎麼燜怎麼炒？沒吃過！』

乾隆順手捲起一本書，敲在小燕子頭上。喊：

『沒吃過！妳居然「沒吃過」！永琪，你趕快找一本，讓她好好的「吃下去」！』

『是！是！是……』永琪應著，趕緊對小燕子解釋：『《樂善堂文抄》是皇阿瑪的著作啊！皇阿瑪很厲害，二十歲前，就寫了這本書！』

『這樣啊！』小燕子看他們一堂歡樂，顯然知畫比自己更贏得乾隆的心，頓時有種被孤立的感覺。不止孤立，面對乾隆，自己那身世之痛，就像針刺般的扎進心坎。她的眼珠一轉，酸澀的說：『還好……皇阿瑪是皇帝，上面沒人管，要不然，這「樂善堂」三個字，就大有問題，犯了大忌諱，說不定要砍頭！』

永琪大驚，好急。晴兒、太后、知畫各有各的緊張。永琪趕快打岔：

『小燕子，妳又要發謬論了，別談文字了，妳又不懂……』

乾隆已經聽進去了，困惑之至，問：

『爲什麼大有問題？妳說！朕要聽聽妳的謬論！』

小燕子就振振有詞的說了：

『「樂善堂」三個字怎麼寫，我不知道！我聽起來，是「落散糖」！這花也「落」了，人也「散」了，吉利嗎？這個糖，能吃嗎？』

乾隆怔住了。太后大怒：

『小燕子的話，才是能聽嗎？什麼「落了，散了」？怎麼說得這麼難聽？』

晴兒知道小燕子指的是『文字獄』，生怕再說下去，會把眞相都說出來，急得不得了，趕緊接口：

『皇上！別聽小燕子的，她一向就有這種本領，把很好的詞，解釋得亂七八糟，您可別認眞！』說著，拚命對小燕子使眼色。

『就是！皇上總記得她的「羊縫鷹圍」「蜘蛛死了還會生」……』永琪跟著呼應。

大家急著解圍，小燕子卻好像沒聽到，揚著頭，挑戰似的看著乾隆：

『我說的是實話！任何文字，硬要歪歪曲曲的解釋，全部不能聽！假若要砍頭，人人該砍頭！就拿「乾隆」這兩個字來說，也大有問題……』

永琪一把拉住小燕子，把她推到身後去，嚇得一身冷汗。

『妳少說幾句，好不好？』永琪壓低聲音說：『連「乾隆」都敢亂掰？』

乾隆越聽越驚，大聲問：

『乾隆兩個字，又有什麼問題？永琪，不要攔她，讓她說！』

小燕子就掙脫永琪，大聲說：

『「乾隆」聽起來，像「鉗龍」兩個字！你想，這一條「龍」，被「鉗子」鉗住了，還能做什麼？不是動都動不了嗎……』

小燕子話沒說完，乾隆大怒，手中那捲書，對著小燕子的腦袋砸了過去，怒喊：

『滿嘴胡言！簡直是個沒教養的丫頭，氣死朕！』

小燕子來不及閃躲，被砸了一個正著。又聽到乾隆說她『沒教養』，就再也控制不住了，對著乾隆，衝了過去，大喊：

『我沒教養？我的「教養」，都被你毀掉了！誰來教我？誰來養我？我是在街上長大的，我吃剩飯剩菜長大的，我……』

永琪一看，這還得了，伸腿一絆，小燕子急衝的身子飛了出去，『砰』的一聲，重重的摔在地上。

永琪再急撲過去，扶起她，著急的問：

『摔著沒有？』他緊緊的看著她，想藉眼神讓她瞭解事態的嚴重性，柔聲的說：『爲什麼總是這樣？說話不經過大腦，走路橫衝直撞，把自己弄得遍體鱗傷，也把別人弄得心驚肉跳……摔痛沒有？趕快起來檢查一下！』

小燕子坐在地上，看著永琪，挫敗感排山倒海般湧來。

晴兒驚魂未定，也奔了過來，攙起小燕子，在小燕子耳邊飛快的說：

『小人大貓！小人大貓！小人大貓……知道嗎？』

小燕子站起身子，顫抖著，情緒激動，拚命壓抑著自己。

知畫和太后都看得呆住了。乾隆搖頭，大大一嘆，說：

『唉！看到知畫的字，心裡才有幾分歡喜，都被小燕子破壞得乾乾淨淨！』說著，就走了過來，細看小燕子，聲音忽然變得感性而困惑：『小燕子，妳是怎麼回事？以前，妳是朕的「開心果」，每次朕不高興的時候，妳都有辦法讓朕開懷大笑。從什麼時候開始，這個「開心果」變成了「負氣包」？每次看到朕，就紅眉毛，綠眼睛……還故意說些奇奇怪怪的話，來讓朕生氣，妳……是因爲知畫嗎？』

小燕子把頭一低，眼淚奪眶而出，滾落在衣襟上。她哽咽著，沒頭沒腦的說：

『我是小人……我養大貓……爲了大貓……只好當小人……』

乾隆聽得糊裡糊塗，抬頭看眾人，愕然的問：

『朕聽不懂她的話，你們聽懂了嗎？誰能幫朕翻譯一下？』

太后搖頭，知畫搖頭，永琪心知肚明，不能說破，只能跟著搖頭。晴兒惻然的垂下了眼睛。

太后就嘆著氣，走過來，拉住乾隆說：

『我看，這小燕子的話，根本不需要懂！皇帝，走吧！咱們帶著知畫，去御花園散散心！』就看著知畫喊：『知畫，陪咱們走走去！』

『是！』知畫清脆的應著。

『晴兒！走吧！』太后再喊。

晴兒匆匆看了小燕子一眼，只得應著：

『是！』

知畫和晴兒，就陪著太后、乾隆走了。

永琪趕緊送到門口去。

眼見乾隆帶著知畫走了，小燕子走進臥房，失神落魄的在床沿上坐了下來。永琪跟進房來，關上房門，再關上窗子，走到她身邊，擠在她身旁坐下。她看他一眼，吸吸鼻子說：

『你怎麼不去御花園散心？又跑到我這兒來，你不怕桂嬤嬤告狀？』

『讓她去告吧！一天到晚像防小偷一樣，我累了！』他就去拉小燕子的手，柔聲說：『對不起，上次用花瓶敲妳的頭，剛剛又絆妳一跤……我是太急了，被妳嚇得快斷氣了！』

小燕子噘著嘴說：

『在你斷氣之前，我早就被你打死、絆死、氣死、整死了！』

『我們這種生活，怎麼過下去？』他痛楚的說：『我每天都心驚膽戰，充滿了犯罪感，充滿了無可奈何！』他緊握了她一下，盯著她：『妳要振作起來，理智一點，不要再讓我擔心，我需要妳幫我撐下去……妳不是答應過我，要忘掉仇恨嗎？怎麼見了皇阿瑪，每一句話，都繞著文字獄打轉？』

小燕子低著頭，心裡千迴百轉，都是難言的痛楚和矛盾，就默默不語。

永琪彎腰去看她：

『還在生我的氣？』

小燕子把身子轉開。

『不要再跟我生氣了，我的日子已經夠難過了！』

小燕子抬頭了。

『你的日子有什麼難過？我看你開心得很！有人陪你看奏摺，談國家大事，寫對子……晚上，還和你燈下談心，慢慢解紐釦……』

『妳又來了！妳明明知道我和她沒事，妳還這樣說，我的一片心，妳一點體會都沒有，妳太過分了！』

小燕子委屈，自卑，傷心：

『我過分，我刻薄，我不會說話，我也不會寫對子，好不容易弄懂了鴛鴦和比目魚，又有什麼「落散糖」，我只懂花生糖，米花糖，芝麻糖，核桃糖……就沒聽過「落散糖」！我到處鬧笑話，她那麼好，什麼都會！你有她就夠了！事實上，你也越來越喜歡她，連皇……我不叫他阿瑪，我怎能叫他阿瑪呢？連這個瞌睡龍，也越來越喜歡她！她那麼可憐，動不動就眼淚汪汪，想爹娘……』越說越氣，聲音顫抖：『好像世界上，只有她有爹娘……』

永琪瞅著她，滿眼的苦惱和無奈。

『妳要我怎麼做?告訴我!她和我生活在一個屋簷下，我不能假裝她不存在!做不成夫妻，總可以做朋友吧?如果妳認為也不行，那麼，妳說!要我怎麼樣?不跟她說話?不跟她見面嗎?』

『你在逼我，我能夠要你怎麼做?一切都只能看你的良心!』

『我對妳問心無愧!』他衝口而出。

小燕子一震，立刻尖銳的問:

『對她呢?問心有愧，是不是?』

永琪睁大眼睛看著她，痛苦而誠實的說:

『確實有一點!』

『我就知道，』小燕子嫉妒得快發瘋了:『現在，她在你心裡，已經比我重要了!你每晚睡在她房裡，你對她還充滿了歉意!那你對我呢?』

『對妳也充滿了歉意!』永琪還是痛苦而誠實的:『我覺得我已經被劈成兩半了，每一半都有一大片傷口，而且是血淋淋的!我也會痛，而妳，一點也不能體會我的痛苦，只會跟我生氣，再故意曲解我的話!』他也一肚子委屈:『就像剛剛，我有說，她比妳重要嗎?』

『你就是這個意思!』小燕子站起身子，把他往門外推去，她那種『叛逆的、衝動的、不能忍氣的』基本個性，再度發揮:『你走!你走!以前，你心裡只有我一個，你完完整整是我的!現在，你承認了，你已經變成兩半，我只有半個你，還是血淋淋的!這樣的半個你，對我來說是不夠的!你走!免得你對她充滿歉意，你就和她圓房去!把那半個你，也給她吧!』

『我這樣掏心掏肺的跟妳說，妳一點都不感動，不諒解，還趕我走，妳簡直不可理喻!』永琪瞪著她，生氣了。

小燕子更氣：

『你少跟我四個字四個字講成語了，你知道我書唸得不多，存心笑話我！管你鯉魚黃魚鱔魚比目魚，我就是「不可鯉魚」，你跟她去比目魚吧！』

小燕子說著，已經把永琪推出房門外去了。她『砰』的一聲，關上房門。

門外，永琪也『砰』的一聲，把腦袋往門上重重的一靠，痛苦不堪的自語：

『我怎麼辦？我早就知道，這是一個陷阱，我真笨！』他重重的敲了自己的頭一下：『我怎麼會讓自己掉進這個陷阱裡去呢？』

32

學士府裡，那種忙碌和焦灼的日子，已經苦苦的挨了十二天。

這十二天裡，紫薇和爾康幾乎是衣不解帶的照顧著東兒，福倫和福晉，也是不眠不休的。大家的注意力，全在東兒身上。東兒的一聲呻吟，一滴眼淚，一句呼喚，一個動作……都牽繫著大人們整顆的心，大家唯一的祈求，就是讓東兒好起來，讓他那脆弱的小生命，繼續活下去。

這晚，紫薇坐在東兒的床前，握著他的小手，頭靠在椅背上，不支的睡著了。

爾康輕悄的走了過來，把一件衣服蓋在她的身上。他低頭看她，看到她形容憔悴，臉色蒼白，下巴瘦得尖尖的，眼眶也凹了下去，心中充滿了不忍。再看東兒，眼睛闔著，蜷縮在棉被裡睡著了。他彎下身子，輕輕的把東兒的小手，從紫薇手中抽了出來。然後，他就把她抱了起來，向一張躺椅走去。

紫薇立刻驚醒了，一個驚顫，就從爾康手中翻下地，慌張的喊：

『東兒！東兒怎樣了？東兒……』

『噓！沒事沒事……』爾康急忙扶住她：『東兒總算睡著了，我想抱妳到躺椅上去休息一下！我會仔細的看著東兒，有任何狀況，都會叫醒妳！』

『不行不行！我要守著東兒……』她衝回床前，在床前的椅子裡坐下，看看東兒，努力的振作自己：

『我不睏！我要看著他，他的痘子都發出來了，大概很癢，他一直用手抓臉，我不能讓他抓！這麼漂亮的孩子，如果成爲麻子，也是遺憾。我怎麼睡著了？我得眼睛都不眨的看著他！』

紫薇說著，就再度握住東兒的手。爾康憐惜的說：

『紫薇，十二天了，妳幾乎都沒睡過，瘦得臉頰都凹進去了！妳睡一下，東兒還有我呀！』

『你是男人，不會像我這麼細心！而且……』她心痛的看了他一眼：『十二天以來，你也幾乎沒睡，把握時間，你回房間去睡一睡吧！』

『就因爲我是男人，我的體力比妳好！妳不要跟我爭辯了，妳去睡！』

『不要勸我了，你明知道這是不可能的，東兒還沒有脫離危險，我怎麼能睡呢？』她摸著東兒的手，忽然緊張起來：『東兒的手心冰冷！怎麼會這樣……』她著急的看爾康：『他這樣睡著，有多久了？』

爾康也緊張起來：

『有一會兒了！怎麼？』

爾康就撲到床頭，拉開東兒額上的帕子，看了看。急喊：

『東兒！東兒！醒一醒！東兒……』

東兒毫無動靜。

紫薇大驚，急忙去摸東兒的額，又去試他的鼻息，當她發現孩子額頭冰冷，呼吸幾乎探測不到，她嚇得魂飛魄散，慘叫起來：

『不發燒了，但是額頭冰冰的……他沒氣了……老天啊！他死了！』

爾康臉色大變，急呼：

『不會的！不會的！東兒……東兒……』他衝到門口去，開門，狂喊：『太醫！太醫！快來啊！東兒不好了……』

福倫和福晉衝了進來，四個太醫，跌跌衝衝的跟在後面，人人都疲倦已極，驚嚇不已。福倫喊著問：

『東兒怎樣了？怎麼不好了？』

『他沒有氣了，他也不動了，他沒有熱度了……怎麼辦？怎麼辦？』紫薇渾身顫抖，哭著去抱起東兒。她用面頰依偎著他的臉，親著他的額，哀求著：『東兒！娘求求你，拜拜你，你活過來，活過來！』

福晉上前，拉住紫薇，哭著喊：

『讓我看……讓我看！我不相信！』

紫薇緊抱不放，拚命對東兒哀求：

『東兒……你這麼小，還有好長的生命要過，你才剛剛開始，怎麼可以走？東兒……你不要死，娘不好，沒有天天陪著你，你要給我機會，看著你長大……』

胡太醫著急的喊：

『格格！把孩子放下！他身上的痘子都化膿了，磨擦不好啊……放下，讓我來診治！說不定還有救啊！』

爾康就過來搶孩子，急呼：

『紫薇，妳聽到了嗎？趕快放下東兒，胡太醫說還有救呀！』

紫薇一震，眼中閃出渴盼的光芒，這才鬆手。爾康急忙把孩子放上床。

幾個太醫衝上前去，圍住了床，急急診治。大家鴉雀無聲，屏息以待。好半天，胡太醫緊張的說：

『你們通通讓開！小少爺這口氣閉住了，脈搏也沒有了，我要用急救試試！』

『氣閉住了，脈搏也沒有，那不是……』福晉用手一把蒙住嘴，眼淚落下，魂飛魄散了。

紫薇直直的瞪著那張床，站在那兒一動也不動。爾康仆在床邊，目不轉睛的盯著東兒。幾個太醫，就急忙打開醫藥箱，箱裡，是一排針灸用的金針。

『格格、福晉最好不要看……』胡太醫說。

紫薇、福晉那裡肯退，根本聽都沒聽見。

只見胡太醫握起東兒的一隻手，另一手拿起金針，對著東兒的指甲縫裡，直插進去。一聲慘叫，眾人全部驚跳，原來慘叫的是紫薇。

『不要啊！痛啊……我受過那種痛……爲什麼東兒還要受……』

爾康急忙拉住她，痛楚的喊：

『紫薇！太醫在救東兒的命，這樣的劇痛底下，才能刺激他活過來，妳不要捨不得，這是無可奈何的辦法，如果他知道痛，說不定還有一線希望……』

福晉早就淚流滿面，扭頭不敢看。

東兒仍然沒有知覺。

再一根金針，往東兒第二根指縫中插去。這次是福晉慘叫：

『哎喲……東兒啊！』

爾康見東兒依舊沒有動靜，熱淚盈眶，痛喊著：

『東兒！醒來！東兒！醒來……』

胡太醫拿起第三根針，一插。

驀然間，傳來東兒的大哭聲：

『哇……哇……哇……痛痛……痛痛……額娘……痛痛……』

『醒了！醒了！他哭了，他知道痛！他活過來了！』福倫大喜。

胡太醫急忙把脈，站起身子喊：

『這口氣回過來了！福大人……額駙……格格……』狂喜的對三人拱手：『恭喜恭喜啊！小少爺又一次死裡逃生，他有脈搏了！』

『胡太醫！謝謝謝謝！你救了我們全家的命……』福晉感激涕零，泣不成聲。

大家全體撲奔那張床，圍著床看著那死裡逃生的東兒。

紫薇卻狂喜的抬頭看窗外的天空，喃喃的說了一句：

『感謝天！』

紫薇說完，再也支持不住，身子就軟軟的倒地，暈倒了。爾康大叫：

『紫薇！』他奔過來，抱起紫薇，見她的臉色慘白，身子軟綿綿的，額上冒著冷汗，忽然想到她和東兒那麼親密，就算不斷洗手消毒，也有疏忽的時候，這麼一想，他心膽俱裂，急喊：『胡太醫！趕快來看看紫薇……她是不是被傳染了？』

大家一驚未平，一驚又起。全部圍了過來，個個變色了。

紫薇昏昏沉沉了一段時間，夢裡，有無數的東兒圍繞著她，又跑又跳。夢裡的自己，許著願，東兒，只要你活過來，我什麼都可以不要，我只要你！連爾康都不能佔據我的時間，我再也不離開你，做一個最好的額娘！夢裡的她，抱著健康撒嬌的東兒，哭著，笑著，求著，承諾著……她忽然從昏迷中醒轉，眨動著眼瞼，看到爾康的臉，像水霧中的影子，模糊的，晃動的，逐漸清晰。爾康？怎麼是爾康？

東兒呢？她的眼睛大睜，發現自己躺在床上，爾康坐在床沿，緊握著她的手。

『東兒！東兒……』紫薇驚喊，完全清醒了，身子一挺，想要坐起來。

爾康伸手，把她壓住，深深的看著她。

『躺著！別動！東兒已經救過來了，胡太醫說，他現在的脈搏平穩……額娘在旁邊守著他，四個太醫也寸步不離，還有奶娘和秀珠，妳就放心的休息一下吧！』

『可是……他的手指一定好痛……他正在最危險的時候，我要過去陪著他……』紫薇說著，翻身落地，忽然一陣天旋地轉，就跌坐在床上：『我……怎麼了？一點力氣都沒有！』

『妳躺下好不好？』爾康著急的喊：『胡太醫說，如果妳再不休息，下次要急救的就是妳了！還好沒有被東兒傳染，看到妳昏倒，我嚇得魂飛魄散……』他瞪著紫薇，看她憔悴如死，還想掙扎下地，衝口而出的說：『如果老天要我在妳和東兒中間選一個，我選妳……』

爾康話沒說完，紫薇的心像被利箭直刺進去，大痛，她想也沒想，就伸手給了他一耳光。

耳光聲清脆的響過，紫薇被自己的行動嚇傻了。爾康也出乎意料的呆住了。好一會兒，兩人只是睜大眼睛互視著，然後，紫薇就一把抱住了他，痛哭起來。

『原諒我！原諒我！我瘋了……我嚇住了……我神志不清楚……我不知道在做什麼……』她一疊連聲的喊著，伸手去摸他的臉頰。『我太怕失去東兒，太怕太怕了！』

爾康抓住她的手，拿到唇邊去吻著，啞聲的說：

『是我不對！怎樣都不該說那句話！我也瘋了，我也嚇住了……我不止害怕失去東兒，我還怕失去妳！』

兩人再度深深切切的互視。

半晌，紫薇痛楚的說：

『永遠不要再說那種話！我願意用十個我，一百個我，一千個我，去換一個東兒！自從東兒出生以後，我最怕的事，就是他生病，或者出什麼意外，我怕我不能給他一個美好的人生，怕他不能無災無病的長大……有時，怕得會後悔，爲什麼要創造他的生命？我那麼那麼愛他，你怎麼不會同樣的愛他呢？』

爾康眼眶濕了，啞聲的說：

『妳誤會我了！我怎麼不愛他，他也是我的兒子，我的骨肉呀！他這次生病，我也恨不得自己能夠替代他！他每痛一次，我也跟著痛……剛剛急救的時候，那些針都像扎進我心裡，每一下都痛徹心肺……但是……我更……更愛妳！因爲妳這麼愛他而更愛妳！我不知道妳對我是怎樣的，萬一有一天，我和他兩個裡，妳只能選一個……』

『爾康！』紫薇顫聲的、恐懼的喊，爾康驀然住口，覺得自己眞的神志不清了，怎麼又冒出一句莫名其妙的話？

他呆呆的看著她，她也呆呆的看著他，兩人眼裡，都帶著靈魂深處的震撼和恐懼。半晌，紫薇一把抱住了他的脖子，緊緊的、緊緊的依偎著他。她柔聲的，深情的說：

『你、我、東兒……我們缺一而不可！我愛你，我愛東兒，我要你，我也要東兒！或者，我們還會有老二、老三，我都會一樣的愛！我有一顆很大的心，可以兼愛你們每一個！請你允許我這麼貪心，允許不再獨佔我，允許我去愛每一個！』

爾康什麼話都沒說，只是用嘴唇輕輕的吻著她的眉梢，她的眼角，她的面頰，她的耳垂……再重重的吻上她的唇。

曙色染白了窗子，黎明來臨了。

東兒救活以後，就衰弱的睡著了。胡太醫說，救活了，並不代表脫離險境，病勢依舊凶險。福晉、福倫和胡太醫都在床前守候，寸步不離。奶娘和秀珠忙著把帕子浸濕，絞乾，遞到床前來。

一聲門響，爾康扶著腳步不穩的紫薇走進來。福晉抬頭看著二人：

『紫薇，怎麼下床了呢？東兒這會兒很好，睡得很沉，呼吸也好！有我在這兒就夠了！妳應該好好的休息……爾康……』她埋怨的說：『你怎麼讓她下床？』

『我不讓也不行，她一定要過來！』爾康無奈的說。

紫薇看了看東兒，鬆了口氣，對福晉說：

『額娘，辛苦了！您趕快去換掉衣服，清洗一下，這兒還是讓我來！』

『妳的臉色還是不好，我沒關係的，東兒也是我的命呀！』

『額娘，妳就聽紫薇的吧！我也在，不要人人都累垮……』爾康勸著。

正在這時，東兒呻吟著喊：

『娘……額娘……水……喝喝……水……奶奶……』

眾人全部驚動。紫薇驚喊：

『水！他渴了，他要喝水！』她驚喜莫名，眼睛都發亮了。『哇！他好多天沒說話，他說話了！趕快倒杯水來……水！水……』

福晉也驚喜的嚷：

『他在叫奶奶，聽到了嗎？』

『胡太醫！趕快看看，他是不是清醒了？』福倫興奮不已。

『是！是……先給他喝水，知道渴就是好事！多喝水也是好事……』

好幾杯水送了過來，紫薇接過杯子，胡太醫在一旁關注的看著。爾康目不轉睛的凝視東兒，提心吊膽的說：

『慢慢餵他！當心嗆著！』

紫薇在床沿上坐下，慢慢的餵東兒喝水。大家圍著那張床，個個驚喜的，緊張的、屏息的看著東兒喝水。東兒像跋涉了幾千幾萬里的沙漠，一口氣就把那杯水喝乾了。喝完了水，眼睛也跟著睜開了。

『額娘……東兒痛痛……呼呼……東兒癢癢……』就伸手要抓臉。

紫薇趕緊捉住了那隻手，急忙俯身，爲東兒吹著這兒，吹著那兒。

『呼呼！呼呼……額娘給你呼呼……不要抓……長大才漂亮……呼呼……』

她拚命吹，心裡一片感恩。他知道痛，知道癢，會叫額娘，會叫奶奶……天啊！謝謝你的仁慈！謝謝你的恩寵！她吹著吹著，忽然看到東兒的小手，無力的垂下去了，他的頭，歪向一邊，眼睛又閉上了。紫薇一陣緊張，急喊：

『東兒！東兒……跟額娘說話呀！怎麼不說了呢？怎麼眼睛又閉上了呢？東兒！東兒……』

『胡太醫！胡太醫……』爾康又直著脖子喊。

胡太醫趕緊診視，把脈看瞳孔試呼吸，然後，抬眼看眾人，眼中，滿是欣喜。

『不要緊張！不要緊張！福晉，格格……小少爺沒事，他睡著了！熱度也退了，這痘子，也開始結疤了……你們看！』他翻開東兒額上的帕子，給大家看。

『這代表什麼？他度過危險沒有？』福倫急忙問。

胡太醫歡聲的喊出來：

『他會長命百歲！』

胡太醫這話一出，大家就狂喜起來。

紫薇終於笑了，但是，眼淚也跟著滾落，她笑著去擦眼淚，回頭看爾康：

『哇！他會長命百歲！爾康！你聽到了嗎？咱們的東兒，他熬過去了！他打贏了這一仗！他會長命百歲啊！』

『是！是！』爾康笑著說，眼中也是濕漉漉的。『他是一個勇士！他度過了這個劫難，以後會一帆風順了！紫薇，妳不用再後悔，爲什麼要創造他的生命！他存在，因爲有我們這麼多人在愛他，在期待他長大！』

福晉不停的拭淚，紫薇放開爾康，轉身又抱住福晉，喊著：

『額娘！額娘！咱們的東兒，他眞是太……太……太偉大了！』

福晉也在笑，但是，卻笑得淚流滿面：

『是啊！畢竟是我們福家的孩子，「福」字當頭罩著呢！福大命大啊！』

『最該感激的，是幾位太醫啊！』福倫拭淚說。

一句話提醒了紫薇，紫薇放開福晉，一轉身，就對胡太醫跪了下去。

『胡太醫！紫薇給您磕頭！』

胡太醫驚得一身冷汗，急忙攙住。

『紫薇格格，千萬不要！我擔當不起啊！東兒有額駙和格格這樣拚命照顧，有福大人和福晉這樣日夜守候，他怎麼捨得離開呢？是你們大家，留住了他呀！』

說著，攙起了紫薇。

一屋子的人，都歡欣莫名了。爾康看著紫薇，終於瞭解，什麼叫作『一顆很大的心』，他們每一個人，都有一顆很大的心，才會這樣深愛著彼此！此時此刻，他覺得比剛認識紫薇的時候，比在幽幽谷的時候，比在紫薇拔刀的時候，比在紫薇失明的時候，比在流落南陽的時候，甚至比新婚的時候……都更愛紫薇。那種深摯的、狂熱的愛，大概會延續到生生世世吧！如果有來生，紫薇，我還是你唯一的爾康！

他不再跟東兒吃醋了，永遠不會了。看著那幾乎失去的孩子，他知道，這份強烈的父愛，就和他對紫薇的愛一樣，是無法衡量的，也是世上唯一可以和愛情同時共存，相得益彰的一種愛！

33

這天，太后把永琪召進了慈寧宮。

晴兒站在太后身後，不斷給永琪使眼色，永琪看了，非常不安。太后摒退左右，臉色凝肅。永琪知道情況不妙，心裡在飛快的轉著念頭，一面對太后行禮，問：

『不知道老佛爺召見永琪，有什麼重要的事？』

『永琪！我也不跟你兜圈子了，咱們就打開窗子說亮話，你告訴我，你和知畫之間，相處得如何？』太后板著臉，開門見山的問。

永琪一驚，硬著頭皮說：

『老佛爺，難道知畫有什麼抱怨嗎？』

『你明知道知畫那個孩子，深明大義，又識大體，就算有委屈，她只會打落牙齒和血吞，在我面前，一個字也不會說的！』

永琪有些尷尬，有些慚愧，勉強的說：

『打落牙齒和血吞，這句話會不會太嚴重了？』

『你告訴我，這句話有沒有「太嚴重」？』太后緊緊的盯著他。

『老佛爺那天來景陽宮，也親眼看到了，我和知畫，相處融洽，平時寫字看書，作詩下棋，她都是一個好伴侶，我們……相敬如賓！』

太后一拍椅背站起身：

『好一個「相敬如賓」！我看你是「相待如冰」，冰冷的冰吧！』

太后發怒，永琪也火了。這些日子的痛苦，兩面爲難的折磨，就全部兜上心頭，他沉不住氣了，抬頭挺胸，義正詞嚴的說：

『老佛爺，我已經聽您的命令，娶了知畫。您也知道，我和小燕子情深義重，我做不到「只見新人笑，不聞舊人哭」，如果您認爲這是我的缺點，我恐怕終身都改不了！能做的，我都做了！』

『你存心敷衍我！』太后聲調嚴厲：『讓我跟你說清楚，當初釋放簫劍，對小燕子的身分保密，是因爲你願意娶知畫，才換來的！我已經信守諾言，放了簫劍，對小燕子的身世，也保密到現在，你如果是個懂得感恩，懂得言而有信的人，你就該好好的待知畫！是她救了簫劍，是她救了小燕子！可是……你卻把她冷凍在那兒，你以爲她是雪做的嗎？你這樣子，對得起她，對得起我嗎？』

永琪咬咬牙，一時之間，不知該如何接口。

晴兒聽到救簫劍等字樣，心碎神傷，忍不住上前，對老佛爺說：

『老佛爺！知畫對大家的好，五阿哥和我們，都深深明白！我想，五阿哥也不願意傷害知畫，但是，小燕子和五阿哥，當初同生死共患難，那種深刻的感情，不是知畫一朝一夕可以取代的！如果，五阿哥有了知畫，就忘了小燕子，他還有什麼地方值得人尊敬呢？他在兩個妻子之間，對小燕子好一點，正是他有情有義的表現呀！』

太后看看永琪，看看晴兒，嘆了口氣。忽然口氣一轉，變得非常感性與溫柔：

『永琪，晴兒……我知道你們心裡都在怨我。可是，我也有我的無可奈何！在知道簫劍和小燕子的身世之後，我眞的嚇住了，嚇傻了！依我的個性，早就把一切都告訴皇帝了，是知畫攔住了我！告訴我，這件事的重要性，拆穿了，會毀掉永琪！毀掉永琪，也就毀掉了皇帝的期望！我顧全大局，這才做了現在的安排！』她的目光停在永琪臉上：『永琪，對這樣一個冰雪聰明，又仁至義盡的知畫，你難道一點感恩都沒有嗎？那……你這個人，也太可怕了！』

太后一針見血，說進永琪最脆弱的地方，是啊，對知畫，他確實有諸多的抱歉。他看到太后低聲下氣，自知理虧，強硬不起來了：

『老佛爺，您的意思，我明白了！我盡力而爲就是！』

『這話才對！希望你確實「盡力」！知畫是大家閨秀，不像江湖女兒那麼豪放，你要主動一點！小燕子跟你，已經做了四年多的夫妻，不在乎現在這幾個月！你該怎麼做，你心裡明白！我等著你和知畫的好消息呢！去吧！』

永琪無奈已極，只得行禮告退。晴兒急忙說：

『我送五阿哥出門！』

兩人走出了慈寧宮，走進庭院深深的御花園裡。永琪看到沒有宮女太監跟著，這才對晴兒大吐苦水，說：

『晴兒，我的處境，眞是「水深火熱」！我簡直不知道要怎麼辦！』

『我瞭解我瞭解！』晴兒拚命點頭，看著他：『小燕子那兒，你一定要安撫好，像上次那種「鉗龍」謬論，她再發表幾次，身世不穿，她的腦袋也遲早不保！』

『我懂啊！』永琪嘆氣：『可是，我簡直沒辦法控制她啊！現在，我那個景陽宮，到處都是老佛爺的耳目，我要跟她談幾句知心話，都非常困難！好不容易抓到機會，她又忙著跟我生氣，這麼說也錯，那麼說也錯……我夾在兩個女人之間，簡直是生不如死！』

晴兒同情已極的看著他，完全體會出他的煩惱。有個那麼豪放不羈的小燕子，又有個那麼才貌雙全的知畫，他應該是世上最幸福的男人才是。他卻把自己陷在『生不如死』的境界，這就是永琪最『可愛』的地方吧！假若是簫劍呢？如果他也能有這種艷福，左右逢源，他會這樣認死扣嗎？想到簫劍，她的臉色蕭索。永琪注視著她，似乎讀出了她的思想，他眉頭一皺，說：

『哎呀！我只顧著訴苦，妳才是我們之中，最慘的一個呢！』

晴兒苦笑一下，眼裡漾著淚。

『我不苦，我有很多的回憶，可以慢慢的享受。何況……』她作夢般看著天空，眼神穿越了藍天白雲，穿越了無邊無際的虛空。『我知道，在一個遙遠的地方，有人和我一樣！這種感覺，讓我也不虛度此生了！』

永琪震動而感動的看著她。

半晌，晴兒收束心神，再看永琪，低聲警告：

『最近這些日子，你最好都在知畫那兒過夜，桂嬤嬤天天有報告，你什麼時辰和小燕子在一起，房門關著還是開著，時間多長，都逃不掉！至於知畫一天裡，流過幾次淚，嘆過幾聲氣，老佛爺也都知道！』

永琪睜大眼睛，氣不打一處來：

『我要把桂嬤嬤除掉！』

『噓！別胡說八道了！』晴兒緊張的四面看看：『我不能再多談了，老佛爺會疑心的！』她再看永琪一眼：『多多小心！好好處理！如果你處理不好，小燕子和知畫，會玉石俱焚！』

晴兒說完，轉身匆匆走了。玉石俱焚！好嚴重的四個字！永琪站在那兒，深知晴兒不是過慮，再這樣發展下去，小燕子會爆發，知畫也會崩潰，到了那時候，兩個女子，他可能一個都控制不了！他也可能害死她們兩個！這樣想著，他更是不知所措了！在他的人生中，一向要什麼有什麼，就連他認定了小燕子，乾隆和老佛爺也屈服了。但是現在，他要一個『單純』的生活都做不到，他要怎麼辦呢？

夜色來臨，小鄧子、小卓子和其他太監們，忙著把院子裡的風燈和燈籠，一盞一盞的點燃，照亮了小院和迴廊。在小燕子的臥室裡，明月、彩霞也把一盞一盞的燈火點燃，把薰香燃起。自從知畫嫁進來以後，每到晚上來臨，大家都很緊張，不止小燕子神魂不定，就連小鄧子、小卓子、明月、彩霞等人，也在跟著神魂不定，今夜，五阿哥要睡在那間房？『新房』還是『舊房』？

小燕子低著頭，心事重重的在房間裡走來走去。她走到窗前，抬頭看窗外的月亮。在月光和懸掛的宮燈下，隱隱約約，可以看到那重重疊疊的屋簷，那參參差差的樹影，那曲曲折折的迴廊，那蜿蜿蜒蜒的宮牆……這個皇宮，眞的把她給困住了！她心裡在千迴百轉的自言自語，後悔不迭：

『我好笨啊！爲什麼要跟永琪發脾氣呢？那天，好不容易有個機會，可以和他說說話，我居然把他推出房門！我眞後悔……永琪一定恨死我，我那麼兇，人家知畫，那麼溫柔，我笨！我笨！我就是笨……』她伸頭對窗外看看，回頭看明月彩霞：『五阿哥回來沒有？』

『還沒有！』明月說：『聽說皇上在乾清宮賜宴，宴請太醫學院的什麼人，研究一種「種痘」的辦法，想防止天花病的傳染！五阿哥、六阿哥、四阿哥都去了！』

『聽起來怪可怕的……』彩霞說：『說是要把「天花痘苗」，種到好端端的人身上去，那不是自己找病嗎？可是，有人說，這方法挺管用！種過的人，只會小小的出一顆痘子，以後就不會被傳染了……我可不相信，要我種，我也不敢……』

正說著，小鄧子、小卓子衝進房，歡呼的喊著：

『格格！格格！好消息！胡太醫回宮了，說是東兒少爺，已經脫險了！大概「隔絕」什麼的，也可以停止了！這次的天花，沒有擴大！學士府裡每個人，都平平安安的！紫薇格格，額駙……人人都好！』

小燕子頓時欣喜如狂，大叫：

『哇！太好了！我明天就去學士府，我要去看紫薇！她一定嚇壞了累壞了……』

門外，傳來桂嬤嬤、珍兒、翠兒和其他太監齊聲的喊聲：

『五阿哥吉祥！』

小燕子一震，馬上衝到門口去，把房門一開。

只見大門口，桂嬤嬤帶著一群宮女，正在『攔截』永琪。

永琪大步走進，桂嬤嬤哈腰說：

『五阿哥！請走這邊……福晉已經準備了洗澡水……天氣熱，五阿哥一身官服，衣服太厚，怕出了汗不舒服！還準備了菊花茶，蓮子湯，清火清毒……』

小燕子聽到『洗澡水』三個字，大震。搞什麼？洗澡水？難道她要侍候永琪洗澡？她這樣想著，就無法隱身，走了出去，也顧不得矜持和驕傲了。

永琪一眼看到小燕子，就興奮的喊：

『小燕子！妳聽到好消息沒有？東兒沒事啦！胡太醫說，紫薇衣不解帶，爾康也寸步不離，東兒連一個痘疤都沒有留下！不過，皇阿瑪還是很小心，幾個太醫，在學士府穿過的衣服，都放火燒掉了，左清洗右清洗，才許進宮！』

『那……』小燕子期盼的問：『紫薇什麼時候可以進宮？』

『恐怕還要等一個月的樣子！』

『還要一個月？』小燕子瞪大眼睛：『那我去看她可不可以？』

『恐怕也不可以，妳還是再等等吧……』

小燕子一怒：

『這個皇宮，簡直是監牢嘛！這也不可以，那也不可以！』

這時，知畫走了過來，對小燕子一笑，就對永琪溫柔的說：

『準備了半天的水，就怕涼了！』她給了永琪一個眼色，俯向他，低低的，飛快的說了句：『跟我進房，有事要告訴你，重要重要！』說完，就轉身向自己房間走去。

永琪心裡狂跳，一定是太后採取了什麼行動，他給了小燕子安撫的一瞥，匆匆忙忙的跟著知畫而去。

小燕子呆呆的站在那兒，她可沒有領略永琪眼中的『安撫』，她眼睜睜看著知畫對永琪說悄悄話，眼睜睜看著永琪拋下她，跟著她進房。這豈是一個眼光可以安撫的？她已經嘔得七葷八素，嘔得臉色發青，嘔得一口氣憋在胸口，幾乎憋死。

永琪進了新房，就看到一個好大的洗澡盆，裡面熱氣騰騰，飄著成千上萬片花瓣。整個房間裡，水汽氤氳，花香撲鼻。珍兒、翠兒不住拎水進來，注滿浴盆。其他宮女，還抱著整籃的花瓣，往盆子裡倒。桂嬤嬤不斷把乾淨的帕子、肥皂、刷子……等物拿來，放在盆子旁邊。這等仗勢，好像他洗澡是件天大的事。他看著這場面，實在有些啼笑皆非。知畫等到一切就緒，就說：

『桂嬤嬤，妳們都下去吧！這兒有我就夠了！』

『是！珍兒翠兒，走吧！』

珍兒、翠兒急忙請安退下，兩個宮女還悄悄笑著。

室內沒人了，永琪就緊張的問：

『妳有什麼重要的事要告訴我？』

知畫抬眼，幾乎是哀懇的看了他一眼，低低的說：

『老佛爺好像有些懷疑了！今天下午，她把我叫進慈寧宮，審問了我一下午，什麼都問……我只好撒謊，可是，老佛爺很精明，問了我許多細節的事，我……我……』她面紅耳赤的低下頭去：『我又沒經驗，好像回答得不太對勁，老佛爺連那條白喜帕，都盤問不休，我……我……很害怕……老佛爺說，如果我騙她，我就是犯了欺君大罪！連我爹我娘，都脫不了干係！還說……還說……』

永琪睜大眼睛問：

『還說什麼？』

『還說，我讓她失望，小燕子這樣專房，讓她生氣，你這樣輕視我，讓她不能忍耐了……我只怕這樣下去，她會除掉小燕子！』

永琪臉色巨變。

知畫飛快的看了他一眼，眼裡已經盈盈含淚了，她輕聲的，怯怯的問了一句：

『我嫁過來，已經有一段日子了，你是不是……拿定主意，不要我？』

永琪心裡，翻江倒海，百味雜陳，簡直不知如何是好。知畫就走了過來，開始給他解衣紐。他一驚，這解紐釦和扣紐釦，已經是小燕子心頭大恨，不能再這樣了，他想著，就本能的一退。知畫呆了呆，往前一步，繼續爲他解衣，低聲說：

『不管你要我還是不要我，今晚，你都要把戲演足！這種事，誰都沒有辦法勉強，我也不會勉強你……』說著，聲音哽咽，眼淚一掉，忍氣吞聲的說：『你進洗澡盆，讓我服侍你洗澡！多少雙眼睛，都在注意著我們的閨房生活！我現在有苦說不出，如果你連戲都不演，難道要我全家都被你冤死嗎？』

永琪一臉的尷尬、滿心的歉疚，站在那兒，動也不動。知畫就爲他褪下了衣服，他趕緊跳進澡盆，坐在那堆花瓣裡。知畫拿著帕子，細心的給他擦背，細心的抹皂莢，細心的一洗再洗。

在室外，珍兒、翠兒和桂嬤嬤又在窗隙中偷看，三人掩著口偷笑。

在迴廊另一端，小燕子像個蠟像般杵在那兒，明月、彩霞氣呼呼的站在一旁，看到桂嬤嬤等人，笑得曖昧，明月忍不住咬牙切齒的說：

『這新房裡的西洋鏡，也成了宮裡的一景，是不是？這麼好看？』

小燕子再也忍受不住，再也按捺不住，什麼身分地位，風度氣度，她都沒有了。她一仰頭說：

『這麼好看，我也看看去！』

說著，她就衝到窗前來，一把拉開桂嬤嬤，湊在縫隙處，往裡一看，一眼看到永琪裸露的身子，和知畫忙碌的手……這一下，她眞是氣到五雷轟頂，七竅冒煙，腳一跺，咬牙說：

『好，好，永琪……還說對我問心無愧！我看到了，我知道了！』

她一轉身，對著門外，飛奔而去。明月、彩霞急忙追在後面，大喊：

『格格！妳要去那裡？』

『不要往外跑了！三更半夜，外面好黑……要去，妳也拿個燈籠呀！』

小燕子卻充耳不聞，像是被什麼野獸追趕著一般，沒命的衝出了景陽宮，衝過了院子，消失在御花園的黑暗裡。

在新房裡的永琪，聽到明月彩霞的呼喊，大驚失色，從水裡嘩啦一聲站了起來。

『不好！小燕子跑了！』

永琪抓了衣服，胡亂的穿著，緊張的說：

『她會出事！她會闖禍！我得去追她！』

說完，就衣冠不整的，氣急敗壞的向外狂奔而去。剩下知畫，帶著滿臉的驚愕、失意、和痛楚，目瞪口呆的面對著滿盆的花瓣。

永琪奔進御花園裡，早已不見小燕子的蹤影。他到處找尋，不敢大聲喊，生怕驚動了宮裡的人，傳到太后和乾隆耳裡，小燕子又是大罪一條。他穿花拂柳，過小橋，過月洞門，過假山，過白玉石階……到處低喚：

『小燕子……小燕子……妳在那裡？趕快出來……』

四顧無人，他又是著急，又是擔憂，又是後悔，又是無奈。怎樣都不該進那個洗澡盆，洗出一身煩惱，洗出一身再也洗不淨的誤會！小燕子，妳在那兒呢？他一躍，上了樹梢，四處觀望。但見夜色岑寂，樹影參差，那兒有小燕子？他再躍下地，到處尋找著，心急如焚，真急死人了！半夜三更，她會去那裡？不馬上找到她，她一定出事！

找著找著，天空忽然掠過一道閃電，悶雷響起。永琪看看天空，更急，接著，又是一陣雷聲，雨點大滴大滴的落下。他一急，施展輕功，四處飛竄。這樣就驚動了巡夜的侍衛，追趕著喊：

『什麼人？站住！』

永琪一翻身，落到侍衛面前，壓低聲音說：

『噓！別嚷，是我！』

侍衛一抬頭，趕緊行禮。

『怎麼是五阿哥？五阿哥吉祥！』

『我在找還珠格格，有沒有看到還珠格格？』永琪急問。

『沒有呀！什麼人都沒見！五阿哥，我這兒有雨衣，趕快穿上！』

『別管我了！看到還珠格格，想辦法絆住她，再到景陽宮去報個信！知道嗎？千萬別驚動皇上和老佛爺！』

『喳！』

『大家幫忙找！』

『喳！』

大雨中，永琪找遍了整個皇宮，就是找不到小燕子，想想，說不定她去找晴兒了，在宮裡，她也只能跟晴兒說說知心話。他想著，就迫不及待，去了慈寧宮，找到一個值夜的太監，讓他不要驚動太后，去通報晴兒。還好，這個太監很識相的去了，片刻以後，晴兒打了傘，急沖沖跟著宮女奔到門前來。一眼看到永琪狼狽的、焦灼的、渾身濕透的站在那兒，嚇了一跳。

『五阿哥，你怎麼淋了一身雨？』急忙用傘遮住他：『趕快進來躲躲雨！』

『我不進去，不能驚動老佛爺……』永琪著急的問：『小燕子有沒有來找妳？』

晴兒更驚，睜大眼睛：

『沒有呀！你們吵架了嗎？』

『唉！』他大大的嘆口氣，焦灼的說：『說來話長！比吵架還糟……簡直不知道從何說起！她的老毛病又發了，心裡不高興，就往外跑！我到處找，幾乎把整個皇宮都找遍了，連影子都沒有！宮門口戒備森嚴，她也出不去！現在又下雨了，她一定淋得一身是雨……』他越說越著急，想到小燕子最近才流產，又被打破頭，還要忍受知畫……眞是內外夾攻，就算她的身子是銅牆鐵壁，也會吃不消呀！這樣想著，心痛的感覺就像海浪般捲來，他急急的說：『我再去找……如果她來找妳，妳一定要留住她，不要讓她亂跑……』

晴兒聽得心驚膽戰：

『你讓她傷心了嗎？』

『是！我讓她傷心了！』永琪噓了口氣：『自從知畫進了景陽宮，她幾乎天天都在傷心！』

晴兒瞭解了，點頭，想了想說：

『她不會來慈寧宮，她雖然很想見到我，跟我說說知心話，可是，這個慈寧宮讓她深惡痛絕……她不能出宮，她也不能去找紫薇，她沒辦法找任何人訴苦，宮裡地方再大，沒有她容身之地。我想……』

永琪越聽越慘，急忙問：

『妳想怎樣？趕快幫我分析一下，我現在已經心亂如麻了！』

『我們派宮女和太監們，大家分頭悄悄找！我想，她一定躲在一個不起眼的角落裡，在那兒一個人傷心！』

『這個紫禁城這麼大，角落那麼多，怎麼找？』永琪呆住了。

『一個一個去找！』

永琪楞了楞，點頭：

『是！只能這樣！我去叫小鄧子、小卓子、明月、彩霞……全部出動！』

永琪就掉頭，對著雨霧奔去。

晴兒看著雨滴，從宮簷上滴落，心裡在自言自語：

『這深宮裡的女人，一個比一個慘！小燕子……妳去了那裡呢？』

小燕子確實沒有地方可去。兩個時辰內，她像遊魂一般，遊蕩在宮牆重門處。最後，她累了，淋得渾身濕透，筋疲力盡，腳步蹣跚的走到一個地方，抬眼一看，竟是囚禁皇后的冷宮『靜心苑』。這兒好，這兒沒有人找得到她！因爲，這是一個被全世界遺忘的地方！她跌跌撞撞的進了院子，無力的，無助的喊：

『容嬤嬤……容嬤嬤！皇額娘……』

侍衛一攔，驚喊著：

『還珠格格！深更半夜，下這麼大的雨，妳來這個冷宮幹什麼？』

小燕子站在雨霧中，髮絲零亂，臉色蒼白，對著靜心苑的窗子喊：

『容嬤嬤！容嬤嬤……皇額娘……』

容嬤嬤匆匆忙忙，一面拉著剛穿上的衣服，一面衝了出來：

『什麼事？誰在叫我？』看到小燕子，驚喊：『格格！妳怎麼來了？』她急忙從屋角拿起傘，衝了過來。『哎呀！淋得這麼濕！這是怎麼回事？』

小燕子筋疲力盡的，幾乎倒進容嬤嬤懷裡。

容嬤嬤趕緊撐著她的身子，用傘遮住她。小燕子抬頭看她，無力的說：

『容嬤嬤，我走不動了！宮門都有侍衛守著，我出不去，想找紫薇，也沒辦法去找……我不能去找晴兒，怕碰到老佛爺，我不能去找令妃娘娘，怕碰到皇阿瑪……我在太和殿前的台階上坐著，想看月亮，偏偏又下雨……我怎麼這麼倒楣，我好累好累……』

容嬤嬤被她的狼狽驚嚇住了：

『不急不急，慢慢說！趕快進去！進去再說！』

容嬤嬤就扶著小燕子，走進了房間。

片刻以後，小燕子已經換掉了濕衣服，穿著一件容嬤嬤的麻布衣服，又寬又大。身上裹著一條乾淨的毯子，坐在皇后的房間。容嬤嬤忙忙碌碌，把小燕子的旗頭摘下，用乾淨的帕子，爲她擦拭著頭髮。

皇后拿著唸珠，坐在一張椅子裡，靜靜的看著她。

『這濕頭髮一定要馬上擦乾，要不然，會留下頭痛的病根！妳看……又是雨，又是汗，妳怎麼弄得這麼狼狽呢？半夜跑遍了御花園，一定渴了吧？要不要喝水？』容嬤嬤問著，就放下帕子，倒了一杯水過來。

小燕子捧住杯子，如獲甘泉，一口氣喝得乾乾淨淨。

『再來一杯吧！妳好像從沙漠裡跑來的一樣！』容嬤嬤看得驚愕極了。

小燕子一連喝了三杯水，這才恢復了一些精力，長嘆一聲，抬眼看皇后，悲哀的說：

『皇額娘！妳剃光頭髮，就把煩惱也剃光了嗎？妳真的什麼都不要了嗎？妳怎麼做到的？我現在，心裡難過極了，周圍連一個可以說話的人都沒有！要逃，逃不掉！要留，又這麼痛苦！』她看看二人：『妳們知道嗎？我現在比妳們還慘，我什麼都沒有了！沒有爹娘，沒有哥哥，沒有五阿哥……沒有皇阿瑪，我通通都失去了！』

『不會的，五阿哥待妳那麼好，妳不會失去他的！』容嬤嬤安慰著。

『失去了！眞的失去了！他娶了知畫……』

皇后一震，注意力集中了，驚愕的問：

『他娶了知畫？』

『妳們都不知道？』小燕子詫異極了：『宮裡那樣吹吹打打辦喜事，妳們都不知道？』

皇后和容嬤嬤雙雙搖頭，凝視小燕子。宮裡的任何事，與她們都不相關了。

『是老佛爺做的主，皇阿瑪也同意，永琪娶了知畫……』小燕子傾訴的說：『我可以不在乎那個名份，福晉給她去當！什麼正室側室，我也不爭了！將來的冊封，我也不要了！但是，我眞的喜歡永琪呀！我實在離不開他呀！爲了他，我跟我哥分開；爲了他，我把所有的苦，都往肚子裡嚥；爲了他，我笑臉對皇阿瑪！爲了他，我陷在這個宮裡，捨不得走！可是……可是……永琪怎能欺負我呢？怎能這樣對我呢？我就是沒辦法把永琪整個讓給她呀！可是……可是……她比我強，什麼都好，人緣也好！宮裡個個人都愛她，連永琪也一步步偏向她，我鬥不過她呀！我怎麼辦呢？』

皇后和容嬤嬤聽得糊裡糊塗，但是，也都猜出一個大概。

皇后聽到這兒，不禁一嘆，誠摯的看著她說：

『如果是以前那個我，或者會教妳一些手段，來和知畫爭奪這個天下！但是，今天的我，絕對不會讓妳走上我的老路！小燕子，爭什麼？不爭就是爭，爭就是不爭，爭也是這樣，不爭也是這樣，到頭都是一樣！』

皇后的爭與不爭論，好像繞口令，小燕子聽得一頭霧水：

『皇額娘，妳說什麼，我聽不懂！我只知道，我不爭也是輸，爭也是輸，到頭都是輸！』

皇后微微一笑，說：

『有點味道了！』就收起笑，認眞的說：『妳在無助的時候，會來找我們，妳帶給我太深刻的感動！我認爲，我已經沒有絲毫凡心，可是，依舊被妳打動了！妳這麼不記仇，這麼善良，妳會得到好報的！不要著急，放寬心！是妳的，就是妳的！什麼人都搶不走！知道了嗎？』

皇后說得那麼肯定，那麼平和，小燕子怔怔的聽著，竟然獲得極大的安慰。

『那麼……不是我的，就不是我的，我也搶不到！』

『正是！妳好聰明，我活了一輩子才體會的道理，妳一下子就懂了！』

小燕子凝神的想了想，看著二人，再說：

『我眞的好苦啊！永琪是這樣，皇阿瑪是那樣！』想到乾隆和家仇，更痛：『妳們知道的，我一直都喜歡皇阿瑪，我現在還是喜歡皇阿瑪，他待我眞的太好太好了！但是，我現在看到他，什麼都不一樣了，我想笑，笑不出來，想跟他說好聽的，說不出來……以前，仗著他寵我，常常忘了自己是誰，跟他撒嬌撒賴胡說八道，裝瘋賣傻，什麼都來，心裡明知道他吃我這一套！現在看到他，我沒辦法忘了自己是誰，更不要談撒嬌撒賴了！我的情緒好複雜呀，我根本不知道要怎麼面對他！要對他好，渾身不對勁，要去恨他，又恨不起來！』

容嬤嬤和皇后聽著，兩人都聽得糊裡糊塗，只當是因爲乾隆同意了知畫的婚事，小燕子在和乾隆嘔氣。容嬤嬤給她子擦乾了頭髮，又用梳子梳著，安慰的說：

『妳那個皇阿瑪，妳就不用擔心了！奴婢看得清清楚楚，他是打心眼裡疼著妳的！妳就是使點小性子，闖下各種禍，他還是妳的皇阿瑪！』

皇后凝視著她，眞摯的說：

『不管為了什麼原因，妳笑不出來，你無法對他好，這都是一個過渡時期！過了這段時期，妳會繼續愛他的！』

『為什麼？過了一段時期，他也不會變成另外一個人！』

『因為……』皇后深刻的說：『妳就是這樣一個好人……妳看，妳連我和容嬤嬤，都包容了！還有什麼是不能包容的呢？』

小燕子不禁呆呆的發怔了。是啊，她一點也不恨皇后和容嬤嬤了，她也會不恨乾隆嗎？她也會忘記殺父之仇嗎？她陷進沉思裡，忽然覺得好疲倦，忍不住打個哈欠。

容嬤嬤走上前來，把小燕子一攬，就攬進了她寬大的懷抱裡。

『來！』她慈祥已極的，像個慈母一般說：『在這兒睡一睡！妳累了！躺下來，奴才抱著妳呢！有什麼事，都明天再說！』

小燕子不由自主，就躺進容嬤嬤的懷裡，越躺越舒服，倦意就濃厚的襲來。

『容嬤嬤，妳的衣服有一股皂莢的味道，很好聞……好像娘的味道！小時候，我常想，我娘身上，一定有皂莢的味道，乾乾淨淨的，香香的……她抱著我的手臂，一定也是這麼軟軟的，她的懷裡，也是這麼舒服吧……』她的聲音越說越小。

容嬤嬤眼裡，立刻充滿了淚水，雙手顫抖的撫摸著她的鬢髮。

『格格，以前我一直跟妳作對，犯下好多錯……可是，今天，妳躺在我的懷裡，說我有「娘的味道」，格格，妳讓容嬤嬤怎麼受得了？』說著，她的眼角濕了。

小燕子沒有回答，皇后看了小燕子一眼，發現她已經睡著了。

『她睡著了！』

容嬤嬤就不停的撫摸著小燕子的頭髮，安撫的，溫柔的搖著她。

『睡吧睡吧！什麼都不要想，不要傷心，不要難過，好好的睡！奴才爲妳唸佛，爲妳祈福！明天，一定會是有太陽的好天氣！』

第二天確實是個有太陽的好天氣。

永琪整整找了小燕子一夜，什麼地方都找遍了，就忘了還有一個靜心苑。早上，宮女、太監們一一回報，誰都沒有看到小燕子。永琪背負著手，在房間裡走來走去，急得像熱鍋上的螞蟻。知畫怯怯的站在一旁。

『這個皇宮，我們是上上下下，全部找遍了，連影子都沒有！』小鄧子說。

『我猜，一定出宮去找紫薇格格了！』彩霞說。

『不可能！每個宮門，我都問過了，除非格格眞的變成燕子，要不然是飛不出去的！』小卓子說。

『令妃娘娘那兒，我也問過了！』明月說。

『怎麼辦嘛？要急死人！』永琪跺腳，垂頭喪氣。

桂嬤嬤看到永琪急成這樣子，一肚子的不服氣，說：

『格格也不是小孩，總會知道分寸，那麼大一個人，不會失蹤的！五阿哥別著急了，趕緊去吃早餐吧！』

永琪一抬頭，兇兇的瞪了桂嬤嬤一眼，眼神那麼凌厲，嚇得桂嬤嬤一退。

這時，晴兒急急的跑進了門，嚷著說：

『五阿哥！我找到小燕子了，她在靜心苑……你趕快去！她不肯回來，說是要剃光頭髮，跟著皇后當尼姑去！』

『什麼？』永琪嚇得魂飛魄散，拔腿就跑，急衝出門。晴兒跟著跑去。

兩人轉眼就跑得無影無蹤，剩下了知畫，帶著一臉的落寞和失意，呆呆的站著。她這才明白，原來，當一個男人心裡眷戀著一個女人時，那個女人可以佔據他全部的思維，主宰著他全部的喜怒哀樂……這樣的感情，中間幾乎插不進一根針。自己比一根針大了不知多少倍，怎樣站得住腳呢？她的落寞，開始無邊無際的蔓延開來。

在靜心苑，小燕子換回自己的服裝，散著頭髮，坐在一張椅子裡。容嬤嬤拿著梳子，篦子，正在給她梳頭，嘴裡不停的勸著：

『格格，不要孩子氣了！這剃頭，不是負氣的事，出家也要緣分，妳緣分還沒到！來，聽容嬤嬤的，把頭梳好！這麼烏溜溜的一頭好頭髮，剪了不可惜嗎？』

『如果剃光頭髮，可以沒有煩惱，我真的想剃！自從我進宮來，從來沒有看到皇額娘生活得這麼自在，我也要學學！妳們不知道，那個景陽宮，我簡直住不下去！我要搬到這兒來住！』

『這兒，只要妳住三天，妳也住不下去！』皇后淡淡的說：『不是妳的地方，就不是妳的！』

這時，永琪帶著晴兒，衝了進來。永琪一進門，就氣急敗壞的喊：

『小燕子！不要衝動！千萬不能剪頭髮……』他突然煞住腳步，看著尼姑裝束的皇后，驚怔了一下，急忙行禮：『皇額娘吉祥！』

『我已經不是「皇額娘」了！用不著行禮。小燕子在這兒，毫髮無傷，你帶她回去，好好跟她談談吧！』皇后從容的說。

容嬤嬤趕緊跟永琪和晴兒請安：

『五阿哥吉祥！晴格格吉祥！』

小燕子看到永琪，就把身子一轉，用背對著他，嘟起了嘴。

『我剪我的頭髮，關你什麼事？』她虛張聲勢的喊：『容嬤嬤！剪刀呢？趕快幫我剪呀！』

容嬤嬤雖然陪著皇后，過著半修行的生活，但是，機智和聰明仍在。看到五阿哥滿臉惶急，看到小燕子色厲內荏，明白兩人間的矛盾。她就打開抽屜，找出剪刀說：

『哦哦哦！是！是！格格！這一剪刀下去，就不能後悔，格格是不是鐵了心，要剪頭髮呢？』

『剪！剪！剪……通通剪掉！』小燕子嚷著。

容嬤嬤就拿起剪刀，撈起小燕子的長髮，作勢要剪。

永琪嚇得一頭冷汗，大喊：

『容嬤嬤！住手！』他衝到小燕子身邊，一把搶下容嬤嬤手裡的剪刀，對小燕子顫聲說：『妳不要折磨我了，我已經快崩潰了！跟我回去！』

小燕子看到他面容憔悴，眼睛都有黑眼圈了，心已經軟了，嘴巴仍然強硬：

『我折磨你？還是你折磨我？你不要在我面前裝模作樣！你去管知畫……少來管我！』想到知畫，眼前又浮起洗花瓣澡的一幕，氣又來了，跳起身子，去搶剪刀：『剪刀還我！』

晴兒急忙走上前來，把小燕子按進椅子裡，勸著：

『不要嘔氣了！看在五阿哥一夜沒睡，淋著大雨，把整個御花園都幾乎翻了過來的份上，饒了妳的頭髮吧！皇額娘在這兒修行，我們也不能一直打擾皇額娘，是不是？』

晴兒一邊說，一邊把小燕子的頭髮梳好，把旗頭也給她戴上。

小燕子聽到『一夜沒睡……』等字樣，心裡更加柔軟，但是委屈依舊存在，低著頭，默默不語。永琪就對她柔聲說：

『我沒有負妳！』

『我不信！我看到了！』

『如果我用我的血起誓，妳能不能相信我呢？』永琪情急，一半是做戲，一半是眞情，就捋起衣袖，舉著剪刀，對著手腕扎下去。

小燕子大驚失色，飛撲上去，一把握住了他拿剪刀的手，眞情流露的喊：

『你不要嚇我！你敢扎下去，我……我……』說著，所有的傷心一齊湧上心頭，眼淚立刻奪眶而出，點點滴滴，像斷線珍珠般滾落下來。

永琪慌忙丟掉剪刀，一把攬住了她，用溫柔得像水的聲調說：

『妳仔細的想一想，如果我根本不在乎妳，妳要半夜逛御花園，那是妳的事！妳要得罪皇阿瑪，那是妳的事！妳要大鬧皇宮，那是妳的事！妳要剪頭髮，那也是妳的事！妳要幹什麼就幹什麼，通通都是妳的事！了不起我把妳休了，隨妳去那裡，當尼姑也好，當賣藝的也好，都不關我的事！我何必理妳？何必到處找妳？何必爲妳著急擔心，弄得自己沒有一天好日子過？』

聽到永琪這樣一篇話，小燕子的心絞痛著，痛苦中，又夾著絲絲甜蜜，絲絲苦澀，絲絲酸楚……眞是不知該如何是好了。

晴兒趁機上前打圓場：

『小燕子啊！五阿哥無論如何，在妳眼前，在妳身邊，這種福氣，我求都求不到！妳也要「惜福」一點呀！』

晴兒一語點醒夢中人，想到簫劍不知流落何方？晴兒忍受的苦，比自己更重，小燕子再也無法任性了，她點點頭，擦了擦眼淚。

『走吧！我們不要再打擾皇額娘了！』晴兒牽起了她。

永琪和晴兒，就擁著小燕子，往門外走去。走到門口，永琪回頭。

『皇額娘，保重！』

皇后深深看著三人：

『你們也是！』

小燕子又回到了景陽宮，永琪和晴兒，一邊一個擁著她。她在容嬤嬤的照顧下，飽睡了一夜，看來神清氣爽，倒是景陽宮裡的人，個個形容憔悴。

知畫、桂嬤嬤、和宮女們都迎上前去。

知畫深深看了三人一眼，趕緊對小燕子請安：

『姐姐！總算回來了！還沒吃早飯吧！』回頭吩咐：『桂嬤嬤，趕快開飯，晴格格也一起吃！』

『不了！我得趕回慈寧宮去，老佛爺醒來，沒人照顧！我走了！』晴兒拍拍小燕子：『小燕子，我有空就過來看妳，我們再談！啊？』

桂嬤嬤瞪了小燕子一眼，心裡有氣，提高聲音說：

『晴格格大概也一夜沒睡吧！吃點東西再走，老佛爺問起來，我桂嬤嬤會去說明原因的……』

桂嬤嬤話沒說完，永琪忽然爆發了，他指著桂嬤嬤、珍兒、翠兒大聲說：

『桂嬤嬤，珍兒，翠兒！妳們幾個給我聽著！這個景陽宮不是妳們幾個的戲園子！假若妳們再偷看我的生活，偷聽我的說話，去向老佛爺告密的話，我馬上打斷妳們的腿！我說到做到！看是你們大，還是我大！如果妳們不相信，我立刻就做！先抽妳們幾個五十大板再說！』就揚聲喊：『小鄧子！小卓子……』

小鄧子、小卓子衝進門來。

『五阿哥！小鄧子小卓子在！』

『趕緊叫人來！搬板凳，準備板子！我要打桂嬤嬤和珍兒翠兒！』永琪聲色俱厲。

小鄧子和小卓子意外之餘，不禁感到大快人心，得意的，大聲應著：

『喳！遵命！』兩個太監就飛奔而去準備板凳和板子。

桂嬤嬤嚇了一跳，從來沒有看到五阿哥這樣嚴厲。珍兒翠兒也面無人色。桂嬤嬤仗著自己是太后的人，心想，五阿哥不過在虛張聲勢。就傲然問：

『請問五阿哥，奴婢做錯什麼？老佛爺要奴婢報告，奴婢能夠不遵命嗎？』

『老佛爺的命令，妳不能不遵，我的命令，妳就可以不遵，是嗎？這兒不是慈寧宮，我要用景陽宮的規矩教訓妳！』永琪大吼：『不許辯嘴！多說一句，多打十大板！』

桂嬤嬤這才覺得情勢不對，還在猶豫中，珍兒翠兒已經噗通一跪，喊著：

『五阿哥開恩！五阿哥饒命！奴婢不敢了！』

『太晚了！非打不可！』永琪不為所動，咬牙切齒：『我最恨打小報告的人！桂嬤嬤，挨完打，妳再去向老佛爺報告，小燕子失蹤一夜的事情！只要妳還走得動！』

桂嬤嬤從永琪堅定的神情裡，憤怒的眼神裡，看出嚴重性了。畢竟是宮裡的老人，知道厲害，不禁兩腳一軟，也跪下了。

『五阿哥開恩！五阿哥開恩……奴婢知道了，奴婢不去報告，不去……』說著，磕下頭去。

珍兒、翠兒更是嚇得簌簌發抖，不住口的喊：

『五阿哥饒命！奴婢不敢了！再也不敢了……』

知畫看著這一切，嚇得花容失色，看著永琪急促的說：

『這樣不好吧！打狗也要看主人！傳到老佛爺耳朵裡，不是會引起一場大風波嗎？』就求救的看晴兒：『晴格格知道的，這桂嬤嬤，雖然撥給景陽宮用，還是慈寧宮的老人呀！』

晴兒也怕事情鬧大，趕緊對永琪說：

『知畫說得有理，五阿哥，你教訓了她們就夠了！』對桂嬤嬤和珍兒翠兒喊著：『妳們幾個，也該知道一點分寸，還不趕快向五阿哥認罪！』

桂嬤嬤生怕挨打，這面子裡子都擱不住，拚命磕頭說：

『奴婢錯了！奴婢罪該萬死，以後不敢了！』劈哩叭啦就給了自己兩耳光：『奴婢自己掌嘴！』

『奴婢也錯了！不敢不敢了！』珍兒翠兒也哭了，劈哩叭啦，也開始掌嘴。

明月、彩霞高高的抬著頭，看得津津有味。

小燕子沒想到永琪有這樣一手，在一旁看得發楞。和永琪認識以來，他都是和顏悅色的，從來不會仗勢欺人。和小燕子認識以後，深受她『平等論』的影響，待太監和宮女，都像待家人一樣，像現在這樣其勢洶洶，丫頭嬤嬤一概不饒，只有以前對付容嬤嬤，讓她見識過。

這時，小鄧子興匆匆奔進房，喊著：

『五阿哥！凳子板子都準備好了，在院子裡，是不是馬上執行？』

知畫急忙往前一邁，哀懇的喊：

『永琪！手下留情呀！』

晴兒也往前一邁，勸解著：

『五阿哥，你折騰了一夜，也累了，何必再跟她們生氣？』轉頭對小燕子使眼色：『小燕子，陪五阿哥進房，休息休息！』

小燕子這才回過神來，拉了拉永琪的衣服說：

『算了！算了！進去吧！』

『算了？妳要我算了？』永琪看著小燕子，挑起了眉毛：『這些奴才，對妳不恭不敬，整天監視妳，妳就算了？』

『不敢了！不監視，不傳話，不偷看，不偷聽……』桂嬤嬤一面磕頭，一面連聲的喊著：『什麼都不敢了！五阿哥饒命呀……』

永琪這才收兵，指著三人，聲色俱厲的吼著：

『看在還珠格格的面子上，暫時饒了妳們！現在，給我滾出去！以後，最好不要出現在我面前！我不要看到妳們！』

『是是是！遵命！我們滾……滾……』三人就連滾帶爬的出去了。

知畫看得心驚膽戰，目瞪口呆。

永琪再掉頭看著晴兒。

『晴兒，妳先回慈寧宮，告訴老佛爺一聲，我等一會兒就去請安，我要把所有的問題，一次解決！』

晴兒一楞，忽然在永琪身上，看到了一股霸氣，不禁肅然起敬了。

『是！晴兒知道了！』她轉身出門去。

永琪對明月、彩霞等人揮了揮手，宮女太監全部退了出去。

大廳裡，只剩下了永琪、小燕子、知畫三人。小燕子還陷在驚愕裡，看著這樣的永琪，有些楞住了。知畫回過神來，立即恢復了鎮定，振作了一下自己，就走上前來，對小燕子福了一福，滿臉無奈的說：

『姐姐！昨晚讓妳生氣了，知畫跟妳認錯！這些奴才，確實應該教訓，經過了今天的事，大概我們的生活，都可以輕鬆一點了！事實上，自從進了景陽宮，我天天都在監視底下，所作所爲，實在身不由己！希望姐姐不要生我的氣！』

知畫這樣一道歉，小燕子不禁面紅耳赤，覺得自己實在太小心眼了。

『算了算了，我從來就沒有生妳的氣！妳救了我哥，我感激都來不及，那裡敢生氣？』她紅著臉說。

『那麼……』知畫看了永琪一眼，低聲說：『請妳也不要生五阿哥的氣……』

小燕子也看了永琪一眼，噘著嘴低語：

『我也……不敢生他的氣！』

永琪看看小燕子，看看知畫，忽然下定決心，就對知畫鄭重誠懇的說：

『知畫……我有些話想跟妳說，我和小燕子的這份感情，我想，妳永遠也不會瞭解！我很感激妳這些日子來，配合我演戲，但是，這場戲，我不想再演下去了……』

知畫驚覺的看著永琪，很快的打斷了他的話：

『你要說什麼，我已經瞭解了！但是……我想，你也應該瞭解我一下！我已經大張旗鼓的嫁給你了，我的爹娘在海寧，都是名人，他們還要做人，我也丟不起臉！你儘管和姐姐在一起，我不敢爭風吃醋！在我們三個的故事裡，你們有犧牲有妥協，我也有犧牲和妥協，你們儘管不在乎我！但是……我要清清楚楚的告訴你，』她傲然的一抬頭，自有一股高貴的氣勢，盯著永琪，有力的說：『我生是你的人，死是你的鬼！』

知畫說完，再也不看永琪和小燕子，掉頭出房去了。

房裡剩下永琪和小燕子，兩人對看，都被知畫這種氣勢震撼了。小燕子想到知畫嫁進景陽宮，確實有很多委屈。她服侍永琪洗澡，想必是出自桂嬤嬤她們的安排。她能放下身段，拋開自尊，也算百般遷就了，自己出身江湖，都沒辦法這麼謙卑。想到這兒，小燕子性格裡的善良，就戰勝了她的醋意，她吶吶的說：

『這個知畫……也有她的苦，你……對她也好一點吧！』

『妳未免太矛盾了吧？』永琪愕然的說，拉住她的手，把她拉進了臥房。

終於，又是他們兩個的『兩人世界』了。永琪拉著她的手，深刻的凝視她，不明白自己爲什麼這樣喜歡她？連她的霸道，她的不講理，她的吃醋，她的尖銳……他都喜愛。好怕好怕，有一天會失去她！他搖搖頭，語氣溫柔而帶著命令意味：

『以後再也不許這樣！不許懷疑我，不許半夜跑到御花園去淋雨，不許剪頭髮，不許鬧得我天下大亂，不許出走……』

小燕子看著他，看到他的黑眼圈，看到他的憔悴，看到他眼底的深情，看到他那種只有對自己才流露的溫柔……她的心，因感動而痛楚，立刻情不自禁，投進了他的懷裡，一疊連聲的嚷：

『是！是！是！你不許的事，我都不做！你是「大貓」，我是服侍你的「小人」，我服了，我都聽你！』

『還有一件事！』

『什麼事?』

永琪臉色鄭重，語氣誠懇：

『自從我知道妳的身世之後，我心裡也有許多矛盾和痛苦，我必需說服自己，娶妳是對的！並不是只有妳，在矛盾嫁我對不對?妳不能爲我設身處地去想，最起碼，不能再誤會我！不管怎樣，妳好歹都是我的妻子，是皇阿瑪的兒媳婦！這已經是個不能改變的事實！所以，媳婦就是媳婦，不許對皇阿瑪不敬，不許記殺父之仇！人前人後，都要尊稱一聲皇阿瑪！不許亂給皇阿瑪編綽號，不許動不動就紅眉毛，綠眼睛，張牙舞爪！』

小燕子推開了他，看了他好一會兒，終於輕聲的，誠摯的，忍痛的說了一個字：

『是！』

永琪這才鬆了一口氣，把她緊緊一抱。吻就像雨點般落在她的頭髮上、面頰上、眼睛上、眉毛上、唇上。

爲了讓『花瓣澡』的事不再重演，永琪去了慈寧宮，晴兒早就把話帶到了。太后看著有備而來的永琪，心裡有點七上八下。晴兒站在太后身後，幫太后搧著扇子。

永琪直挺挺的站在太后面前，帶著一股正氣，毅然決然的說：

『老佛爺！我已經聽從了您的命令，娶了知畫！現在，宮裡上上下下，也都尊稱知畫一聲「福晉」，這對先進門的小燕子，實在是一種侮辱，但是，小燕子無力反駁，我也等於默認了！我和小燕子，能夠做到這一步，已經是仁至義盡！希望老佛爺對我們，也睁隻眼，閉隻眼，不要逼得太緊！關於我房中的事情，就請老佛爺不要再過問了！桂嬷嬷那幾個奴才，如果再來向老佛爺報告我的生活，我會把他們痛打一頓，趕出宮門！我說到做到，請老佛爺三思！』

太后大震，目瞪口呆的看著永琪。晴兒也十分震撼的看著他。

永琪繼續說：

『關於小燕子的身世，如果老佛爺要告訴皇阿瑪，也聽憑老佛爺自便！我不在乎了！反正，我看，皇阿瑪對小燕子已經很失望，知道眞相之後，說不定恍然大悟，瞭解小燕子爲什麼行爲失常，反而諒解了她！』

太后再也沒有想到，會被永琪反將了一軍，不禁大急，說：

『如果皇帝知道了，他怎麼可能讓小燕子留在宮裡，死罪就算逃掉，活罪難免！如果皇帝把小燕子廢掉，趕出皇宮，或者充軍，你要怎麼辦？』

『小燕子留，我留！小燕子走，我走！』永琪堅定的說：『如果小燕子有什麼閃失，或者，有人要對小燕子不利，那麼，皇阿瑪也失去了我！抱著這樣的信念，我還有什麼可害怕的？我要說的話，都說完了！老佛爺去定奪吧！永琪告退！』

永琪說完，行禮如儀，太后還沒從震驚中恢復，永琪已經掉頭而去。

太后震住了，動也不動。

晴兒看著永琪的背影，眼中閃著佩服的光彩，心中想著：

『好厲害！永琪抓住了老佛爺的弱點，已經有「王者之風」了！』

這晚，永琪沒有在新房裡度過。自從知畫進門，這是第一次，他留在小燕子的臥房裡過夜。

室內一燈熒熒，薰爐裡飄著裊裊的煙霧。小燕子身穿著一身白色繡花的水衣，披瀉著一肩長髮，眼神中帶著夢似的光彩，站在床邊。永琪也卸下了厚重繁複的衣服，只穿著白色的裡衣，擁著她，用手撫弄著她的頭髮。他看著她，見她消瘦了好多，心裡充滿了憐惜，重新擁著她，更讓他充滿了珍惜。他柔情萬縷的說：

『好像有幾百年，沒有跟妳在一起！』

是啊！幾百年！幾百年的分離，幾百年的折磨……她忍不住低問：

『你每晚跟她在一起，到底做些什麼？』

『什麼都沒做！看書，寫字，談天……看著帳子頂發呆，然後各睡各的！』

『可是……她每晚都爲你解紐釦吧？』她酸酸的問。

他愣了愣，擁著她的胳臂，不自覺的僵了僵。

『好不容易跟妳在一起了，我們一定要談這個嗎？』

『可是……我還是不信耶，這麼多日子，你夜夜在她房裡，她長得那麼美，你們都穿那麼一點點，她還幫你洗澡擦背……你說從來沒有和她怎樣……我不信耶！』

『是不是要我以血起誓呢？』他故意作態：『我去找刀！』

『好，好，不談不談！管我信不信？信也是信，不信也是信！』她嚷著，把他一把抱住，熱情奔放的喊：『這些日子，我過得好辛苦！又氣你，又恨你，又想你！』

『我比妳更辛苦，因爲我知道妳氣我，恨我，想我！我天天看著妳，想跟妳說話都沒機會，我眞想跟妳說……』他噤住了。

『想說什麼？』她急急追問。

『不說了，』他笑著搖頭：『說不出口，有點肉麻！』

她膩著他，黏著他，祈求的，央求的：

『說嘛！說嘛！又沒有別人在旁邊，桂嬤嬤她們也不敢偷聽了……說嘛！好久沒聽你說肉麻的話了！』

他就俯在她耳邊，一連串的說：

『愛妳，愛妳，愛妳，愛妳，愛妳，愛妳……』

小燕子聽得如癡如醉，什麼花瓣澡，什麼解紐釦，什麼鴛鴦比目魚……都飛到九霄雲外去了。她的眼裡心裡，都只有他！她的『大貓』，她心甘情願爲他受苦，爲他犧牲，爲他當一輩子的『小人』！她踮著腳尖，主動送上了她的唇。

他被她這樣的熱情，燒得渾身滾燙，他們緊擁著倒上了床。

34

學士府裡，一門歡欣。

東兒完全恢復了，活活潑潑的滿室奔跑，笑得咯咯咯的。一會兒撲進福晉懷裡，一會兒撲進爾康懷裡，一會兒撲進紫薇懷裡，一會兒撲進福倫懷裡……簡直沒有片刻的安靜，好像要把病中睡掉的動力，全部找回來似的。嘴裡大聲的嚷著：

『我騎大馬，馬兒來囉……駕……駕……駕……讓路讓路……』一頭撞在福倫身上，抬頭嚷：『爺爺！』

福倫愛極的抱起他，親著他光滑的臉蛋：

『哎，我們家的寶貝，又活蹦亂跳了！瞧，臉上光光的，一個麻子都沒留！帶出去，誰都不相信他出過天花！』

『多虧紫薇呀！守在床邊那麼多日子，自己瘦了一大圈，東兒反而胖了！』福晉笑著說，憐惜而寵愛的看著紫薇。

『不是我一個人的功勞，不要只誇我喲！』紫薇幸福的笑著說：『阿瑪、額娘和爾康，都非常辛苦！總算這個天花沒有傳染到宮裡去，家裡的人，也沒傳染！』看著爾康問：『不知道北京城裡，是不是流行得很厲害？』

『今天去上朝，說是病情已經控制住了！皇阿瑪被東兒嚇住了，命令太醫學院劉裕鐸院使，研究一種「種痘」的辦法，想控制天花病！嘿！』他笑了起來：『人定勝天！說不定我們東兒這一病，會造福未來的許多人！將來，天花在人類的生活中絕跡，那才好呢！』

『可能嗎？好像不太可能吧！』福晉不相信的說。

『我覺得人類太聰明了，沒有什麼不可能的！』爾康說：『以前，家裡有一個人害天花，一定個個傳染，現在，已經懂得怎麼防止傳染，這就是一種進步了！未來的世界，不可限量！』

正說著，外面一陣喧鬧。家丁大聲通報：

『五阿哥駕到！還珠格格駕到！』

眾人大喜，紫薇尤其興奮，忍不住喊著說：

『小燕子來了……小燕子耶，幾百年沒看到她了！』

紫薇就往門前衝去，還沒到門口，小燕子和永琪歡笑著奔了進來。紫薇大喊：

『小燕子！』

『紫薇……我想死妳了！』小燕子拉住紫薇的手，上看下看，左看右看：『妳怎樣？氣色很好，就是好瘦啊！』

『妳也是！』紫薇也打量著小燕子。

福倫、福晉趕緊行禮。

『五阿哥吉祥！還珠格格格格吉祥！』

『秀珠，冬雪……趕快砌茶！』福晉嚷著：『秋天了，還是這麼熱，拿幾杯酸梅湯來！』

丫頭們答應著，忙忙碌碌，奉茶奉水端點心。

永琪對福倫福晉點頭招呼，眼光就落在爾康臉上，笑著說：

『恭喜恭喜！總算有驚無險！』

福晉心情愉快，看著永琪，想到什麼，急忙說：

『五阿哥！這東兒一病，鬧得我們全家大亂，我都來不及進宮，跟你去賀喜，眞是恭喜了……』

爾康突然『咳咳咳……』的大咳起來，拚命打斷福晉的話：

『咳咳咳！咳咳……額娘，妳去看看，廚房有沒有點心可吃？』

小燕子眼珠一轉，走了過來，對爾康嚷著：

『爾康！你著涼了？還是嗆著了？這永琪娶了知畫，在宮裡是件大事，伯母恭喜他一聲，也沒說錯，要你又咳嗽又打岔的？』

爾康看了小燕子一眼，見她神清氣爽，若無其事，實在有些納悶。

『哦？看樣子我咳嗽咳錯了！』爾康再去看永琪，困惑的問：『五阿哥！看小燕子的神情，你們過得還不錯是嗎？』不禁肅然起敬起來：『我對你佩服得五體投地！看樣子，皇阿瑪的工夫，你是得到眞傳了！你到底……』

爾康話沒說完，輪到永琪一陣大咳，一面咳，一面說：

『咳咳咳……咳咳……爾康，你少說兩句，那個……酸梅湯，酸梅湯……我很渴，快給我一杯！』

紫薇和小燕子交換著視線，紫薇笑著說：

『他們兩個傳染得倒快，一個咳完一個咳！』

小燕子瞥了永琪一眼，做了個鬼臉，就走過去抱起東兒，驚嘆的喊：

『哇！東兒，你更漂亮了！臉蛋這麼光滑……眼睛這麼亮，長大了一定是個美男子！還好，不怕你被別人家搶去，我已經預定了！紫薇，爾康……你們不許賴，東兒將來是我的女婿，我們一言為定哦！』

紫薇喜上眉梢，問：

『小燕子，妳有好消息了嗎？』

『那有好消息？』小燕子臉色一沉。『問問知畫有沒有好消息倒是真的！』

永琪呆了呆，嘆了口氣，自言自語：

『又來了！什麼信也是信，不信也是信，明明就不信！』

爾康看看這個，看看那個，忽然拍拍手，說：

『我有一個提議，我們四個，好久沒有聚在一起了！我和紫薇，最近天天關在家裡照顧東兒，簡直悶死了！你們兩個，關在宮裡出不來，大概也快悶壞了！我們何不到郊外去騎騎馬，痛痛快快的狂奔一下？』

『好呀！騎馬！我們去幽幽谷！』小燕子喜悅的大嚷。

於是，四個人離開了學士府，騎上了馬，在草原上好好的奔馳了一陣。大家好久沒有這樣放鬆過了，這一陣策馬疾馳，才讓大家又『活過來』了。經過了東兒的死裡逃生，經過了永琪的盛大娶知畫，經過了簫劍的受困和遠走，經過了小燕子身世大白……他們四個，再聚在一起，真有說不完的話。

一段奔馳之後，四人放慢了馬，策馬徐行，邊走邊談著，每個人都又說又聽，說的動容，聽的也動容。然後，他們到了幽幽谷。

紫薇四面一看，無限感慨的驚呼著：

『幽幽谷！好久沒有來了！』

爾康凝視著谷中的景致，和紫薇勒馬並立：

『紫薇，還記得當年，妳失蹤了，我在這兒找到妳的情形嗎？那天的一切，經常在我眼前重演，妳坐在那塊大石頭上扯花瓣，看到了我，妳撒掉花瓣向我跑來，我也向妳飛跑過去，然後，我抱住了妳……沒想到，這樣一抱，我就再也無法放開妳了！』

紫薇回憶前情，臉上不禁湧現甜蜜的微笑。

小燕子和永琪也慢慢的騎馬過來。

『幽幽谷！』小燕子回憶著：『還記得那天，找到了紫薇，我們就在這兒定計，決定把紫薇送進宮……那是幾年前的事了？』

『七年了！這七年，我們大家的變化好大，經過了太多的事！』

『記得我生病快死的時候，作了一個夢，在這兒，我們有個大團圓的聚會！蒙丹、含香、爾泰、塞婭、金瑣、柳青、柳紅、再加我們四個，全部聚在一起！夢裡的含香，還在這兒招蝴蝶，整個山谷，都是蝴蝶！現在，這個夢還要多加兩個人，晴兒和簫劍！不過，這個夢越來越遙遠，不知道那一年才會實現了！』紫薇感慨起來。

『讓我們抱著希望，總會有實現的一天！』爾康看看大家：『來吧！我們下馬，好好的分析一下現在的局面！』

四人就紛紛下馬，馬兒到草地上去吃草，四人就在石頭上一坐。

爾康打量永琪，無法置信的說：

『我簡直不能相信！你說，你和知畫，到現在都是掛名夫妻，老佛爺說不定心裡也有數？』

永琪點頭。紫薇一臉的不可思議，小燕子嘟著嘴，半信半疑。爾康想了想，越想越擔心，盯著永琪，皺皺眉說：

『這樣不大好吧？我覺得你在玩火，當心被燒得體無完膚！老佛爺一時之間，可能招架不住，只能忍著。但是，知畫不是普通人家的姑娘，是陳邦直的女兒耶！陳邦直今年之內，一定會進宮看女兒，假若他們知道知畫這麼委屈，他們會沉住氣嗎？他們一定會氣死的，那時候，又是一番驚天動地，所有的祕密，還是保不住！』

『如果我們乾脆向皇阿瑪招了呢？』永琪忽然發出一句驚人之語。

『不能招！一定不能招！』爾康嚴重的說：『皇阿瑪的反應，我們根本不能預估！我們要有一個最後的方案……』他認眞的看著小燕子：『小燕子，別讓簫劍和晴兒白白分手！萬一皇阿瑪知道了，我要找出靜慧師太，證明妳根本不是簫劍的妹妹！到時候，妳要跟我們合作！』

『我不要！』小燕子震動的喊。

『妳理智一點，爲什麼不要？』紫薇問：『簫劍說得很有理，說不定妳根本不是他妹妹，其實，我和爾康，老早就在懷疑這一點！反正，事情不穿，大家都瞞著，萬一穿了，說法要一致！靜慧師太那步棋，是一定要走的！』

『好！就這麼辦！爾康，你負責去找靜慧師太！』永琪說。

爾康點點頭，嚴肅的看看永琪：

『知畫這件事，你的做法，我在感情上是佩服的！但是，理智上，我覺得太危險，也太不人道！』

『那你要我怎樣？』永琪急了：『和她成爲眞夫妻嗎？』

爾康鄭重的點頭：

『你娶她那一天，就應該這樣做！』他再看小燕子：『小燕子，知畫嫁給永琪，才換得簫劍的自由，現在，簫劍走了，永琪卻不履行承諾，好像有失君子風度！人家知畫，現在是個有苦說不出的弱女子，這樣欺負人家，也不像五阿哥的作風！』

小燕子一聽，就跳起身子，煩躁的嚷：

『我怎麼欺負她了？我才被她欺負！一會兒幫永琪解紐釦，一會兒幫他洗澡，一會兒靠在他懷裡哭……每晚跟他同床睡覺……我就是生氣嘛！要我不吃醋，根本不可能！』

爾康聽得匪夷所思，看永琪：

『這麼說，知畫和你，也有「肌膚之親」了？你預備讓她將來怎麼辦呢？』

永琪煩惱的一摔頭：

『事情沒發生在你身上，你根本不瞭解我的苦！』

『我瞭解！我非常非常瞭解！』爾康急忙說：『但是，瞭解是一回事，應該怎麼做是另外一回事！你們都沒有為知畫設身處地想過嗎？』

紫薇深思著，忍不住看著永琪，接口說：

『永琪，我服了你！你和知畫結婚那晚，我以為你們已經成其好事，對你還滿生氣的！現在，才知道你居然坐懷不亂，讓我刮目相看！』

『不要刮目相看了！』永琪苦笑，坦白的招了：『我本來也想「勉為其難」，結果……就是做不到！這才知道，真正的愛，身與心是合而為一的！』

『我站在小燕子的立場，為你的「做不到」而感動，但是，站在知畫的立場……就有點代她悲哀。』紫薇想著，誠實的嘆了口氣：『她才十七、八歲，要應付這種局面，大概也慌了手腳。你也有點殘忍啊！』

『你們怎麼回事？爲什麼都站在知畫的立場去說話？』永琪急了。

『我不是站在知畫的立場，是站在正義的立場！』爾康說：『想想看，她不是在普通的情況下嫁給你的，是在我們大家走投無路的時候，挺身而出，爲我們解圍的情況下嫁給你的！我們曾經有求於她，不該過河拆橋！這件事不是單純的感情問題，還包涵了責任和道義！』

小燕子聽來聽去，這時，再也無法沉默了，就去推永琪，嚷著說：

『我知道了！我欠了知畫，你也欠了知畫，好嘛好嘛，你去跟她圓房！我一定不再吃醋了，我會忍受，忍得了也忍，忍不了也忍！你去你去……爾康和紫薇說得對，我不該這麼任性，我應該對知畫報恩的，我不報恩，還欺負人家！我忘恩負義！是我錯！永琪，你今晚就跟她圓房去！』

永琪差點被小燕子推到水裡去，站起身來，煩惱的喊：

『我好不容易把事情擺平了，老佛爺也不追究了，爲什麼還要圓房呢？』

『因爲，這樣太不光明！因爲，知畫太可憐！』爾康深謀遠慮的說：『因爲……這事充滿了後顧之憂！萬一知畫想不開，一條繩子上吊了，那怎麼辦？』

永琪嚇了一大跳，睁大了眼睛：

『上吊？她會上吊？』

爾康不語，紫薇有同感，也不語，小燕子驚悟著，也不語。

永琪環視眾人，他知道，爾康句句都說到重點，不禁跌腳大嘆：

『我怎麼會弄成這樣？當初怎麼會答應這種條件？誰能把我從這個困境裡解救出去呢？』

這晚，小燕子又站在窗前看月亮，心事重重的深思著。爾康說的話，句句在她腦海裡迴響。進宮這麼多年，她也成熟了很多，不再是以前那個不用大腦的小燕子。但是，當她用大腦來想這件事的時候，她的心就跟著痛楚起來。

明月、彩霞在鋪床，不時悄眼看小燕子，暗中揣測著，今晚的五阿哥，不知是睡『新房』還是『舊房』？正在猜測中，永琪推門進來了。

小燕子回頭一看，衝口而出：

『你走錯房間了吧？』

永琪一怔，苦笑著說：

『難道這不是我的房間嗎？』

明月、彩霞相對一看，都笑開了，明月就熱心的喊著：

『當然是！當然是！五阿哥！這兒坐！』

明月把椅子上的坐墊拍了拍，拉著永琪坐下來。彩霞也嚷著：

『沒走錯！沒走錯！五阿哥！喝茶喝茶！』

彩霞急忙倒了一杯茶過來，放在小几上。兩個丫頭就請了一個安，看了小燕子一眼，雙雙退下，細心的關好房門。

永琪起身，走到小燕子身邊，柔聲喊：

『小燕子！怎麼不說話？』

小燕子轉過身子來，凝視著永琪，看了好久好久，然後，就誠摯的、懂事的說：

『今天在幽幽谷，爾康和紫薇的一篇話，敲醒了我！我想了很多很多，覺得我眞的不應該跟知畫吃醋，不應該想單獨霸佔你！那天，皇阿瑪說過，將來，你還會有知梅、知蘭、知菊、知竹……什麼的，我必須接受！如果，我連對我有恩的知畫，脾氣這麼好的知畫，都不能接受，我一定會遭到報應……』

『算了吧！』永琪煩惱的打斷：『什麼知梅、知蘭、知菊、知竹……一個知畫，我已經弄得亂七八糟了，那敢再來？沒有了！那是不可能的！至於知畫……』

『我不生氣了，也不吃醋了……』小燕子搶著說：『今晚，你去她房裡，辦完你早就該辦完的事！去吧！』

永琪瞅著她：

『妳不吃醋？妳真的不吃醋？』

『你心裡有我，就可以了！』她點頭，深深切切的看著他：『我願意和她共有一個你！我不吃醋了。』

永琪嗒然若失，悵悵的說：

『妳不吃醋，我反而有些失落……妳真的不吃醋了嗎？那是不是表示，妳不在乎我了？妳要把我讓給別人了？這樣的小燕子，我有點不習慣呢！』

小燕子睜大眼睛，驚喊：

『永琪！你不要得了便宜還賣乖啊！』

『不要趕我走！』他攬住她的腰，凝視著她，充滿感性的說：『我答應妳，會對知畫負責任，可是，我今晚還沒準備好！明天再說！』

『什麼沒有準備好？你要準備什麼？這事還要準備嗎？』小燕子越聽越奇怪。

『是！爾康他們雖然說服了妳，我還沒有說服自己！讓我再想一想！』

小燕子堅定的看著他。

『不要想了！你今晚就過去！什麼明天再說？明天之後還有明天，你要拖到那一天？我只要想到前些日子，我所受的苦，就覺得，我沒有權利讓知畫也受這種苦！』她定定的看著他：『爾康說得對，我們不能無情無義！你去吧！』

小燕子說著，就把他往門口推去。他著急起來，一個勁兒的說：

『我眞的還沒準備好……眞的沒準備……』

她踮起腳尖，捧住他的臉，用力的吻了他一下。她的眼睛濕漉漉而亮晶晶，美得讓人目眩神馳，她的聲音裡，沒有暴躁，沒有懊惱，只有無比無比的溫柔：

『我知道你的心，感激你對我這麼好，想起前些日子，一直冤枉你，一直跟你生氣，就覺得自己太沒風度了！我現在，誠心誠意的希望，你幫我了了這個責任，我欠了知畫，請你幫我還債！請你「勉爲其難」，謝謝你！』

小燕子說完，就把他推出房門，把房門關上了。

剩下永琪，怔忡的走到迴廊上，站在那兒發呆，心裡像燒滾的油，又熱又燙又煎熬。他的理智告訴他，小燕子想明白了，爾康紫薇分析得都對，爲了大局，爲了小燕子，爲了仁義，爲了無辜的知畫，自己確實應該去完成丈夫應盡的責任。想著，他就往新房走去，走到門口，又站住了。但是，但是，但是……心裡就有好多個『但是』，眼前閃耀著的，依舊是小燕子濕漉漉亮晶晶的眸子。他正思前想後，舉棋不定，桂嬤嬤從新房出來，一眼看到永琪，就驚喜的喊著：

『五阿哥！怎麼在這兒發呆？不進房呢？』突然想起那個要打她的五阿哥，馬上害怕的退開：『奴婢走了！走了！』就急急忙忙的逃走了。

桂嬤嬤這樣一喊，就驚動了在房裡看書的知畫，她的眼睛驀然閃亮了。房門一開，她翩然出房來，抬眼熱烈的看著永琪，她幽幽的說：

『你來得正好，我看到一首詩，有些不明白，你講解給我聽，好不好？』

『什麼詩？誰的詩？』永琪心不在焉的問，心裡還在抗拒著。

『在這兒，我正在看……』知畫就挽著永琪進房來。

知畫關上房門，就去把書拿來，遞給永琪看。她站在他身邊，離他好近好近，頭髮幾乎拂著他的面頰，身上帶著淡淡的清香。她指著書上的文字：

『就是這首！』

永琪目不斜視的看書，唸著書上的句子：

『誰伴明窗獨坐？我和影兒兩個，燈盡欲眠時，影也把人拋躲，無奈無奈，好個淒涼的我！』他頗為震動，憐憫的看知畫，喃喃說：『這不是詩，這是詞。』

知畫眼裡，漾起一層淚霧，她輕柔的說：

『不管是詩還是詞，唸了幾百次，就有些犯糊塗！』她抬眼看他，帶淚的眸子裡，盛滿了哀懇。她的聲音，悽婉而幽怨：『永琪，我知道你心裡沒有我，我也知道，我以後的生命，就是這樣；「誰伴明窗獨坐？我和影兒兩個！」我不敢怨，不敢奢求，更不敢和姐姐爭寵。你儘管去愛她……但是……請你讓我也能有一點期待，將來，也能有一些回憶好不好？』

永琪呆呆的看著知畫，對這樣的知畫，不能不充滿了憐憫，犯罪感就像海浪一樣，對他席捲而來。

『知畫，對不起……』

『不是你的錯，你不用說對不起！我明知道這是一個虎穴，我還是進來了！』

『妳應該拒絕的！』他無力的說。

『是！我知道……但是，我進來了！』她就拉著他的手，把他拉到床邊，開始幫他解紐釦，一面解，一面低低說：『你說，每天演戲，你不想演了，我也不想演了！我們不要再演戲，我請求你，讓我有個孩子！這樣，就算我要每晚獨守空閨，最起碼，不是「誰伴明窗獨坐」，而是「我和孩子兩個」！』

永琪呆呆的、被動的站著，心中，充滿惻然的情緒。知畫細膩的，溫柔的爲他脫下衣服，就開始解自己的紐釦，一面解，一面不勝嬌羞的看永琪。她的臉龐湧上了紅潮，她的聲音，帶著深深的渴盼，和怯怯的哀愁：

『只要給我一個孩子，我就滿足了，我不會糾纏你！我謝謝你，感激你……』

永琪眩惑著，凝視著她那美麗、哀愁、嬌羞、渴望的臉龐，在強大的犯罪感中，無法動彈。知畫褪下了衣服，就彎腰一口吹滅了桌上的燈，她拉著永琪倒上床。

那夜，永琪終於『勉爲其難』，讓知畫成了他的新娘。

35

兩個月後。

這天，太后要去碧雲寺上香，爾康、福倫、永琪帶著衛隊護送，小燕子、紫薇、晴兒、知畫和令妃都陪同著來了。整個隊伍，浩浩蕩蕩。到了廟前，民眾夾道，爭先恐後的伸長腦袋觀看。福倫不斷喊著：

『大家讓一讓，老佛爺的轎子到了！』

幾乘華麗的大轎和馬車，陸續停下。

爾康維持著秩序，下馬，對民眾嚷著：

『大家後退！老佛爺來上香，沒有什麼好看，不要擋著路！退後，退後！』

民眾就是不退，更加向前擠。官兵用棍子攔著老百姓，老百姓興致高昂，爭先恐後的叫嚷著。研究著誰是老佛爺？誰是還珠格格？誰是紫薇格格？在大家的叫嚷聲中，從馬車內，轎子內，陸續走下太后、晴兒、知畫、小燕子、紫薇、令妃和嬤嬤宮女們。一干女眷，簇擁著太后，向廟宇走去。嬤嬤們、宮女們、太監們前呼後擁。

早有廟內的師父們，夾道迎接。

『貧僧智明恭迎老佛爺！老佛爺千歲千歲千千歲！』再一一招呼：『五阿哥吉祥！額駙吉祥！福大人吉祥！』

『師父！香燭都準備了嗎？民眾太多了，老佛爺上完香就要回去！不能停留！』

『準備了！準備了！這邊走！』

知畫和令妃，一邊一個，扶著太后。桂嬤嬤和宮女嬤嬤們提著供籃，跟隨在後。

小燕子、晴兒、紫薇三個，落在後面。小燕子最愛熱鬧，看到這麼多人，忍不住嘆氣，說：

『好不容易出來一趟，只是上香！這麼多人看熱鬧，使我想起南巡那一路，眞是精彩呀！最近，我快悶出病來了！最好再來一次南巡，宮裡好無聊！』

『妳少說兩句吧！當心老佛爺聽見，妳看，知畫就不覺得無聊，陪著老佛爺，也笑得很開心！妳應該跟她學學！』紫薇說。

『哼！她那一套我學不會！』小燕子嘰咕著：『她當然不無聊，平時在宮裡，她也很忙！唸書，背詩，出口成章！畫畫，寫字，好厲害！』

『小燕子！』晴兒看著小燕子，由衷說：『妳實在不容易，以前看妳打打鬧鬧，對什麼事都大而化之。這次的知畫事件，讓我看到另外一個妳，妳的愛心和忍讓，我自嘆不如！』

『我也自嘆不如！』紫薇接口。

小燕子眼眶一紅，酸酸的看兩人：

『妳們多嘆幾次氣，多說幾個「不如」，讓我心裡舒服一點吧！我怎麼會這麼做？到現在都還有點糊裡糊塗！』

三人邊走邊聊，爾康和永琪就繞到後面來，默默的保護著。爾康低問永琪：

『你這個「齊人之福」享受得怎麼樣?』

永琪瞪他一眼:

『都是你!大道理一大堆,我準會被你陷害!不知道為什麼,每天都覺得膽戰心驚,好像要出事!』

『別自己嚇自己了!一路走來,都是情勢所迫,相信我,你沒做錯!』

『是嗎?我就是不大相信你……』

這時,人群中,有個衣衫襤褸的老人,也在伸頭看熱鬧。老人杵著枴杖,白頭髮披散在臉上,遮住了半張臉,白鬍鬚長長的垂著,被擁擠的人群,擠得東倒西歪,忽然間,群眾一仆,老人站立不穩,從人群中摔了過來,正好跌倒在晴兒、小燕子、和紫薇面前。老人呻吟著:

『哎喲!哎喲……哎喲……』在地上爬著,無法起身。

『不要嚇著格格!』官兵們大喊。

許多官兵就去抓老人,老人剛剛搖搖晃晃站起來,被官兵一衝,又摔倒在地。手中枴杖,滾到晴兒腳前。老人呻吟不止,大叫:

『哎喲!撞死人了!哎喲……哎喲……』

人群都擠過來看。小燕子忍不住對官兵大嚷:

『你們不要那麼凶,沒看到他走路都走不穩嗎?』

晴兒睜大眼睛,瞪著老人,不知怎的,心臟就是怦怦跳,整個人都繃緊起來。她慌忙撿起枴杖,去遞給老人。聲音顫抖著:

『老先生!你的枴杖!』

『阿彌陀佛!姑娘好心!祝福姑娘,事事如意……』

老人一邊說著，一邊接枴杖，眼光和晴兒一接。手已經閃電般迅速，塞了一張紙條到晴兒手裡。晴兒大震，緊緊的握著那張紙條，眼光定定的看著老人。兩人電光石火間，交換了柔腸寸斷的一瞥。原來，那個老人，竟是簫劍喬裝的！

永琪和爾康沒認出簫劍，生怕有閃失，急忙飛竄過來，一邊一個，去攙扶老人。

『老伯伯，摔了那裡？站得起來嗎？』永琪關心的問。

老人顫巍巍的站了起來。對永琪、爾康、紫薇、小燕子、晴兒等人，眼光一掃。

『各位阿哥格格心腸好，菩薩保佑，大家長命百歲，阿彌陀佛！』

幾個人個個大震，目瞪口呆，這才發現老人是簫劍僞裝，大家都嚇得變色了。爾康第一個恢復鎮定，一把抓住簫劍，低吼著：

『快讓開！走那邊……那邊……』拉住簫劍的胳臂，把他一直拉進人群裡，對他低低說了一句：『你瘋了！好大的膽子！快走！』

『是！是！是……』簫劍一疊連聲的應著，一鑽，就鑽進人潮中，消失了。

晴兒、紫薇、小燕子三人對看，個個驚怔著。紫薇低聲說：

『不要露出破綻，大家笑笑吧！一邊笑，一邊談，自然一點！』

小燕子就笑了起來，笑得有點誇張，聲音顫抖著：

『哈哈，哈哈……紫薇，好紫薇，親親紫薇，妳今晚一定要進宮，我們一起睡！我的心現在跳到喉嚨口，快要從嘴裡跳出來了！』

晴兒驚魂未定，神志不清的低語：

『我……我……我的心已經跳得不見了……我要去燒香！我要去拜菩薩……我要去給菩薩磕頭……』

她語無倫次的說著，一面把紙條塞進衣服口袋裡。

這樣一場小騷動，一點都沒有驚擾到太后，大家魚貫的進了廟，開始燒香祈福。太后虔誠的上香，虔誠的祝禱：

『但願菩薩保佑我大清，國泰民安，風調雨順！謝菩薩保佑東兒，度過難關，保佑北京城，沒有被天花奪走太多人命！阿彌陀佛！』

令妃跟著上香，也低低祝禱。

然後，知畫、小燕子、紫薇、晴兒一起上香，默默祝禱。各有各的心事，臉色都怪怪的。永琪和爾康在後面看，兩人不時交換著緊張的視線，生怕簫劍再出現。

廳內香煙繚繞。檀香的味道，彌漫在空氣裡。

知畫虔誠的默默祝禱著，忽然間，一陣暈眩襲來，胃裡頓時冒著酸水，要吐，急忙用手蒙住嘴，喃喃的說了一句：

『菩薩，對不起……』

知畫就奔出上香行列，急往廳外衝去。太后一驚，問：

『怎麼了？知畫？』

『老佛爺別著急，我去照顧她！』令妃說，追了過去。

知畫一直衝到廳外，站在廟宇那大大的天井中，呼吸了幾口新鮮空氣，終於把那反胃的不適克服了，她扶著柱子站著，臉色有些蒼白。令妃關心的扶住她，急問：

『不舒服嗎？』

『對不起！讓娘娘操心了！』知畫歉然的說：『這兩天一直這樣，胃不舒服！剛剛是香味太重了，給煙一薰，就想吐！』

令妃眼睛一亮，仔細看她。問：

『知畫，妳是不是有好消息了？多久了？』

知畫臉一紅，頭低了下去，無法掩飾那份喜悅，低低的說：

『還不知道……是不是呢？別說！』就湊在令妃耳邊，說了兩句悄悄話。

令妃頓時眉開眼笑，驚喜莫名，喊著：

『那就是了！怎麼不說呢？老佛爺到這兒來燒香，也是爲了妳呀！這可是天大的好消息！』

令妃就牽著知畫回到大廳。

眾人早已燒香完畢，都看著知畫。只見知畫笑吟吟，羞答答。令妃滿臉的笑。

『知畫，還好吧？』太后關心的問。

『沒事沒事！』知畫羞澀的笑著，眼睛亮晶晶的。

令妃忍不住報喜：

『老佛爺！好消息好消息！老佛爺大喜了！』說著，就回頭看永琪，再說：『五阿哥！好不容易，這次一定不會出問題了，恭喜恭喜！你要做阿瑪了！』

永琪一震，看知畫，知畫也看過來，對他悄悄的點了點頭，垂下眼瞼，抿著嘴角，展開一個幸福的微笑。

太后大喜過望：

『哎呀！哎呀！太好了！趕快……』素齋也不吃了，茶也不喝了，急急的吩咐：『備車回宮！讓知畫好好休息！可別動了胎氣！給知畫準備一輛小轎子，她不能乘馬車，馬車顛得厲害！』

太監們大聲應著：

『喳！奴才遵命！』一群人都奔出去備轎。

小燕子聽著看著，目瞪口呆了。紫薇和晴兒，看著小燕子，臉色都暗淡下來。

永琪趕緊回頭，搜尋著小燕子的眼光。兩人的眼光一接，小燕子眼睛裡盛滿了失意。他只能用自己的眼神，祈諒的、哀懇的、無奈的注視她，想把自己那矛盾的歉意和不變的愛意，傳達到她的『心』裡。小燕子沒有接到這份『傳達』，因爲，她的『心』不管用了，在一陣撕裂般的痛楚之後，還『劈哩叭啦』的裂成許多碎片，原來，『心碎』是有聲音的！事實上，那陣『劈哩叭啦』是廟祝在放鞭炮，討好老佛爺、五阿哥、和知畫福晉。

從碧雲寺回宮，已經是晚上了。太后迫不及待，就把知畫帶進了慈寧宮。

永琪、爾康、紫薇、小燕子、晴兒五個人，都回到景陽宮，進了小燕子的臥室，大家急急忙忙，把一扇扇的窗子全部關上。再把房門緊緊闔上，他們有太多的話要談。爾康看看四周，不放心的問：

『五阿哥，你這個景陽宮到底可靠不可靠？我們說話，會不會有人偷聽？』

『這個……我可沒把握，大家聲音低一點！』永琪說，眼光還是注視著小燕子。

晴兒還陷在和簫劍見面的緊張和興奮裡，說：

『我想，宮裡任何地方都不可靠，但是，景陽宮還比較好！上次五阿哥對桂嬤嬤她們發了一頓大脾氣，非常管用，現在，她們都不敢偷聽了！』

紫薇看著晴兒：

『妳不回慈寧宮，老佛爺會不會起疑心？』

『她現在高興得昏了頭，知畫又陪在那兒，她來不及要告訴知畫各種要小心的事，又知道妳在這兒，我一定會來，反正她沒什麼害怕的事，樂得去管知畫，不管我了！』晴兒說。

小燕子聽了，心中眞是百味雜陳，哀怨的看了永琪一眼。

『哼！要當阿瑪了！』她酸酸的說，對永琪雙手抱拳，一揖到地：『恭喜恭喜！我做不到的事，總算有人幫你完成了！』

永琪看著小燕子，眼裡除了歉意和祈諒，還有溫柔和無奈。他低聲的、求饒的說：

『小燕子……我……』

小燕子眼眶一紅，打斷：

『不要說了，我……不想聽！』就轉開身子。

永琪一急，攔住小燕子，激動起來：

『不想聽也得聽！』他看大家：『你們大家，說我忘恩負義，說我殘忍，說我不負責任……把我一步一步，逼上梁山，你們如果再跟我生氣，我算什麼？我看，我現在就出宮，去把簫劍揪出來！都是爲了他，才把我陷進這種困境，他居然沒有離開北京，還膽敢公然出現，簡直氣死我了！』

『噓！噓！聲音低一點！』紫薇上前，拉住小燕子，說：『現在，別忙著吃醋，好不好？簫劍沒走，這個震撼實在太大了！』

『就是就是！不過，我現在想一想，這還眞是簫劍的作風，他說過，最危險的地方，就是最安全的地方！』爾康說。

晴兒就奔過去，擁抱了小燕子一下。興奮的，喘息的喊：

『小燕子！不要生氣嘛！等會兒關了房門，妳再單獨的審五阿哥，讓他跪算盤，讓他罰站……什麼都可以，現在，先看看這個！』

晴兒說著，就從口袋裡掏出那張紙條，攤開來看。

小燕子眼睛一亮，驚喊：

『他給了妳一張紙條？』

大家全部圍攏，爾康移過來一盞燈，一齊讀簫劍的信。只見信上寫著：

『晴兒，自從別後，魂牽夢縈，一日三秋，苦不堪言。可嘆咫尺天涯，竟難以飛渡！儘管漫長等待，耗盡心力，卻日日夜夜，從未放棄希望！宮中一切皆知，燕子永琪等之付出，痛徹我心！紫薇爾康等之友誼，念念難忘！相逢有日，再見可期，務必堅持信念，守得雲開見月明！紙短情長，言不盡意！珍重珍重，知名不具。』

眾人看完，大家抬起頭來，個個情緒激動。

晴兒含淚，更是一讀再讀。她震動已極，眼中閃亮，自言自語：

『務必堅持信念，守得雲開見月明！還會有雲開的時候嗎？還會有月明的時候嗎？我還能堅持信念嗎？還能抱著希望嗎？』

小燕子眼中充淚，興奮的說：

『能能能！晴兒！爲了我哥，妳一定要堅持！』再看看信箋，大罵：『什麼哥哥嘛！明知道我也會看的信，四個字四個字的寫，看得我頭昏腦脹，累死我了！不過，我也看明白了，原來，他還沒有死心，他還在等機會！』她拉著晴兒的手，熱烈的嚷：『晴兒，我哥哥眞好，是不是？他才是最懂感情，最堅定的男人！』說著，又看看爾康：『爾康，你也是，你對紫薇，也是好得不能再好！』

永琪注視小燕子，一肚子的話，不知從何說起，搖搖頭，一語不發。

晴兒把信紙壓在胸前，又喜又悲的喊：

『他一定等這個機會，等了幾百年！才等到我們去上香……』忽然臉色驟變，驚喊：『糟糕！不行呀！不行！』

『什麼東西不行？』紫薇緊張的問。

『我發過重誓，我對老佛爺發過毒誓，如果我再和簫劍來往，簫劍會……會……會……』她說不下去，顫抖起來。

『哎呀！妳不要傻了！』小燕子喊：『那種毒誓，根本不會應驗的！我發過好多誓，什麼毒誓都有！最常說的是，如果我再撒謊，我就變成烏龜王八蛋！妳看，我有沒有變？』

『可是……我還是很害怕，眞的很害怕！我發誓的時候，是誠心誠意的！』

爾康看看晴兒，有力的說：

『晴兒，不要怕！妳發誓是不得已的事！老天不會跟妳認眞的！』他看著眾人，分析著：『簫劍藏在北京，我們已經知道了！但是，他沒有跟我們任何一個聯繫，連柳青都不知道他的下落，可見他也非常小心！他這人，到處有朋友，老歐好像也在北京附近！只要他不被監禁，他有的是辦法！我們可以不必擔心他！他既然沒有放棄希望，他一定還會有舉動，我們只有處處提防，靜觀其變！』

『這不是很危險嗎？』永琪說：『下次，他不知道又用什麼身分冒出來？今天，他的化裝非常好，把我都唬住了，沒有近看，眞的看不出來！不過，在這麼多人面前出現，他實在太大膽了！』

『雖然大膽，也是仔細計劃過的，我想，很多幫手，都藏在人群裡！』爾康說著，看晴兒：『倒是晴兒，妳在老佛爺面前，千萬不要露出痕跡，這封信，我相信妳已經會背了！給我！我要把它燒掉！免得小燕子又要吃信紙！』

爾康伸手給晴兒，晴兒不捨，終究還是理智的遞給他。爾康把信箋放在燈上，信箋轉瞬就燒掉了。晴兒看著那封信變成灰燼，眼中淚汪汪，惋惜的說：

『他冒了這麼大的危險，只爲了要見我一面！好不容易送張字條給我，又被燒掉了！』

『不止要見妳一面，他還送來一個信息，就是要我們大家知道，他仍然和我們在一起，不管是他的心，還是他的人！字條燒掉有什麼關係？這份心燒不掉！』紫薇安慰著她。

小燕子吸了吸鼻子，眼中也是淚汪汪，說：

『晴兒！妳掉什麼眼淚？妳太幸福了！雖然我哥不在妳身邊，可是，他的心是妳的，他的人也是妳的！那像我，熬了這麼多年，熬到半個人！』她再看永琪一眼，想到知畫已經懷孕了，更是酸楚：『我這兒只有一半，人家那兒，快要變成一個半了！』

小燕子左一句，右一句，句句刺向永琪。永琪被深深的刺痛了，忍不住說：

『反正我裡外不是人！如果妳一直這樣夾槍帶棒的罵我，我還是走開算了！』

爾康一把拉住了永琪，說：

『你走到那兒去？不是你走！是我們該走了！晴兒，妳回慈寧宮，我和紫薇，也要回家了！』他拍拍永琪的肩，示意要他安慰小燕子：『你和小燕子，大概也有話要談吧！』

『紫薇！說好的，妳要在我這兒過夜的！』小燕子喊。

紫薇笑著，歉然的說：

『不行呀！東兒自從生了一場大病，就離不開我，每晚，一定要我親親抱抱，才肯去睡，現在已經不早了，我得趕回去跟他親親抱抱！』

小燕子一聽，心中的酸楚就決了堤，頓時淚盈於睫，顫聲的說：

『親親抱抱，有兒子眞好！我就沒這個福分……』

小燕子說得心酸，大家都呆住了，感染著她的傷心。永琪凝視著她，立即覺得，自己簡直是『罪該萬死』，犯罪感又排山倒海般湧上心頭。

爾康一招手，紫薇和晴兒，就都跟著爾康出門去。

『小燕子！我走了！妳要好好的，知道嗎？』紫薇叮囑。

『小燕子！我明天再來看妳，保持好心情！知道嗎？』晴兒也叮囑。

爾康開門，三人出門去了。

永琪看到大家都走了，就奔上前來，把小燕子一把抱住。激動的，熱情奔放的，坦誠的喊：

『我知道妳現在有多恨我，我知道妳心裡的矛盾和痛苦，要妳假裝快樂，那是不可能的！我不能爲自己說什麼，過去的事，都已經成了事實，我無從改變，但是，我發誓，我再也不會跟她上床了！她問我要一個孩子，我給了她！算是我還了債！以後，我的生命裡，只有妳！只有妳！』

小燕子睜著帶淚的眸子，看著眞摯而著急的永琪，心中絞痛，啞聲的說：

『我知道我不應該這樣，可是……我嫉妒！我發瘋一樣的嫉妒！我沒辦法再說好聽的話，我沒辦法控制自己了！我吃醋，發瘋一樣的吃醋！』

『我明白！我都明白……我後悔，發瘋一樣的後悔！不過……』永琪吻著她的鬢角，她的面頰：『我們還有那麼多的時間，我們也可以有很多孩子！以後……我只跟妳生孩子！我發誓！』

小燕子不說話，柔腸百折，深深的看了他一眼，就倚偎在他懷裡。再多的怨，再多的恨，再多的嫉妒……都抵不過那份不捨和愛戀。她的頭，情不自禁的靠在他肩上。他用下巴貼著她的鬢角，雙手緊緊的，緊緊的攬著她的腰。此時此刻，任何語言都是多餘的。她的心，依舊痛楚迸裂，但是，她已經可以聽到他的心聲了。他的心，在反覆的低喊著她的名字！

晚膳之後，知畫才從慈寧宮回來。桂嬤嬤、珍兒、翠兒、和幾個嬤嬤宮女，簇擁著她走進大廳，後面跟著一排太監，捧著各種賞賜，魚貫進房。桂嬤嬤像捧著一件珍貴的磁器一般，呵護倍至，小心翼翼的說：

『福晉小心，這兒有門坎，別絆著了！』

珍兒翠兒就奔過去，把椅子放在正中，扶著知畫坐下。後面的一排太監，紛紛站定，就有一個太監，大聲報著：

『皇上有旨！景陽宮接賞！』

永琪和小燕子，聽到聲音，詫異的走進大廳來。明月、彩霞、小鄧子、小卓子也驚奇的進房，站在一角觀看。只見太監們，把一件件的東西呈上，放在大廳的桌子上，每呈一件，報一件：

『皇上有旨，賜燕窩十二盒給福晉進補！』

『皇上有旨，賜靈芝十二株給福晉進補！』

『皇上有旨，賜人參十盒，給福晉進補！』

『皇上有旨，賜海參十盒，給福晉進補！』

『皇上有旨，賜珍珠十二串，給福晉賞玩！』

『皇上有旨，賜觀音玉佛一尊，保福晉平安！』

『皇上有旨，賜吉祥如意鎖一片，保福晉平安！』

『皇上有旨，賜百子被一條，保福晉母子安康！』

太監報告完畢，賞賜物已經堆滿一桌。

知畫站起身來，在桂嬤嬤和珍兒扶持下，要跪拜。說：

『知畫謝皇阿瑪賞賜……』

太監急呼：

『皇上有旨，福晉身子重要，免禮！』

桂嬤嬤和珍兒，趕緊扶著知畫站起身。太監此時才對永琪小燕子行禮：

『五阿哥吉祥！福晉吉祥！還珠格格吉祥！奴才告退！』

太監們行禮完畢，全部魚貫退出。

永琪看得發怔。這番排場，把宮廷裡的勢力表露無遺，賞賜中一句也沒提到小燕子，太監退出時，把『福晉』說在『還珠格格』前面，一些小小的地方，都可以看出太后和乾隆的心意。永琪實在代小燕子難過，眼光就不由自主的轉向小燕子。

小燕子卻強忍著傷痛的情緒，走到知畫面前，說：

『知畫！恭喜恭喜！總算心想事成了！』

知畫急忙給小燕子行禮，臉紅紅的，羞澀的說：

『眞不好意思，不知道皇阿瑪爲什麼要賞賜這麼多？只是一件小事嘛，鬧得整個皇宮都驚動了，弄得我好緊張。姐姐兩個孩子都沒保住，我現在是大步都不敢跨，大氣都不敢出，什麼叫做「身負重任」，這下才明白了！』

知畫說得謙虛，卻難掩得意之色，小燕子更是『情何以堪』了。張著嘴，還想說幾句漂漂亮亮，瀟瀟灑灑的祝福話，誰知，一句都說不出口。要她誠誠懇懇去『恭喜』另一個女人，因爲她懷了自己丈夫的孩子，她怎麼也做不到。她忽然醒悟，那個樂觀的，沒心機的，快樂的小燕子，已經不知去向了。

永琪看看小燕子，看看知畫。在小燕子臉上，看到了無盡的落寞，在知畫臉上，看到了深深的幸福。他深吸了一口氣，覺得必需了斷，就神色嚴肅的對知畫說：

『知畫，我們回房間去，我有話要跟妳說！』

知畫似乎嚇了一跳。她抬眼看永琪，看到他神色凝重，她的心就狂跳起來。眼神裡，頓時充滿了戒備和恐懼。她順從的跟著他，走進了房間。永琪細心的關上房門，就回過身子，面對著她。他正視著她，柔聲的說：

『知畫，首先，我要恭喜妳，妳想要一個孩子，總算讓妳稱心如意了！』

知畫睜著一對黑白分明的眸子，一瞬也不瞬的凝視著他。

『我下面要說的話，很難啓齒，但是，我卻不能不說！』他頓了頓，嘆口氣再說：『妳是一個很好的姑娘，嫁給我，妳太委屈！從一開始，我就沒有騙過妳，我和小燕子，是患難知己，我對她，一直都是心無二志的，這些，妳早就明白了，我也不多說了！現在，妳有了孩子，我希望是個兒子，那麼，妳以後也有了依靠！萬一是個女兒，一定像妳一樣，冰雪聰明，可以跟妳作伴！我想，我對妳只能付出這麼多，請妳諒解……以後，如果沒有事情，我大概就不會再到這兒來……』

知畫聽到這兒，臉色刷的就變白了，她往前一邁步，急急打斷：

『別說了！我明白了！』

永琪住口，看著她。只見她眉毛一抬，眼神變得非常淒厲。她沉重的吸口氣，緊盯著他，清清楚楚的說：

『讓我告訴你，今天，在慈寧宮，太醫證實我確實有了身孕，老佛爺高興得不得了，皇阿瑪也賞賜多多，我暈陶陶像作夢一樣，覺得我是天下最幸福的女子！以爲回到景陽宮，你會多麼開心，畢竟，這也是你的孩子呀！我一直想，你會怎樣？會不會對我特別好？會不會說些好聽的話？會不會期待這個孩子？會不會急著給孩子取名字？會不會這樣，會不會那樣，我想了幾千幾萬種！我心裡這樣想著，就急得不得了，只想趕快回來！結果，我回來了，你卻來告訴我，你要把我打進冷宮，讓我以後，靠著這個孩子度日！這話，是你說得出口的嗎？人間怎有像你這樣絕情的人？你這一盆冷水，眞澆得我透心徹骨的冷！你太狠了！』

永琪踉蹌一退，被知畫的話，逼得冷汗涔涔了。他吶吶的說：

『對不起……我很慚愧！妳有了身孕，我當然是高興的！我已經不小了，早就該做阿瑪了。不過……我想讓妳明白的，是我的感情！我抱歉，我不是那種可以把自己的感情，分成好多份，一人給一份的那種人……』

知畫冷冷的打斷，有力的說：

『你這麼愛姐姐，當初爲什麼要答應娶我？只爲了要我救簫劍嗎？救完了人，就可以把我一腳踹開了嗎？』她重重的點頭，語氣裡盡是悲憤：『飛鳥盡，良弓藏，狡兔死，走狗烹！這就是你五阿哥的作風！你不怕傳出江湖，被天下人恥笑嗎？我沒有做錯任何事，自認對得起你，對得起皇阿瑪，對得起老佛爺，對得起你們愛新覺羅的列祖列宗！你這樣待我，你對得起自己的良心嗎？對得起我的爹娘嗎？對得起我嗎？你心裡只有一個小燕子，還有沒有天理呢？』

知畫字字句句，鏗鏘有力，永琪從來沒有看過她這種神態，驚得怔住了。

『我以爲妳瞭解……我以爲我給妳的，已經夠了，妳不是要個孩子嗎？妳不是要福晉的身分地位嗎？這些都給妳，不能給的，只是我這個人而已……』

知畫臉色一變，忽然變得非常溫柔了，幽幽一嘆，她淒涼的說：

『永琪……不要傻了，沒有你，身分、地位、孩子、金錢、皇宮……這一切的一切，對我都是空的！會讓我義無反顧的嫁給你，就是你這個人呀！會讓我跟著老佛爺進宮，遠離爹娘和家人，也是你這個人呀！會讓我心甘情願懷你的孩子，要給你生兒育女，也是你這個人呀！你難道一點體會都沒有嗎？你怎麼忍心這樣對我呢？』說著說著，淚珠就湧進了眼眶，她走上前去，拉住了他的手。『你的話，實在讓我萬箭鑽心，痛不欲生！就算你不喜歡我，也可以虛情假意，敷衍敷衍我，爲什麼要對我這麼冷酷呢？我到底做錯什麼呢？』

永琪又驚又痛的瞪著她，毫無招架之力，只覺得自己差勁透了。

知畫看了他好一會兒，忍辱負重的，委曲求全的說：

『不要再說了！我們還有一生一世要過。我會忘掉你今晚講的話，這間房間，你願意進來就進來，不願意進來，我也無法勉強！但是，我會期盼著你，即使不做夫妻，我們也可以談談詩詞，談談戲曲，畫畫寫字……無論如何，你是我孩子的阿瑪！是我生命裡最重要的人！』

知畫時而凌厲，時而溫柔，每句話都說得擲地有聲，言之成理。永琪不知該如何應對，只能被動的看著她。覺得自己被困住了。一種無助的感覺兜心而來，不知道怎麼會弄成這樣？她不是什麼都不要嗎？怎麼又要起他這個人來了？她那句『我們還有一生一世要過』，簡直讓他不寒而慄！這『一生一世』，夾在她和小燕子之間，他怎麼過？他掉進陷阱裡去了，這個陷阱，深不見底，他可能要付出一生來掙扎，這一生裡，跟著他一起沉淪的，還有眼前這兩個女人！她們一個也逃不掉，他怎麼辦？

就在他左右爲難，不知所措的時候，一件大事發生了。這件事，改變了所有人的命運，也改變了永琪的命運。這件事就是，清緬戰爭爆發了！

36

這天，一隊快馬，來到宮門前。傅恆滾鞍下馬，跟著爾康，直奔乾隆的書房。

乾隆正在寫字，福倫和數十位大臣在旁觀，永琪也侍立在側。

外面傳來太監大聲的通報：

『傅大人到！額駙大人到！李大人到！紀大人到……』

這麼多大臣突然來到，必有大事！乾隆一驚起身，只見傅恆、爾康帶著眾大臣，急急忙忙走進，全部行禮如儀。乾隆看到個個大臣的臉上，都是一臉的嚴肅，趕緊擱筆起身，說：

『傅恆，你們這麼多人急沖沖趕來，希望沒有壞消息！』

『皇上聖明！』傅恆拱手說：『消息確實不好，緬甸國王猛白帶著大軍，分東西兩路進攻，打進雲南！西路已經攻佔了打樂、猛遮、九龍江一帶！東路也打進橄欖壩、整欠、猛阿一帶！』

乾隆大驚，急問：

『怎會這樣？劉藻在幹什麼？他前一陣不是還有捷報傳來嗎？』

永琪再也忍不住，往前一步，急急說：

『皇阿瑪！兒臣在幾個月前，就分析過，劉藻是儒將，不能帶兵！上次的捷報，多半是假的！不可相信！』

『五阿哥說的，就是臣要稟報的！』傅恆點頭說：『劉藻實際是打了敗仗，卻以敗報大捷！』

乾隆怒不可遏，一拍桌子說：

『豈有此理！劉藻不想活了嗎？』就急切的看著傅恆：『那麼，現在那兒的情況怎樣？照你這麼說，不是邊境許多城市都丟掉了嗎？』

爾康一步上前。急忙稟告：

『皇阿瑪不要著急，在普洱，我們還有一員大將守著呢！總兵劉德成很會帶兵打仗，一定會死守普洱！我們趕快調兵救援，和緬甸宣戰！勢必把他們趕出雲南！』

乾隆被提醒了。

『是啊！還有劉德成呢！普洱情況如何？』

『好像劉藻和劉德成意見不和，自己就鬧了一個誓不兩立！』傅恆說：『劉德成提出的許多建議，劉藻全部不聽！劉德成拿劉藻沒辦法……』他雙手一拱，著急的說：『皇上，臣請旨，帶兵去雲南！』

『傅六叔！』永琪開口了，最近幾個月，他都在研究雲南問題，對清緬邊境的情況，相當瞭解。『只怕劉藻也不會聽你的！必需要有一個身分不同的人去制他！你知道，將在外，君命有所不受！』

『兒臣福爾康請旨，帶兵去雲南！』爾康就急急接口。

福倫也急步而出：

『臣福倫也請旨，和爾康一起去！』

『皇阿瑪！』永琪慷慨激昂的說：『恐怕爾康的身分也不夠，還是兒臣去，最爲理想！我從小就練武，這兩年，對邊疆問題，也研究了很多，尤其緬甸的問題！請允許兒臣走這一趟！這是我應該做的！』

爾康急忙接口：

『五阿哥去，我也去！我和五阿哥情同手足，這些年，也一起面對過許多大事，我可以保護五阿哥！至於我阿瑪，年事已高，還是留在京裡侍候皇阿瑪比較好！』

乾隆看看永琪，看看爾康，也覺得他們兩個，是最佳人選，卻有擔憂和不捨。但是，如果要立永琪為太子，先讓他上戰場歷練一番，也是件好事。就怕戰場上，有所閃失。爾康這個女婿，更是寵愛有加，上戰場和護駕不一樣，他能帶兵遣將嗎？乾隆還在猶豫，永琪再上前一步，積極的說：

『如果要帶兵去打，事不宜遲！從這兒到雲南，大軍開拔過去，到了雲南，恐怕就是冬天了！皇阿瑪！您沒有多少時間來考慮！我知道您對我和爾康，還有很多不放心，也有很多捨不得。但是，沒有經過烈火的鍛鍊，怎麼會成大器呢？兒臣有信心，一定會打贏這一仗！』

乾隆沉吟再三，終於點頭了。說：

『傅恆，你陪著他們兩個去！你經驗多，還是主將，朕命你為征南大將軍！永琪和爾康是你的左副將和右副將！至於福倫，你兩個兒子，都不在身邊，你就留在京裡吧！』

永琪、爾康、傅恆、福倫全部行禮，大聲應道：

『兒臣／臣遵旨！』

爾康要和五阿哥一起上戰場！學士府裡，頓時亂成一團。福晉完全無法接受這件事，緊張的對福倫說：

『要去雲南打仗？三天以後就開拔？怎麼這麼突然？準備東西都來不及……你怎麼不稟告皇上，爾泰在西藏，家裡就一個爾康，我們需要他呀！』

『別說傻話了，這是爾康自己請旨的！』福倫義無反顧的說：『我們福家，世代武將，爾康被皇上選中，封爲右將軍，帶兵打仗，這是件光彩的大事！不要婆婆媽媽，趕緊幫他準備行李吧！』

紫薇趕緊把東兒交給奶娘。急急的說：

『額娘，我來準備！上次南巡，也是我在準備行裝，我知道要準備些什麼！』

爾康看著紫薇，已經離愁萬斛了。說：

『紫薇，這次跟南巡不一樣！南巡還有遊山玩水的性質，這次是打仗！平時都穿盔甲和官服，那些平日的服裝，能省就省了，輕騎簡裝爲原則！』

『是！』紫薇應著，眼裡頓時充滿了淚水，對兩老匆匆請安：『那……我進房去準備！』

紫薇就轉身奔進房去。爾康看她這種樣子，心裡一抽，也跟進房去。到了房裡，就看到紫薇用手蒙著臉在哭，雙肩抽動著。他衝上前來，一把握住她的雙肩。

『紫薇，不要這樣子……不要哭！』

紫薇急忙拭去了淚，抬頭，笑著。說：

『我沒哭，沒哭……就是有點措手不及……和你結婚以來，從來沒有分開過，上次南巡，也跟你在一起，現在，突然之間，聽說你要去打仗，就有些手忙腳亂了！你一定會打個勝仗回來，一定會所向披靡，把敵人打得落花流水！我……哭什麼？傻裡傻氣！』

爾康深深的凝視她，柔聲說：

『我知道妳很擔心，很害怕，又很捨不得！妳心裡的千言萬語，我早已聽得清清楚楚！紫薇，妳放心！我會平安的去，平安的回來！自從和妳共同面對東兒的病，和幾乎失去東兒的恐懼，我就知道，「活著」是多麼重要，在有人愛你的時候，生命是最最寶貴的東西，人，要爲那些愛你的人而活著！紫薇，妳不要害怕，不要擔心，我會爲妳，爲東兒，爲阿瑪和額娘……好好的愛護自己！』

爾康說完，紫薇就抓住他的手，熱烈的瞅著他。

『這是你的承諾！你一定要記住！戰場上危機四伏，你不要太神勇，什麼都不怕！刀槍都不長眼睛，你一定、一定、一定要爲我和東兒，安全回家，如果你失信了，我一生一世都不會原諒你！』她頓了頓，又鄭重的，加強語氣的說：『不止一生一世，我來生來世，也不會原諒你！』

『是！』爾康鄭重的承諾：『我知道了，我會時時刻刻提醒自己，我會遵守我對妳的承諾！我一定、一定、一定安全回家！』他抱住她，凝視她，低聲的，纏綿的說：『紫薇，自從認識妳到今天，這麼多年以來，妳在我心裡已經根深蒂固，我們也沒有遠別過，我也……實在捨不得離開妳！我想，我不在妳身邊的日子，我的魂魄也會飄到妳身邊來！』

紫薇聽到『魂魄』字樣，忽然背脊發冷，機伶伶的打了一個冷戰。爾康警覺到自己用詞不當，趕緊說：

『不要胡思亂想！我的意思是說，我在夢裡也會和妳相會！我一直很喜歡妳寫的那首歌，夢裡！』

紫薇就把他緊緊一抱，熱烈的嚷：

『不管是醒著睡著，不管是夢裡夢外，不管是白天黑夜……我都記著你的承諾！我在家裡照顧東兒，照顧阿瑪和額娘，等你回來！』

爾康眼裡濕濕的，把她緊緊緊緊的抱著。此時此刻，眞是聚也依依，別也依依！

學士府裡，是一片離愁別緒，景陽宮裡，也是一團紛亂。

乍然得到消息，知畫嚇得手裡的茶杯，都掉在地上打碎了。

『打仗？去雲南打仗？要去多久？什麼時候回來？』她心慌意亂的問。

『打仗的事，誰也說不定！』永琪說：『不過，從北京到雲南，路上就要走一個月……戰事順利，說不定幾個月內就回來了，如果不順利，打上三年五載也有可能！』

小燕子滿臉驚怔的站在那兒，聽到永琪這樣說，就想也不想的大喊：

『明月，彩霞！趕快去收拾行李，我的衣服也要裝箱！』

『是！』明月、彩霞應著，立刻出房去。

『還有我的簫，我的劍，和我的鞭子……算了，我自己來收！』

小燕子向外就走，永琪一把拉住了她。

『妳要做什麼？』

『我跟你一起去！我也學了一身工夫，以前的技術不好，現在已經好多了！騎馬打仗都難不住我！你去雲南打仗，要我在宮裡等你三年五年，我才不要！而且，那個雲南，不是有個大理嗎？說不定還可以去大理看看！』

『不行！妳不能去！』

『為什麼我不能去？』

『妳用用思想，用用腦筋！』永琪著急的說：『皇阿瑪讓我當左將軍，是將軍呀！我的身分又是阿哥，怎麼說，都是帶頭的人，如果我打仗，還把老婆帶在身邊，那所有的軍官、士兵都要跟著學，人人帶老婆，還打什麼仗？不可以！這是絕對不行的！』

『那……』小燕子怔了怔說：『我悄悄跟在你後面。我女扮男裝，不會讓人注意，這總行了吧？』

『也不許！』永琪凝視她，認真的說：『小燕子，妳讓我去打一場轟轟烈烈的仗，這是我期待已久的事，是我義不容辭的事，妳不要破壞我，好不好？不要讓我有後顧之憂！』

小燕子呆著，不說話了。

知畫一直看著永琪，聽說這一去，可能三年五載，心裡已經亂成一團。本來，和小燕子爭寵，已經處於下風，還想慢慢培養感情，現在，他居然要去打仗！他走了，她要怎麼辦？想著，就一臉悽慘無助的神色，走了過來問：

『永琪，我可以幫什麼忙？』

永琪驚覺過來，看了知畫一眼，體會到她的茫然失措，也有些感動，有些不忍。

『不用了，軍中人手很多，什麼事都有人做！妳們眞的不用忙。』他凝視知畫：『妳是有身孕的人，以後，好好照顧自己，照顧那個孩子吧！』

『你放心！我會的！』

知畫就走到小燕子身邊。說：

『姐姐，我來幫妳，一起給五阿哥準備行裝！』

『不需要了，妳現在是很重要，很尊貴的人！』小燕子拚命搖頭：『收箱子，搬行李……萬一動了胎氣怎麼辦？』

永琪看看小燕子，看看知畫，忽然覺得隱憂重重。自己一走，留下這樣兩個女人在宮裡，誰知道會發生什麼事？小燕子有身世的祕密，又心無城府，個性衝動。偏偏知畫知道這個祕密，卻很有城府，深藏不露。她們相處得好，或者還能維持表面的平靜，萬一相處不好，說不定會有大禍！這樣想著，他一個激動，就一步上前，一手拉住知畫，一手拉住小燕子，誠摯的說：

『妳們兩個，聽我說幾句話！妳們雖然都住在景陽宮，雖然都跟我成了親，但是，妳們是友是敵，我弄不清楚，說不定，妳們自己也弄不清楚！如果我在這兒，無論如何，可以緩衝妳們的戰爭，化解妳們內心的不平。但是，我要走了，剩下妳們兩個，要面對老佛爺，面對皇阿瑪，還要面對妳們彼此……我，還眞不放心！』他轉向知畫，深刻的說：『知畫，小燕子粗心大意，但是，對誰都沒有壞心眼！她不像妳這麼細心周到，也不像妳能夠討老佛爺和皇阿瑪的歡心，妳，要照顧她！』

永琪說完，兩個女人都變色了。小燕子背脊一挺，衝口而出：

『不用了！我那裡需要知畫照顧，我又不是小孩子！』

知畫聽出永琪言下之意，是她比小燕子厲害，比小燕子有心機，還是口口聲聲，護著小燕子。她心有不平，卻按捺住自己的不滿，凝視永琪，柔聲說：

『永琪，你的意思我明白了！你放心，我不會和姐姐變成敵人，我們是姐妹！至於姐姐和皇阿瑪之間的矛盾，和老佛爺之間的矛盾，我都會盡我的力量去化解！你安心的打仗去！需要你擔心的，是前線的敵人，是緬甸人，不是我們！』

知畫說得誠懇，永琪就如釋重負的鬆了口氣。又十分不放心的看著小燕子。

『小燕子……答應我，要跟知畫和平相處！』

『我們不是一直很和平嗎？幹什麼要這麼嚴重的叮囑我？難道你怕我欺負她？』小燕子早就被離愁弄得心煩意亂，又被他們這番話弄得更加難過。見永琪一直盯著她，就飛快的說：『好嘛好嘛！我答應就是了！』她心中一酸，轉身就衝出房。『我去收拾東西！』

小燕子一跑，永琪丟下知畫，也跟著衝出房。剩下知畫，悵然的站著。

明月、彩霞正在房裡收一口大箱子，春夏秋冬的衣服都往裡放，看到小燕子和永琪進房，明月就急急問：

『格格！春夏秋冬的衣服是不是都得準備？轉眼就是冬天了，皮襖皮帽都得帶著！』

『是呀！萬一眞要要在外面過三年五載，衣裳必需帶夠才行……那，這一口箱子不夠，要再去搬幾口箱子來！』

小燕子聽到這話，眼眶就濕了。永琪對兩個丫頭揮揮手：

『妳們先出去，讓我跟格格說說話！』

『我們再去找箱子……』

『不要再找箱子了，這口箱子我也不帶！我帶著大隊人馬行軍，是準備去吃苦的，不是去當皇子的，打仗的時候，誰幫我扛箱子？不要亂忙了，軍隊裡有軍衣軍氅，什麼都有！』

明月、彩霞應著，趕緊出房去。

小燕子驀然轉身，奔過來拉著永琪的手，熱烈的喊：

『讓我陪你一起去，求求你！我一定不會闖禍，我現在不是以前的小燕子，我懂事了，長大了，知道分寸了！我打扮成一個小兵，跟在你身邊，幫你打雜服侍你！我發誓會遵守所有的紀律，絕對絕對不闖禍！』

『小燕子啊！』永琪誠摯的說：『我也想帶著妳，我也捨不得跟妳分開！可是，這次眞的不行！這是我有生以來，第一次去前線打仗，第一次負擔這麼重的責任，第一次被皇阿瑪重用，我全心全意想打贏這一仗。妳跟在我身邊，別說有多少的不妥，最重要的，是妳會讓我分心，讓我無法專心作戰！妳想想，這麼多年以來，只要妳跟著我，我的一顆心，就懸在妳身上，怕妳闖禍，怕妳衝動，怕妳被人打死！這樣，我怎麼有力氣去打仗？如果妳眞的長大了，懂事了，妳就會瞭解我的苦衷，留在宮裡，等我回來！』

小燕子凝視著他，聽他說得這麼誠懇，知道他說的都是實情，怪只怪自己的個性，老是闖禍，才讓他對她失去信心。但是，身爲將軍，帶著她確實不妥吧！她愁腸百折，卻懂得他的意思了。

『那……你要早點回來，頂多半年，假若眞的要等三年五載，等你回來，我一定早就斷氣了！』

『妳能不能講一點好聽的呢？』他依依不捨的盯著她。

『是！』她的眼睛濕濕的。『可是……我想不出來什麼好聽的！我心裡亂七八糟！』

他深深看著她，眞是千不放心，萬不放心。他叮囑的說：

『我還是對妳不放心！在我離開的日子裡，妳千萬不要和老佛爺皇阿瑪起衝突，到時候沒有人救妳，我不在妳身邊，免死金牌又被皇阿瑪收回了……妳要爲我，保護好自己……』他捧起她的臉，拍了拍她的頭：『妳這顆腦袋，我喜歡得不得了，妳千萬要留著它！』

小燕子感動極了，眼裡淚汪汪。

『我知道了，我答應你，我會放下和皇阿瑪的仇恨，專心等你回來！我也會和知畫和平相處，幫你照顧你那個沒出世的孩子！』她的眼神堅定起來，勇敢起來：『你去把那些「麵店」收服，打他一個落花流水！我不讓你操心，我會表現得很好，絕對不會讓你丟臉！』她摸摸永琪的臉，也拍了拍他的頭：『你這顆腦袋，我也喜歡得不得了，你也要爲我，保護好這顆腦袋！』

永琪微笑起來，重重的點頭說：

『我們一言爲定！』

兩人手握著手，眼睛對著眼睛，長長久久的互視著。

第二天晚上，乾隆在宮裡，爲三位將軍餞行。

戲台上，一隊穿著盔甲的武士，正在表演一支『英雄出征舞』。武士們舞動旗幟，隨著雄壯的節奏，舞蹈得雄赳赳，氣昂昂。

舞台下，一桌一桌的酒席。乾隆和永琪、爾康、紫薇、小燕子、知畫、晴兒、太后、令妃、傅恆、福倫、福晉一桌。其他妃嬪貴婦和皇室貴族等人，坐滿了台下的桌子。出征舞告一段落，眾人瘋狂鼓掌。乾隆起身，舉杯大聲說：

『後天，傅恆、永琪、和爾康就要出發，為我們大清去打一場很辛苦的仗！讓我們大家乾一杯，預祝他們凱旋歸來！』

全部的人，都早已起立，眾人舉杯，全部乾了杯子。齊聲祝賀：

『皇上洪福齊天，預祝傅將軍，五阿哥，福額駙，馬到成功，凱旋歸來！』

傅恆、爾康、永琪趕緊舉杯，一飲而盡。永琪說：

『謝謝皇阿瑪！謝謝大家，希望我們不負眾望！』

大家坐下，宮女們像穿花蝴蝶般上菜上酒。

太后不捨的看看永琪，看看爾康，埋怨的說：

『皇帝！朝裡那麼多大臣，你誰不好派去打仗，偏偏派了永琪和爾康，他們兩個這麼年輕，跑到那麼遠的地方去，這一去，不知道要走多久？人家小夫妻，也在熱頭上，就讓人家分離，你怎麼捨得呢？』

太后這樣一說，知畫、紫薇都不好意思的垂下頭，只有小燕子睜大眼睛，神思恍惚。乾隆看著紫薇等女眷，頷首沉吟：

『老佛爺說的也是！好像有些殘忍啊！』

爾康就笑著說：

『老佛爺，妳不要心疼，我們這些年，也玩夠了！是該磨練我們，考驗我們的時候了！我們不去，別人也要去，幾萬大軍，個個家裡都有妻子，也一樣要忍受別離之苦！如果我們受不了，他們又怎麼受得了？』

乾隆讚賞的看爾康。說：

『爾康，說得好！希望紫薇也跟你一樣瀟灑，沒有在心裡罵我這個皇阿瑪！』

紫薇臉一紅，趕緊強笑著接口：

『皇阿瑪！別嘲笑我了！爾康去打仗，是義不容辭的事，皇阿瑪重用他，我只為他感到驕傲！』

『好！』乾隆看向知畫。『知畫！妳呢？』

知畫凝視乾隆，半帶憂慮半帶愁，沉吟的說：

『皇阿瑪！這兩天，我確實寢食不安！如果我說我沒有離愁，皇阿瑪也不會相信的！我一直在想，以前不瞭解岑參的詩，「將軍金甲夜不脫，半夜軍行戈相撥，風頭如刀面如割」是什麼情景？現在可以想像了！』

永琪生怕太后聽了更加心痛，趕緊接口：

『但是，我們應該是這首詩的最後三句「虜騎聞之應膽懾，料知短兵不敢接，車師西門佇獻捷」！皇阿瑪，老佛爺，不要擔心了，我們一定會打一個勝仗回來！』

乾隆大笑，由衷的讚美：

『好好！好！眞是朕的好兒女！眞是文有文才，武有武才！』就喊：『永璇！你代表弟弟妹妹們，敬兩位要出征的哥哥一杯！』

隔壁一桌的永璇就站起身，恭恭敬敬的舉杯說：

『永璇代表其他的阿哥和格格，敬兩位哥哥，祝你們攻無不克，戰無不勝！凱旋歸來！』

永琪和爾康，都一口飲乾了杯子。然後，令妃舉起了酒杯：

『來來來！讓我代表宮裡的娘娘們，也敬三位英雄一杯！』

傅恆、永琪、爾康都惶恐的舉杯，連說不敢，乾了杯子。令妃才坐下，晴兒就接著舉杯說：

『我也要祝傅將軍和兩位英雄，把敵人打敗就好，窮寇莫追！要早去早回！記住這兒有好多的人，在等你們回家，要寫信報平安喲！』

『晴格格說的，就是我想說的！希望你們每到一站，都派快馬回家，一定要讓家人知道你們的情形呀！』福晉含淚說。

福倫笑了，不好意思的說：

『皇上別見笑，她們女人的心思，就和男人不一樣！』回頭看福晉：『前線打仗都來不及，那有時間寫家書呢？別爲難他們了，讓他們安心的打仗吧！』

爾康看看兩老，看看紫薇。

『我會寫信的！放心，只要有時間，我會隨時寫信報平安！』

乾隆笑著說：

『福學士，你不要操心了，有紫薇在家，要他不寫信都難！』

『皇阿瑪，怎麼總是取笑我呢？』紫薇羞紅了臉，低聲的說。

『哈哈！小兩口感情好，是件好事！朕說的是實情，那有取笑？』

眾人見乾隆興致高昂，也附和的笑。

永琪一直心事重重，若有所思。此時，就很擔心的看著太后，委婉的開口說：

『老佛爺，知畫有了身孕，拜託老佛爺照顧！還有……小燕子的一切，一切的一切，請老佛爺看在我出門在外的份上，多多包涵她一點……』他暗示太后，對小燕子的身世，千萬要保密。

太后一嘆，認真的，誠懇的看著這個心愛的孫兒：

『永琪，你安心的去打仗吧！你的意思我明白了！其實，我也很疼小燕子的！』

小燕子看到永琪這樣放心不下她，已經叮囑了知畫，叮囑了自己，現在又叮囑太后。真是心心念念都是她！他擔心的，不是自己在戰場上的安危，而是她在宮裡的安危。這份愛，還能懷疑嗎？體會到這點，她那顆炙熱的心，就更加沸沸騰騰了。一個激動之下，她突然起身，對乾隆誠摯的說：

『皇阿瑪！我要敬您一杯酒，請您原諒我這些日子以來，對你不禮貌的地方！永琪要去打仗了，我不能再讓他操心我，我會約束自己，不再讓你生氣！』她嚥了口氣，強忍內心的掙扎。一咬牙說：『皇阿瑪，請記住我的好，忘掉我的錯，至於上輩子的債，我也不算了！』

小燕子說得委婉謙卑，永琪、爾康、紫薇、太后都聽得十分動容。但是，聽到最後一句，大家都嚇了一跳。乾隆見小燕子低聲下氣的認錯，又是意外，又是感動。聽到最後一句，也是一臉的錯愕。

『太難得了！小燕子也會認錯！』乾隆納悶的說：『可是……朕聽得有點糊裡糊塗，什麼叫做「上輩子的債」？』

太后和知畫交換視線，永琪睜大眼睛，好著急。

不料小燕子眼珠一轉，解釋著：

『我常常聽人說，兒女都是父母的債，我被皇阿瑪認做女兒，發生好多希奇古怪的事，又常惹皇阿瑪生氣，不知道是不是來討債的？如果我是，這筆債我就……我就……不討了！』

乾隆愣了愣，大笑起來：

『哈哈哈哈，原來是這樣，妳放了朕一馬！希奇呀，希奇！』他皺皺眉頭，想了想，再說：『朕覺得，朕常常被妳弄得團團轉，確實欠了妳！好吧！這個債咱們都不要算了！希望妳快點變回原來那個小燕子！』

『是！』小燕子順從的說，坐了下來。

永琪和爾康等人，聽得提心吊膽，此時，才鬆了一口氣。大家坐下，喝酒吃飯。

台上音樂一變，節奏強烈雄壯，武士們長劍揮舞，虎虎生風。眾人都被舞台上威武的表演吸引了。舞蹈者邊舞邊歌，歌聲慷慨激昂：

『旗正飄飄，馬正蕭蕭，
長戈直指向匈奴，鐵騎如風意氣高！
莫爲離別苦，當爲英雄笑！
征人遠去，就在今朝！
旗正飄飄，馬正蕭蕭，
凱旋歸來，就在明朝！
男兒征戰去，女兒縫征袍！
一身轉戰三千里，贏得千秋萬世豪！』

轉眼間，就到了離別前一晚。

在學士府，爾康初試武裝。他穿著一身鑲紅旗的盔甲，站在室內，看來雄姿煥發。紫薇、福倫、福晉圍繞著他，上上下下的看著。福晉問：

『不錯！滿合身的！這樣穿，眞是帥氣得不得了！明天出發，就穿這樣嗎？』

『是！這次有三旗的隊伍一起出發，都要穿三旗的軍服！』

紫薇摸摸盔甲的這兒，又摸摸那兒，強忍離愁，關心的問：

『這胳臂舉得起來嗎？領子會不會太緊？盔甲是特製的，我不會做，沒辦法爲你縫征袍，可是，那兒不合身，我還來得及把鐵片拆下來改……到了戰場，可不能因爲盔甲不舒服，打得不順手。』

『都好都好！每個地方都合身！』

福倫拿了一把劍，鄭重的走了過來。

『爾康！這是你第一次帶兵出征，我有信心，你會勝利歸來！這把劍，是我隨身的佩劍，跟著我二十幾年，我在京裡用不著它，我就把它移交給你了！』

爾康神情一正。雙手接過了劍，撫摸劍柄上的『福』字。說：

『這是福家的劍！我知道，這把劍對阿瑪的意義，我會用這把劍誓死殺敵，絕不讓福家這把寶劍蒙羞！』他堅定的、有力的說：『劍在，我在！劍亡，我亡！』

爾康話一出口，紫薇和福晉都有些變色，爾康卻渾然不覺，意氣風發的抽出劍來，寒光一閃，『唰』的一聲，劍已入鞘。爾康便把劍佩戴在身上，更顯威風凜凜。

福晉忍不住，眼中充淚了，奔上前來，握住爾康的手。

『我知道你滿心想殺敵，我知道你要報效國家，保護國土……可是，爾康……爲了我們，爲了紫薇，爲了東兒，千萬千萬要保重！』

『額娘！妳放心！我會的！一定會的！』

福倫就拉了福晉一把。

『我們出去吧！小倆口就要分離了，也給他們一點時間去話別呀！』

『是！是！』福晉含著淚，跟著福倫出房去了。

福倫福晉一走，爾康就把紫薇一攬。

『紫薇，我們說好的，今晚不許掉眼淚！』

『是！我沒掉眼淚！來，先把這件盔甲脫下來……』她對爾康笑著，神祕的說：『你這件盔甲不要給別人穿，我在盔甲裡，縫了一個平安符！還有一個小祕密！』

爾康脫下盔甲，換回便裝，驚奇的問：

『是嗎？在那兒？我一點感覺都沒有！什麼小祕密？』

紫薇拿起盔甲，翻開衣領，給爾康看。原來，在衣領內側，繡著一朵紫薇花。

『一朵紫薇花！在紫薇花裡面，是我從觀音廟裡求來的平安符！我雖然不能和你一起去，但是，這朵紫薇就是我，會天天陪伴著你，我的平安符，會天天保佑著你！這還不夠，還有這個！』說著，就從自己脖子上，取下用紅繩綁著的吉祥制錢。『這兒，是皇阿瑪給我的吉祥制錢，我在上面，用彩色的絲線，纏了好多層，做了一個同心結！我叫它「同心護身符」，請你一定要貼身戴著，連洗澡都不可以取下來！』

紫薇一面說，一面把那個吉祥制錢，套上了爾康的脖子。

爾康拿起那個制錢看了看，珍惜的，鄭重的，把它塞進衣領裡。

『我一定隨身戴著，絕不取下來！這樣，妳是不是比較安心了呢？』

紫薇把他攔腰一抱，把頭埋進他的肩窩裡。熱情澎湃的喊：

『我不會安心的，我絕對沒辦法安心的！從現在，到你回家，我會時時刻刻記著你，惦著你，想著你……我恨不得化成那個制錢，那麼我就可以讓你貼身戴著，和你一起上戰場，保佑你平安！哦！爾康……你記住記住，一定要平安回來！』

爾康被她的熱情感染著，激動的說：

『有妳的紫薇花，有妳的平安符，還有妳的吉祥制錢！我全身都包裹在妳的期待和熱情裡，我怎麼可能不平安呢？放心，我會非常非常小心！我對妳和東兒，還有未了的責任，我一直是個負責任的人，我會負責到底的！放心，放心……我絕對不會辜負妳！放心，放心……我會毫髮無傷的回到妳身邊！』

兩人對看，離愁依依，深深注視，再緊緊擁吻。

37

終於到了出發這一天，在太和殿前，黑壓壓的站著送行的人潮。乾隆帶著眾多的大臣、親王、阿哥、嬪妃……全部站在殿前。

永琪、爾康和傅恆，都穿著全副戎裝，帶著三旗將領，騎在馬背上。大殿前，馬隊、儀隊、軍樂隊、士兵隊……陣容壯大的羅列著。本來，由北京到雲南還有漫漫長路，將軍是不用穿全副武裝出發的，但是，爲了讓軍容整齊，也爲了乾隆的親自送行，大家都披掛上場。永琪的一身鑲白旗，像白雲般瀟灑。爾康的一身鑲紅旗，像火焰般明亮。傅恆帶著鑲藍旗，以主帥身分，站在正中。三人站在大軍前，眞是雄姿英發，壯懷激烈！

乾隆走到三人面前。聲如洪鐘的喊道：

『傅恆！永琪！爾康！』

三人朗聲回答：

『臣在！』

『永琪在！』

『爾康在！』

『朕封傅恆爲征南大將軍，是這次出征的主帥！帶領鑲藍旗一萬大軍，出征雲南！五阿哥是左將軍，帶領鑲白旗一萬大軍！福爾康是右將軍，帶領鑲紅旗一萬大軍！雖然左右將軍，是皇子駙馬，但是，仍然要以傅將軍爲主！軍令如山，服從第一！傅恆身經多戰，經驗豐富，左右將軍，初次出征，切忌輕舉妄動！』

永琪和爾康就齊聲回答：

『永琪／爾康謹記在心！』

『等你們勝利回來，朕一定親自到城外去迎接你們！』乾隆豪氣干雲的說，一揮手：『去吧！』號角齊鳴，鼓聲震天，傅恆、爾康、永琪都向乾隆行軍禮，然後，傅恆手一揮。

『出發！』

壯大的隊伍，就開拔向前。

文武百官，全部彎腰恭送，喊聲震天：

『祝三位將軍，百戰百勝，凱旋歸來！』

小燕子和紫薇，站在女眷之中，拚命揮手，眼看永琪和爾康，帶著隊伍浩浩蕩蕩出門去。她們兩個，淚眼相對一看，小燕子就拉著紫薇的手一奔。

旗幟飄飄，馬蹄雜沓。壯大的軍隊，在永琪、爾康、傅恆的引領下，迤邐向前，蜿蜒數里，轉眼間就出了北京城。

隊伍到了荒野，忽然有兩匹快馬，從後面飛奔而來。隱隱約約的喊聲，跟著快馬傳了過來：

『永琪！永琪！等一等……』

永琪大驚，勒馬回頭。爾康跟著回頭，看著那兩匹快馬，狂奔而來，馬背上，赫然是小燕子和紫薇！

『是小燕子！』永琪驚喊。

『還有紫薇！』爾康更驚。

傅恆趕緊舉起手來，停止隊伍。對永琪和爾康說：

『左右兩位將軍，去跟夫人話別吧！隊伍可以暫停一下！』

永琪和爾康，雙雙一夾馬腹，疾奔上前，去迎接小燕子和紫薇。

四匹馬在山邊相遇，大家勒住馬互視。爾康驚愕的說：

『紫薇，妳們怎麼跑到城外來了？』

永琪更是擔心，看著小燕子，急切的說：

『小燕子，妳出宮有沒有得到批准？妳就這樣溜出來了？』

小燕子奔得上氣不接下氣，喘著氣嚷：

『你們不要緊張，我是問過皇阿瑪的，他特地答應我們，到城外來送你們一程！你看，傅雲帶著一隊人馬，在遠遠的保護我們！』

果然，遠處有一隊騎著馬的官兵，站在那兒遙望著。

紫薇對爾康歉然的笑著。說：

『沒辦法，我被小燕子說服了，想再見你一面的念頭，把所有的理智都趕走了！還是跟著她來了！』

爾康看著這樣的紫薇，真是千般不捨。四人就下了馬背，走到山壁旁。

小燕子急急的，把自己脖子上的『吉祥如意鎖』，套在永琪脖子上。

『紫薇說，他給了爾康好多保佑的東西，又是平安符，又是吉祥制錢！我傻傻的，什麼都沒幫你準備，所以趕了過來，把皇阿瑪給我的吉祥如意鎖給你，讓它保佑你！』

『永琪，爾康！』紫薇接口：『你們兩個，在戰場上要彼此幫忙，最好不要分開……千萬不能落單……』

『就是就是！你們要發揮所有的作戰能力，把敵人打得天翻地覆，落花流水……』小燕子喊著喊著，忽然說：『哎呀！紫薇，我不回宮了，我就這樣跟著他們一起去！妳一個人回去吧！』

『不可以！』永琪驚呼：『絕對不可以！小燕子，每次，我都聽妳的，這次，妳一定要聽我的！』

爾康看看在等待的大軍，著急的說：

『紫薇，小燕子，妳們珍重！五阿哥，我們不能再這樣拖拖拉拉了，今天是第一天出發，我們就延誤進度，實在不好！』他伸出手去，緊緊的握住了紫薇的手：『紫薇，代我親親東兒！告訴他，我已經開始想他了！紫薇……珍重珍重，保重保重！』

『你也是，你也是！要寫信給我……要注意安全……要小心身體……』紫薇急切的叮囑，還有沒說的千言萬語，全部卡在喉嚨口。

『我知道，我知道，我都知道！妳也要小心身體，自己身子不是很好，萬事不要逞強！』

小燕子和永琪，也是兩手相握，四目相對。小燕子忽然想到什麼，趕緊把馬背上一個大袋子，拿了起來，翻開袋子，急急的搬出裡面的東西，一件一件的往永琪手裡塞去：

『我給你們準備了一些吃的，這是宮裡醃製的陳皮梅，給你路上吃！這是牛肉乾，也給你路上吃！這個金橘乾，很甜的，吃了就不渴！這個炸鍋巴，好好吃！路上餓了可以吃……這是柿餅，這是蘋果乾，這是核桃酥，這是雪片糕，這是瓜子，晚上聊天可以吃……』

永琪用手捧著，轉眼間，食物已經堆到他的下巴。他目瞪口呆，喊：

『幫幫忙，小燕子！我不是去游山玩水耶！一路上，都有伙夫燒飯，我要跟大家一起吃大鍋飯……那有一個將軍，一路吃零食的呢？』

小燕子的眼眶驀然紅了，淚珠在眼眶中打轉，她哽聲的說：

『你帶著你帶著嘛！路上總會餓的嘛……餓著肚子怎麼打仗嘛……』

永琪凝視著小燕子，她一個勁兒把東西繼續往他手裡堆，還在那兒絮絮叨叨的說著，這是什麼，那是什麼……永琪什麼都聽不見了，只看到那對含淚的眸子，那兩瓣動來動去的嘴唇，還有那無盡無盡的不捨……他的手一張，所有大包小包都掉到地上去了，他一奔上前，用手臂緊緊緊緊的抱了她一下。如果不是那頭上的帽子太礙事，如果不是傅雲在遠遠隨侍，他眞想對她吻下去。

爾康和紫薇，也是難捨難分的，爾康知道，必需上馬了，但是，紫薇握住他的手，就是不放。他用雙手，把她的雙手闔在手中，緊緊一握，說：

『我必需去了！』

『是！』紫薇應著，慢慢的，不捨的鬆了手。

永琪和小燕子，正在撿地上的大包小包，紫薇和爾康趕快幫忙，七手八腳，把那些東西都裝回大袋子裡，永琪把它掛上馬背，不能再耽擱，讓整個軍隊看笑話，他一躍上馬。喊著：

『紫薇，請妳時時刻刻進宮，幫我照顧小燕子！』

『是！我會帶著東兒，隨時去景陽宮小住！』

爾康也一躍上馬，忽然覺得衣服下襬被人攥著，低頭一看，紫薇攥著他的衣角。他伸手過去，紫薇立即放開衣角而重新抓住他的手。

『紫薇，』他深深的凝視她：『我會守著對妳的承諾，我會言而有信！讓我走吧！』

永琪看這樣耽誤，未免太兒女情長了，一咬牙，舉起馬鞭，一鞭抽在馬背上，馬兒一聲長嘶，撒開四蹄，疾馳而去，永琪的聲音，隨風而至：

『小燕子……再見！爾康，快走！』

爾康再深深看了紫薇一眼，忍心的用力一抽手。紫薇握不住，兩手乍然鬆脫，爾康就一揮馬韁，急馳而去。不住口的喊著：

『珍重！珍重！珍重……』

小燕子和紫薇，站在那兒，忍不住瘋狂的揮著帕子，喊著：

『勝利！勝利！一路勝利！』

『平安！平安！一路平安！』

永琪和爾康奔回隊伍，大隊人馬，立刻出動。儀隊、馬隊、輜重隊……浩浩蕩蕩向前行去。爾康和永琪回首，但見紫薇和小燕子，兀自站在那兒，不斷不斷的揮著帕子。隊伍走了好遠，他們再回首，還看到那兩個身穿紅衣的女子，像兩個小小的紅點，嵌在山頭。

小燕子和紫薇，是一直等到大隊人馬都看不見了，才黯然回宮去。

後來，紫薇寫了一首歌，常常坐在窗前，彈著琴唱著：

『人兒遠去，山山水水路幾重？
送君千里，也只有一聲珍重！
多少叮嚀，耳邊聲聲在飄送，

想必今後，呼喚都在夢魂中！
最怕離別，千絲萬縷情切切！
馬蹄翻飛，只怕鐵衣冷如雪！
號角聲裡，英雄壯志當激烈，
莫忘深閨，有人望穿雲和月！』

永琪和爾康，開始了一份和以前截然不同的生活。

行行重行行。爲了趕時間，隊伍幾乎沒日沒夜的趕路。再也沒有錦衣玉食，再也沒有詩情畫意，生活是緊張的，忙碌的。前線的狀況，不斷傳來，都是一些不利的消息。三位主將，越來越著急。走著走著，秋意漸濃，常常一陣大雨，淋得大家渾身濕透。雨後，氣溫也驟然降低。紫薇的歌唱對了，『馬蹄翻飛，只怕鐵衣冷如雪，號角聲裡，英雄壯志當激烈！』這樣走著，趕著，日夜不停，總算在一個月後，走到了雲南境內。雲南的氣候並不冷，但是很潮濕。這對長大在北京的爾康和永琪來說，又有許多不適應。對軍人來說，仗還沒打，已經兵困馬乏，水土不服了。

這天，大軍在離邊境一百里的郊外紮營，傅恆就帶著一隊精銳部隊，去探聽戰事情況。永琪和爾康，留守在營地。

黃昏時分，落日懸在天邊。

在一個帳篷中，爾康、永琪正在吃飯，一些勤務兵在侍候。兩人一面吃，一面研究地圖，分析戰事情況。

『總算走到雲南了，還好，雲南一點都不冷！不過，怎麼沒有看到劉藻的軍隊來迎接呢？大軍這樣入境，先頭部隊也已經到了雲南，他老先生總不會不知道吧？』爾康說。

『我覺得，這事不妙！劉藻這個人，年紀大了，難免貪生怕死，說不定帶著大軍潛逃了！』永琪說。

『不至於吧！他好歹是個雲貴總督！手下的人馬，有兩萬人呢！就算打了敗仗，也不可能全軍覆沒！』

『等到傅六叔回來，就可以知道一個大概！我想，我們不可能期望劉藻能幫什麼忙，都要靠自己了！』

爾康沉吟著，點了點頭：

『我們先讓士兵們休息夠，這一路夠辛苦了，再來計劃怎麼打這一仗！看這地圖，越到邊境，路越難走，山上好像根本沒有路，馬和輜重，能不能過去，糧食夠不夠，如何運輸到前線，都要計劃！軍隊要打仗，絕對不能餓肚子！』

兩人正討論著，有個士兵進來，大聲報告：

『報告兩位將軍，外面有個百夷人求見！』

『百夷人？』永琪一怔：『那是雲南的土著！雲南地區，主要的民族就是百夷人！』說著，就狐疑起來：『百夷人來軍營幹什麼？恐怕有詐，不得不防！』

『他一個人來？還是有人一起來？』爾康問士兵。

『報告將軍，只有一個人！』

『他一個人來，會有什麼作爲？』爾康藝高人膽大：『我們兩個在這兒，還怕什麼百夷人，不怕！讓他進來吧！』

『是！』

士兵才出去，帳篷一掀，只見一個渾身穿著白衣，頭上綁著白色頭巾的百夷人，大步進入帳篷。用清楚的漢語，朗聲說：

『百夷人游鵬勞拜見兩位將軍！』兩手一拱，笑了：『兩位別來無恙！』

爾康和永琪大驚，目瞪口呆。什麼百夷人，原來是簫劍！

『哇！百夷人？好一個百夷人，你……』永琪脫口驚呼。

爾康急忙把永琪一撞，對帳篷中的士兵說：

『你們全體到外面去守著，有任何人來，都要通報！』

『是！』士兵們退出帳篷。

爾康四面檢查了一下，這才一掌拍在簫劍的肩膀上。說：

『你好大膽子，單槍匹馬闖軍營！還好傅六叔不在，要不然，一定把你抓起來，當作奸細給殺了！』

簫劍有恃無恐，從容不迫的說：

『你們那個傅六叔從來沒有見過我，不知道簫劍是誰。有百夷人來投效，自願當嚮導和軍師，爲什麼要殺呢？不過……我從北京跟你們到這兒，今天才現身，已經夠小心了！』

『你眞是千變萬化，你現在的名字叫什麼？游什麼？』永琪驚喜不勝。

『游鵬勞，倒過來唸就明白了！』

永琪眼珠一轉。明白了！是小燕子的遊戲嘛！

『哦！原來是「老朋友」呀！』

三人這才相視而笑，久別重逢，興奮不已。爾康就追問：

『你說什麼嚮導和軍師？你要加入我們，去打緬甸人嗎？』

『可不是！你們兩個，一個是我的生死之交，一個是我的妹夫！我不為了你們的幫主，也要為你們，共同來打這一仗！何況，我在雲南長大，精通百夷話，雲南話，對這兒的地形山勢，也瞭如指掌，你們缺乏一個嚮導和軍師，我正是那個可以當嚮導和軍師的人！』

『那太好了！你來了！我們是如虎添翼！』永琪不禁大喜。『等到傅六叔回來，我們就把你引見給他，就說，你是毛遂自荐的百夷人，已經通過我們的安全檢查了！』

『就這樣！』簫劍豪氣干雲的說：『那些緬甸人，也欺人太甚！讓我們三個聯手，打一場漂亮的仗！』笑容忽然一收，低問：『晴兒怎樣？』

『還能怎樣？』爾康瞪他一眼：『那天，被一個白鬍子老公公弄得神魂顛倒，現在，和宮裡其他幾個女人一樣，在那兒過著望穿秋水的生活！』

簫劍一嘆，看著永琪，又問：

『小燕子怎樣？你那個知畫，有沒有喧賓奪主？』

永琪臉色一暗。皺皺眉說：

『你一來就踩到了我的痛腳，夾在兩個女人裡生活，我眞是苦不堪言！關於這個，我們慢慢再談，還是先來談談軍情吧！』

『談軍情以前，先喝一杯酒，慶祝我們三個的重逢！』

爾康倒了三杯酒，三人興奮的碰杯。

『為了重逢！』爾康說。

『為了友誼！』永琪說。

『爲了勝利！』簫劍說。

『爲了在北京等我們的女人！』永琪再說。

三人『叮』的一聲，清脆的碰杯，再仰頭一飲而盡。

北京那等待中的女人，確實度日如年。

這天，紫薇進了宮，完全不顧平日的優嫻貞靜，一路穿花拂柳，飛奔進了景陽宮的院子。不住口的喊著：

『小燕子！小燕子！小燕子……』

小鄧子、小卓子迎上前來。小鄧子驚愕的問：

『格格！怎麼跑得上氣不接下氣？什麼時候進宮的？』

『小鄧子，小卓子，』紫薇急忙說：『你們趕快去慈寧宮，把晴格格請到這兒來，就跟老佛爺說，我進宮了，好想跟晴格格聚一聚！』

『喳！我知道了，我想辦法把她找來就是了！』小卓子說，飛奔而去。

小燕子聽到聲音，迎了出來。看到紫薇就興奮的喊：

『哇！紫薇，想死我了！怎麼沒帶東兒來？』

『誰說沒帶？東兒跟著奶娘和秀珠，慢吞吞的下馬車，東張西望，摸摸這個，踢踢那個……我可等不及了，就一路跑了過來！』她興奮的抓住小燕子的手，激動的說：『小燕子！爾康有信來了！』看看屋裡，壓低聲音：『還有永琪給妳的信……還有一個奇事……我們進去談！』

小燕子眼睛一亮，脫口喊：

『永琪的信？真的？跟爾康的信一起，送到學士府……』

小燕子話沒說完，知畫衝到院子裡，帶著一臉的期盼，急切的看著二人。問：

『永琪有信來？是不是？』

紫薇趕緊捏了小燕子的手一下，示意她別說。臉色一變，掩飾的說：

『沒有沒有！是爾康有信回來，提到永琪而已，他們很好，已經到達雲南了，還沒遭遇到緬甸兵，所以，還沒打仗！可是……』她想了想，計算了一下：『快馬傳書，也傳了十幾天才到，現在，他們一定交兵了！』

『我們進去說話！趕快來我房間！』小燕子知道永琪有信給自己，那兒還沉得住氣，拉著紫薇，不由分說就往裡面跑。

兩個格格就掠過知畫，衝進房間去了。

知畫站在那兒，臉色頓時暗淡下去。她聽到了幾句，也猜到了幾分，不禁自言自語，自怨自艾起來：

『寫信到學士府，卻不送進宮，明明就不想寫信給我，才會這樣！他把我當成什麼？他心裡，真的完全沒有我嗎？我就不如這個小燕子嗎？』

她站在院子裡發呆，也顧不得小院風寒，深秋露冷。桂嬤嬤急急的拿了一件披風出來，披在她的肩上，說：

『福晉！我的主子！這院子裡風大，妳是有身孕的人，怎麼可以吹風呢？萬一著涼怎麼辦？趕快進去吧！』

知畫不動，沉思著。

這時，晴兒飛奔而來，急忙忙的衝進院子。小鄧子、小卓子跟在後面跑。晴兒看到知畫，趕緊放慢腳步，不好意思的笑笑。說：

『知畫！紫薇來了是不是？我去跟她們聊天去！』

晴兒說完，一溜煙就掠過知畫，進房去了。桂嬤嬤納悶的說：

『幾位格格，怎麼都是這樣急沖沖？』她看看知畫：『福晉不跟她們聊天去？』

桂嬤嬤提醒了知畫，她笑笑，若有所思的說：

『是啊！這晴格格和紫薇格格來到景陽宮，就都是我的客人，我也該盡一盡地主之誼嘛！』她立刻打起精神說：『桂嬤嬤，準備一點吃的！豌豆黃、芸豆卷、小窩頭、千層糕、炸酥盒、肉末燒餅……都拿一點來！』

『喳。』桂嬤嬤趕緊照辦。

晴兒衝進了小燕子的臥室，小燕子就奔了過來，一把拉住她，興奮的嚷：

『晴兒，晴兒！永琪給我寫了一封信……』小燕子把信箋壓在胸前。『我眞想他！現在，才明白他對我有多好……』

『先別說妳那一封信！晴兒，妳看這個！』紫薇喊，就拿出一張信箋，攤在桌子上，給晴兒看。『這個字跡，妳當然認得，這張信箋，和爾康的信，封在一個信封裡！妳看！』

晴兒急忙對那張信箋看去，一眼看到那熟悉的字跡，她的心已經『怦怦怦』的狂跳起來，拿起信箋，只見上面題著四句話：

『回首向來蕭瑟處，也無風雨也無晴，遙望雲深不知處，又是風雨又是晴。』

晴兒悲喜交集，唸著信箋。左唸一遍，右唸一遍：

『回首向來蕭瑟處，也無風雨也無晴，遙望雲深不知處，又是風雨又是晴。』她不能喘氣了：『簫劍！難道他們在一起？這是他的筆跡，這四句話，嵌著蕭字和晴字，他是寫給我的呀！』

『是啊！』紫薇熱烈的說：『這四句話裡，有對妳的思念，也有對妳的擔心！他們生怕家書落在別人手裡，所以不敢明寫，但是，妳看……』她把爾康的家書拿給晴兒看。『爾康在這兒寫著，「幸有故人來，如虎添翼」，又寫「猶記辛未狀元，共度患難之日」，看到了嗎？「辛未狀元」就是當初簫劍帶妳私奔時，留給我們那個字謎的謎底！』

晴兒喜出望外，眼睛閃亮。激動的低喊：

『是他！就是他！一點疑問都沒有，他們寫得非常明白了！小燕子，太好了！他們又在一起，並肩作戰了！哎呀，紫薇……』她眼中充淚，唇邊帶笑，簡直無法隱藏自己的感情：『知道了他的下落，我夜裡作夢都會笑！』

小燕子更是樂不可支，抓住晴兒的手，又搖又喊：

『我就說嘛，他們去雲南打仗，那根本就是我哥最熟悉的地方，他等於回家了！我想了好多年，要去那個有水有花的地方，就是去不成，現在，他們三個，都在那兒，我們三個，卻都關在這個回憶城裡，動也不能動！哎，我眞想他們！』

這時，門上傳來敲門的聲音，大家都緊張起來。只見彩霞伸頭進來說：

『紫薇格格，東兒少爺來了！妳們儘管聊天，我和明月、奶娘他們帶著他玩！等他找額娘的時候，再帶過來！』

『好好好！妳們照顧著他，當心他摔跤！』紫薇說。

彩霞還沒關門，房門突然被衝開了，知畫笑吟吟，帶著珍兒、翠兒、桂嬤嬤，手捧各色點心，送進房來。知畫笑著說：

『紫薇格格和晴格格來，都是景陽宮的客人……來來來，一些小點心，一邊吃一邊聊……』把手裡的點心放上桌，一眼看到桌上攤著的信，就伸手去拿。『信！是永琪寫來的吧！姐姐，不要小器，我也可以看看吧……』

三個格格大急，全部撲過來搶那封信。小燕子速度最快，一個箭步，就直衝上前來，伸手搶走了信箋。大叫：

『那不是永琪的信，是爾康寫給紫薇的信，妳怎麼看別人的信呢？』

小燕子這一搶，衝得很急。知畫一閃，不知怎的，撞到桌子上，把點心『哐啷』一聲撞下地，只聽到知畫慘叫一聲，摔倒在地，痛喊出聲：

『哎喲……姐姐……妳爲什麼要撞我的肚子……哎喲……哎喲……』

桂嬤嬤嚇得尖叫起來：

『福晉！小心肚子裡有孩子呀！福晉……妳怎麼不小心……』

珍兒、翠兒嚇得把點心盤子一放，全部奔過來扶。

『福晉！傷了那兒，要不要緊啊？』珍兒急問。

『格格手勁大，有工夫的……妳怎麼不避開啊？』翠兒急喊。

知畫躺在地上，用手摀著肚子，仍在哎喲哎喲慘叫。

『哎喲，哎喲……好痛……好痛……哎喲……』

晴兒和紫薇，也嚇得面無人色了。晴兒俯身下去察看，著急的問：

『知畫，嚴不嚴重？』

『很痛……很痛……』知畫的眼淚掉下來，眼神裡盛滿了恐懼。『我很害怕……』她用手壓著肚子。『孩子……孩子……永琪不在，如果孩子……』

晴兒知道嚴重性，萬一知畫失去這個孩子，小燕子大概也性命難保，她的臉色頓時慘白，急呼：『傳太醫！趕快傳太醫！小鄧子！小卓子！趕快傳太醫……』

桂嬤嬤、珍兒、翠兒、和趕進來的明月、彩霞也一路喊了出去：『傳太醫！傳太醫！傳太醫……』

整個房間裡，立刻亂成一團。桂嬤嬤和珍兒翠兒，扶起知畫，一步一停的往新房走去。知畫一直摀著肚子，又是呻吟，又是哭泣。

小燕子呆呆的看著知畫離去，一臉的驚愕和困惑。轉頭對紫薇說：『我根本沒有碰到她……她怎麼會摔了下去？』

紫薇震驚的看著小燕子。

太后幾乎和太醫一起趕到，接著，新房裡一陣忙亂。太醫出出入入，太監們拿著藥方去御藥房抓藥、熬藥，丫頭們穿流不息的奉湯奉水，嬪妃們得到消息紛紛前來慰問……到了晚上，太醫和嬪妃們才陸續出房去，孩子總算保住了。

知畫躺在床上，看起來弱不禁風。桂嬤嬤端著藥碗，侍候著她吃藥。

太后坐在床沿上，拉著知畫的手，不勝憐惜的拍撫著說：

『還好還好，有驚無險！總算沒有大礙，嚇死我了！妳也小心一點呀，自己的身子，自己要注意嘛！那個小燕子，以前曾經從屋頂上跳下來，手裡拿著煙火棒亂舞，把我的衣服都燒起來……妳呀，和她離開遠一點，知道嗎？』

知畫委曲求全的說：

『老佛爺，請妳不要責備姐姐，她只是不小心，不是故意的，是我不好，看到紫薇格格來，晴格格又來了，就有點興奮……』說著，落淚了，說不下去。

太后看著知畫發楞，桂嬤嬤就低聲說：

『老佛爺……福晉心腸好，有苦都往肚子裡嚥！據奴婢看，格格是有意撞傷福晉，她自己生不出孩子，也不願意福晉有孩子！您想，格格的身手和力氣，如果她存心使壞，福晉實在不是對手！』

『胡說！』知畫趕緊阻止。『桂嬤嬤，不可以這樣說姐姐，她只是粗心大意而已！絕對不會有壞心！』

太后看看知畫，看看桂嬤嬤。嚴重的說：

『知畫！妳最好小心一點，知人知面不知心，尤其女人妒嫉起來，是一點理性都沒有的！小燕子對妳，一直就妒嫉得厲害，現在，永琪又不在這兒，沒人保護妳！如果這個景陽宮住不下去，還是先搬到慈寧宮去，等永琪回來再過來吧！』

『老佛爺，不好吧！』知畫搖頭，說：

『我已經嫁進景陽宮了，就應該在景陽宮等永琪！和姐姐處不好，是我的失敗……如果我搬去景陽宮，大家一定說我有老佛爺撐腰，享有特權似的。老佛爺放心，我會繼續努力，讓姐姐喜歡我！好在，孩子保住了！』

『妳還想讓她喜歡妳？』太后不可思議的看著知畫，拍拍她的手，一副悲天憫人的樣子，嘆息的說：

『但願菩薩保佑妳！』

太后離開知畫的房間，走進大廳，紫薇、小燕子、晴兒都圍了過來。

『知畫還好吧？』晴兒急忙問。

『妳想呢？』太后看了晴兒一眼。『雖然太醫說，沒有動到胎氣，可是……她嚇都嚇死了！永琪不在家，她有個什麼事，妳們大家對永琪怎麼交代？』

小燕子、紫薇、晴兒聽太后語氣嚴厲，都呆了呆。小燕子衝口而出：

『我又沒有怎麼樣，她自己站不穩，就摔下去了！』

太后大怒，手在桌子上重重一拍。

『妳沒有怎麼樣，知畫的孩子都差點保不住，如果妳有怎麼樣，大概知畫小命都難保了！』

小燕子聽了，氣得差點昏倒，晴兒和紫薇也雙雙變色。

『老佛爺！』小燕子跳起身子，往前一衝。『知畫說是我推她了？我撞她了？我找她對質去！』

小燕子往裡面就走，太后大聲喊：

『回來！』

紫薇和晴兒，趕緊攔在小燕子身前。紫薇就對她使眼色：

『不要沉不住氣，今天，本來大家都很開心……想想好的一面，知畫的事，是個意外，只要大事化小，小事化無就好！妳不要再去打擾她，讓她休息吧！』

『就是就是！』晴兒也跟小燕子使眼色：『看在辛未狀元啦，又是風雨又是晴的份上，不要計較了！』

小燕子呆呆的站著，胸口劇烈的起伏著，拚命按捺自己，氣呼呼。

太后走到小燕子面前，有力的說：

『妳不要去冤枉知畫了，剛剛在知畫房裡，她可是苦苦的求我，要我不要責備妳，不要怪妳，說都是她自己的錯！』她嘆了一口氣：『小燕子！妳應該慶幸，知畫是這麼有修養有教養的姑娘，才會息事寧人，妳也寬厚一點，得饒人處且饒人吧！妳那個力氣，我早就領教過了！』她回頭看著晴兒和紫薇說：『晴兒，跟我回慈寧宮去！紫薇，妳勸勸小燕子，心胸要寬大一點，知畫肚裡的孩子，好歹是永琪的！如果有任何差錯，我都不會原諒小燕子！』

小燕子聽著太后一句一句的話，眼睛越睜越大，最後，連嘴巴都張開了，就差沒有嘔死。紫薇也聽得一肚子的不平，卻不敢再說什麼。晴兒著急萬分，生怕小燕子再頂撞太后，心想，還是早走早好。就急忙攙住太后，說：

『老佛爺，我扶您回去！紫薇，妳照顧小燕子，我明天再過來！』

小燕子還想說話，紫薇拚命拉住她。

『別說了，別說了！』

晴兒就扶著太后往門口走去。

就在這時，知畫在桂嬤嬤攙扶下，捧著肚子，顫巍巍的走進大廳，嚷著：

『老佛爺，您好好走！當心路上滑……』

太后站住，回頭驚問：

『妳怎麼不在房裡躺著，又跑出來幹什麼？』

『我出來送老佛爺……』知畫虛弱的笑。

小燕子看到知畫這樣，忽然忍無可忍的爆發了，大叫著對知畫衝去：

『哇！我要瘋了！我要憋死了！我要氣死了！我要冤死了……妳說說清楚，到底妳是怎麼摔的……』

小燕子這樣一衝，知畫嚇得臉色慘白，雙手保護著肚子，尖叫出聲：

『救命……救命……老佛爺……救命……』

紫薇一看不對，想也沒想，就衝上前去攔小燕子，這一攔，就和她迎面撞在一起。想那小燕子，力氣有多大，紫薇站不住，就摔倒下去。正好摔到茶几上，茶几倒了，茶杯茶壺碎了一地，發出一陣碎裂的巨響。明月、彩霞驚叫著，趕緊奔上去攙扶她。小燕子急忙收住了步子，驚怔的看著摔得七葷八素的紫薇。

太后嚇得渾身發抖。喊著：

『這我可親眼看到了！我明白了！這個景陽宮，怎麼還能住？桂嬤嬤，珍兒，翠兒，扶著妳們主子，立刻跟我回慈寧宮去！東西也別收了，明天再拿！知畫再待下去，遲早會被弄死！快走！』

『喳！奴婢遵命！』桂嬤嬤大聲答應。

『老佛爺……』知畫猶豫的、顫抖的喊。

『還猶豫什麼？走！馬上走！』太后就去拉知畫。

桂嬤嬤、珍兒、翠兒趕緊扶著。知畫就在眾人簇擁下，跟著太后，滿臉餘悸猶存的樣子，一起出門去了。晴兒無奈的看了紫薇和小燕子一眼，也跟著去了。

轉眼間，大家都走了，紫薇坐在一堆碎片裡發怔。明月，彩霞也傻住了。

小燕子看著地上的紫薇，一下子失去渾身的力量，往地上一坐，坐在紫薇身邊。雙手托著下巴，沉重的吸著氣，好像她已經快要窒息了。紫薇凝視她，輕聲說：

『小不忍則亂大謀……妳又忘了！』

『這個小人和大貓，我知道……可是……知畫怎麼變成這樣？』她睜大眼睛看紫薇。『她冤枉我，我發誓，我眞的沒有碰到她，是她自己摔的……』她想想，痛楚忽然淹沒了她：『我弄砸了，我又弄砸了，永琪臨走的時候，對我說了幾千幾萬句，要我跟知畫和平相處……紫薇，怎麼會這樣呢？那個大貓，實在太難養，我不會養，我養不起啊！』

小燕子脆弱的說著，眼淚終於掉了下來。紫薇一把抱住她，兩人依偎在一起。半晌，紫薇震動的，深思的，低低的說：

『或者，知畫沒有變，她可能一直是這樣一個人，我們說不定通通中計了！她步步爲營，進宮，征服了老佛爺，說服了我們，當了五阿哥的福晉，懷了永琪的孩子……想想看，這是好難的一條路，她都做到了！她沒想到的，是永琪會在這個節骨眼，上了戰場……』說著說著，她忽然打了一個冷戰。

小燕子抬頭看她。

『妳在說些什麼？』

『我希望，是我想太多了！』紫薇搖搖頭，不說了。眼中露出擔憂和恐懼。

小燕子似懂非懂，以她那單純的心，要瞭解紫薇的分析，還是不容易的。她看著紫薇，因爲紫薇的擔憂而驚怔起來。

38

在雲南的永琪和爾康，開始了他們這一生的第一場戰爭。

他們是一清早從邊境出發的，在出發前，早已研究好了策略。傅恆這次帶著一位皇子，一位駙馬出來打仗，壓力實在很大。探子來報，敵軍正在打猛籠，葫蘆口只有少數緬甸軍在駐守，他就做了第一仗的安排。

營地一早拔營，無數清軍，身穿盔甲，整裝待發。傅恆、永琪、爾康、簫劍、和幾位武將，都全副武裝，站在營地正中，傅恆以統帥身分，分配了任務：

『就這麼決定，我們兵分兩路，我帶著楊坤參將去攻猛籠！左右兩將軍，有總兵劉德成協助，去收復葫蘆口！不管勝敗，日落時分，一定收兵，兩軍都要在奇木嶺營地集合，根據戰績，再研究下一步的戰略和路線！』

『就這麼辦！』永琪一點頭，看著傅恆，瞭解的說：『不過，傅六叔把簡單的工作交給我們了！葫蘆口聽說已經沒有緬軍，說不定很輕鬆就收復了！倒是猛籠，都是山路，地勢險惡，傅六叔要小心！』

『那也不一定！』爾康說：『猛白神出鬼沒，誰都不知道他在那兒！我們都聽傅六叔吩咐，就沒有錯！大家都盡力而為吧！』

傅恆看看這兩位皇室貴冑，不放心的叮嚀：

『兩位將軍，安全第一，切忌輕舉妄動！如果遭遇了猛白的正規軍，最好先退回營地，不要交鋒！劉德成有經驗，讓劉德成帶路！』他看了簫劍一眼：『軍師，聽說你武功高強，又熟悉地形，務必保護兩位將軍！』

簫劍已經換上了白色軍服，英姿颯颯。抬頭挺胸說：

『傳將軍放心！我誓死保護兩位將軍！』

『就這樣！大軍出發吧！』

永琪一躍上馬，喊：

『祝兩路人馬，都馬到成功！』

軍號大作，所有軍人，各就各位。永琪、爾康、簫劍、劉德成縱馬向前。帶著西路軍，大軍浩浩蕩蕩的出發了。

軍隊走了大約兩個時辰，距離葫蘆口已經近了。永琪帶著鑲白旗，爾康帶著鑲紅旗，紅白相映，旗幟飛揚，軍容浩大，聲勢非常驚人。走著走著，永琪忽然覺得有些不對勁。舉起手來，喊著：

『停一下！聽！這是什麼聲音？』

大軍暫停，隱隱間，有如悶雷的聲音傳來。爾康大喊：

『斥候兵！去前面看看，有什麼動靜？』

幾個斥候兵騎馬往前奔。奔了一段路，雷聲更大，斥候兵跳下馬，伏在地上，用耳朵貼著地傾聽。只聽到雷聲逐漸加大，天搖地動。斥候兵驚愕抬頭，只見前面煙塵大作。塵土飛揚中，一片黑壓壓的烏雲從地上席捲而來。

永琪勒馬站在那兒，引頸翹望，忽然感到恍如地震，步兵們的槍枝都震得嘎嘎作響。他大驚：

『這是什麼東西？』

『好像是地震！』爾康說。

『地震？不可能！那一片黑雲是什麼東西？』簫劍說。

大家都注視著前面，那片黑雲轉眼間已到面前。簫劍明白了，急呼：

『我知道了！是大象！大家注意，準備武器，象兵來了！』

簫劍喊聲中，只見煙霧騰騰裡，無數的象兵奔馳而來。身先士卒的一個，正是緬甸王猛白，騎著大象，舉著戰斧，十分威武。

『衝啊……衝啊……』猛白聲如洪鐘，大喊。

跟在猛白身邊，是個面貌清秀的青年軍官，也騎著大象，舞著長劍。那青年軍官風度翩翩，年少英俊，個子嬌小，卻行動迅速。揚著長劍大喊：

『衝啊……殺啊……』

隨著這兩個敵人的出現，象腳巨大而沉重的踩過泥土。象鼻左掃右掃，掃向空中。巨象抬頭長嘶，聲勢驚人。大象來得迅速，象腳踩上斥候的身子。斥候們跳起身子，狼狽奔逃。只見象鼻一捲，捲起一個斥候，拋在空中。

永琪、爾康、簫劍三人，看得目瞪口呆。永琪揮舞長劍，回頭大喊：

『我大清的部隊，什麼都不怕，還怕幾隻大象嗎？衝啊！』

永琪就身先士卒，對著象兵衝了過去。爾康大叫：

『五阿哥！千萬不要冒險！傅六叔特別交代，萬一碰到猛白，不可輕易交手，還是先撤退，研究了戰略再打！』

爾康的聲音，淹沒在一片震耳欲聾的象鳴聲中，大象轉眼已到眼前。

簫劍大吼一聲：

『爾康！殺吧！撤退已經來不及了！』說著，一劍刺了過去。

爾康倉卒應戰，和那個青年將軍交手。青年高高的坐在象背上，爾康的戰馬，只有大象一半的高度，雖然爾康武功了得，但是青年居高臨下，爾康備受威脅。連續幾次交手，爾康都沒佔到好處。那青年一面打，一面用漢語大喊：

『我是緬甸王子慕沙！你們趕快投降！』

原來他是猛白的兒子，怪不得武功這麼好，還會漢語！看樣子，緬甸入侵，早有預謀了。爾康一面迎戰，一面大聲喊了回去：

『緬甸王子又怎樣？我還是大清駙馬呢！』說著，一劍刺去。

那緬甸王子慕沙，竟然口齒伶俐，邊打邊喊：

『駙馬是什麼馬？馬遇到大象就變成小白兔了！』

『你才是小白兔！』爾康大怒：『長得就像隻小白兔，看你年紀那麼小，武器拿得穩嗎？』大叫：

『我來了！』

爾康眼看，大象和馬，不能齊頭作戰，就施展武功，從馬背上飛身而起，落在慕沙身後的象背上，持劍就一劍直刺慕沙。人到劍到聲到：

『緬甸小白兔，碰到滿清駙馬，是你倒楣！』

慕沙沒想到這個駙馬，居然會飛到自己的象背上，大驚失色，急忙返身，持劍一擋。兩劍相碰，迸出火花。同時，慕沙手一揚，數十支金針已經對爾康飛去。爾康大叫：

『還會暗器！不得了！』

爾康長劍舞成一個閃亮的大圓，把暗器全部打落地。

慕沙看得目瞪口呆。忍不住讚美：

『你這匹馬，好厲害！』

慕沙拍拍象頭，象鼻忽然舉起，掃向爾康。爾康只顧得和慕沙交手，完全沒有防備大象也能作戰，被象鼻掃了一個正著，站立不穩，幸好武功高強，翻身落地。他這一下怒不可遏，伸手一把抓住慕沙的腳踝，將他也拖下象背。

慕沙大驚，一連串的緬甸話衝口而出：

『該死的死馬，從那兒跑來的？居然敢用手拉我，你不要活了，我不打死你，我就不是八王子慕沙……』

爾康聽不懂他的緬甸話，也不再拌嘴，兩人就在地上纏鬥起來。

爾康和慕沙打得難解難分的時候，永琪正和猛白交手。

猛白是個天生的武士，身材高大，相貌堂堂。手持戰斧，居高臨下，銳不可當。永琪用劍，靈活無比，可惜馬太矮小，打得捉襟見肘。猛白邊打邊用漢語喊：

『我是緬甸王猛白，你打不過，趕快投降！』

『我是大清王子永琪，專門打緬甸王猛白！你才趕快投降！』永琪喊。

『你這個王子，今天死期到了！』猛白一斧頭砍下來，直打永琪面門。

永琪閃過武器，心想，這樣打不行，就一劍砍向象鞍，象鞍斷裂，猛白滾落地。永琪躍下馬背，飛撲過去，長劍直刺猛白。猛白大驚，緬甸話衝口而出：

『那裡跑出這麼厲害的一支隊伍？』

猛白從地上一躍而起，趕緊應戰。兩人打得天昏地暗，日月無光。

簫劍早已看出，用馬隊無法對付象隊，必須找到他們的弱點，才能打贏這一仗。他騎馬一陣衝刺，專門砍斷象鞍，只見象兵紛紛摔下地。他一面衝刺，一面大喊：

『弟兄們不要怕，砍斷象鞍，先把他們從象背上打下來，再交手不遲！來呀！馬隊衝啊……砍象鞍！砍象鞍！砍象鞍！砍呀……』

許多清軍，就跟著簫劍，一路砍去。象兵紛紛落地，但是，也有許多清軍，被象鼻捲起，摔成重傷，還有許多清軍奔跑不及，被象腳踐踏身亡。

兩方人馬，在漫天的塵土中，短兵相接，殺聲震天。

爾康和慕沙這邊，兩人已經戰出高下，爾康畢竟是從小練武的高手，一番你來我往，短兵相接，慕沙就打得手忙腳亂了。纏鬥中，爾康一劍刺向他的前胸，慕沙一躲，爾康劍到人到，劍劍進逼。慕沙眼見不敵，回頭就跑，爾康飛身而起，落在他面前，伸腳一絆，把他絆倒在地。爾康長劍直指他的咽喉，大叫：

『你投不投降？』

慕沙躺在地上，只見那把長劍，映著日光，在眼前閃閃爍爍，他不禁大駭。舉起雙手，一疊連聲喊：

『我投降！我投降……』

爾康回頭大喊：

『劉總兵！趕快把這個王子綁起來！』

就有幾個清軍，衝上前去壓住慕沙。爾康長劍一收。豈料，慕沙手一揚，一排暗器，清軍紛紛倒地。一隻大象快速奔來，象鼻子一捲，就把慕沙捲上了象背，慕沙發出一串大笑，喊著說：

『大清駙馬，要我投降，那有這麼容易？這次不玩了，下次再打！』

慕沙喊著，騎象狂奔而去。爾康那裡肯放過他，躍上一匹馬，急追。

『你跑那裡去？我不殺你，你居然詐降使壞！』

『你還追我？』慕沙回頭喊：『你那個穿白衣服的兄弟，已經被我爹殺死了！你看！』伸手一指。

爾康本就在牽掛永琪，一聽之下，急忙看去。只見永琪和猛白打得天翻地覆，那兒有被殺死？爾康這一分心，只覺眼前一暗，竟被慕沙那隻大象的象鼻捲入空中。慕沙大笑，樂不可支的喊：

『你這個駙馬，快變成死馬啦！』

爾康急忙用手中長劍，一劍刺向象鼻。大象一痛，長嘶一聲，把他拋落地。爾康滾了兩滾，才一躍而起。只見慕沙和大象，已經奔出重圍。慕沙一面飛奔，一面用緬甸話，大喊著：

『爹！他們好厲害，我們不要再打，會吃虧的，快走……』

猛白和永琪，正打得難解難分，猛白從來沒有遭遇過這麼厲害的對手，怎麼打都打不贏，心裡正在煩躁，聽到慕沙的喊聲，無心戀戰。一陣衝刺後，就退向大象身邊，象鼻一捲，猛白上了象背。猛白用緬甸話大喊：

『緬甸部隊撤退！大家跟我來！』

永琪持劍就追。喊：

『不要逃！有種就打！』

簫劍快馬奔來，大喊：

『五阿哥，不要追！我們的弟兄傷亡很重，趕快整理軍隊，看看傷亡情形再說！』

永琪站住，看著象兵部隊快速撤退，看著滿地狼藉。爾康也奔了過來。

『永琪，簫劍，你們怎麼樣？有沒有受傷？』爾康關心的問。

『還好，我們都沒事，你呢？』簫劍問。

『抓住了那個緬甸王子，又給他逃掉了！』爾康憤憤的說。

永琪跌腳大嘆。

『我也好可惜！沒有把那個緬甸王給抓起來！如果抓到了緬甸王，這場戰爭就結束了！本來可以速戰速決的，太可惜了！』

三人站在硝煙彌漫的戰場，向前遙望。看到遍地傷兵，呻吟不斷，許多戰馬，倒在地上，不禁觸目驚心。爾康咬牙切齒的說：

『那個緬甸王子，我跟他誓不兩立！』

傅恆的情報錯誤，差點把永琪和爾康都送進虎口，眞把他驚得一身冷汗。這晚在營地，大家談起戰役經過，依舊扼腕不已。營地上，都是受傷的士兵，軍醫在給眾人包紮，擔架還一個個抬來。

營火上煮著大鍋飯。

傅恆、永琪、爾康、簫劍、劉德成及參將等，都在視察傷亡情形。永琪看得心驚膽戰，沉痛的說：

『沒想到象兵部隊這麼厲害，弟兄們不是斷手就是斷腳，都被大象踩傷摔傷的！看到弟兄們受傷的情形，我眞後悔當時沒有下令撤退！』

『五阿哥不要自責了，』簫劍說：『當時那個狀況，撤退也來不及，象兵轉眼間就到眼前，除了應戰，沒有第二條路！』

『還好，我們幾個主將都沒受傷！』爾康說：『傅六叔，怎麼沒人警告我們，有個象兵部隊？讓我們措手不及！對於要和大象打仗，我們想都沒有想到，一點防備都沒有！』

『奇怪極了！劉總兵，你遭遇過象兵部隊嗎？劉藻是被象兵部隊打敗的嗎？』傅恆問。

『報告三位將軍，這是第一次遭遇象兵部隊，以前，我們只聽說緬甸有象兵，從來沒有見過！大家都以爲，那大象笨笨的，怎麼能打仗？誰知道這麼厲害！』劉德成報告著。

『我們必需仔細研究一下，除了象兵部隊，他們緬甸軍隊還有沒有其他本領？那個緬甸王子，會一種細針一樣的暗器，一定有毒，中了暗器的，幾乎都死了！』爾康咬咬牙：『好狠的王子！』

永琪看著受傷的士兵，交代著：

『劉總兵，帶一隊人馬，明天一早，就把這些受傷的弟兄送到車里去治療，他們目前，不能上戰場，帶著他們會影響行軍速度！』

『劉總兵，』爾康接口：『要派人督促軍醫，藥品是不是充足，也瞭解一下！治好一個，歸隊一個，我們需要每一個戰士！看樣子，我們要準備長期作戰！』

『是！』劉德成應著。

這時，一個士兵走來，大聲報告：

『報告！晚飯已經準備好了，請幾位將軍到帳篷裡去用膳！』

爾康四面一看，問：

『這些受傷的弟兄，爲什麼還沒有用膳？』

『報告將軍，還沒做好！』

永琪就大聲說：

『去把準備給我們的晚飯，先拿過來給受傷的弟兄用！快去！多叫一些人，先侍候大家吃完，我們再吃！』

『是！』士兵趕緊跑走。

傅恆不禁驚看永琪和爾康，眼中露出佩服的神色。忽然領悟到，他們不是皇子駙馬，他們是兩位將軍了。看他們爲了傷亡那麼難過，就安慰的說：

『你們也不要難過，劉總兵告訴我，猛白和那個王子，是帶著象兵部隊逃跑了，可見，他們遇到你們，也是招架不住，等於輸了！』

『只能這樣自我安慰了！』永琪苦笑著說。

接下來，清軍和緬軍，有一段辛苦的戰爭歲月。在這段歲月中，永琪、爾康、簫劍都飽受風霜之苦。紮營，拔營，起營火，滅營火……大軍行行重行行。風也好，雨也好，太陽也好，軍旅生涯，沒有任何詩情畫意。幾度短兵相接，都分不出勝負。每次面對戰後的戰場，硝煙處處，屍橫遍野，都會帶給永琪相當大的震撼。第一次瞭解到，人命，在戰場上是多麼渺小。他們三個，逐漸變成包紮傷口的好手，尤其是永琪，跟著軍醫，學了許多救人的技術，每次搶救傷患，他都身先士卒。儘管爾康、傅恆、簫劍苦勸，他都充耳不聞。數月以後，他和軍醫的技術，已經相差無幾。

他們好幾度和緬甸王猛白正面交鋒，幾乎有猛白，就有那個緬甸王子慕沙。慕沙精通暗器，身手不凡。只是說話尖聲細氣，爾康認爲他不男不女，每次見面就打，一打就兼吵架。爾康一心想活捉他，來要脅猛白投降，卻苦於沒有機會。

這天，探子來報，說慕沙單獨紮營在『黃土坡』的山谷裡，爾康和永琪商量之後，就由爾康帶著鑲紅旗人馬進入山谷誘敵。永琪和簫劍帶著人馬在後，分別從山頭、山谷兩邊夾擊支援。

爾康的先頭部隊，才進入山谷，忽然間，喊聲大作，山谷兩壁，衝出大批的緬軍。只見慕沙，身先士卒，殺了過來，嘴裡大喊著：

『哈！駙馬！你居然還沒有死？我來討命了！』

爾康看到慕沙，眞是仇人相見，分外眼紅。他策馬衝去，也大叫：

『小白兔！今天非把你活捉不可，今晚加菜，吃烤兔子！』

喊叫中，兩人相遇。慕沙手一揚，一把金針，全部射向馬的眼睛。爾康是防備著他的暗器的，但是，沒想到他會射馬，躲避不及。馬兒受創，人立而起，長嘶著掉進山溝。爾康幾乎摔落地，一個翻身站穩，慕沙已經持劍，一劍刺來。爾康就地一滾，滾到草叢中，動也不動了。慕沙狐疑的看著躺在草叢中的爾康，自言自語：

『死了？太簡單了吧？這樣容易就不好玩了！』說著，他就走過去察看。

爾康手一揚，許多金針射向他。慕沙大驚，狼狽的閃避奔逃，用緬甸話喊：

『好厲害！他居然把我的金針接住了！還用來打我！』

就在慕沙狼狽躲金針的時候，爾康已經飛身而起，一掌劈向他的胸前。這一下又快又準，慕沙閃避不及，就挨了一掌。頓時大怒，喊：

『我要殺了你！』

在山谷上的樹叢中，猛白帶著弓箭手，埋伏在那兒。猛白正用望遠鏡看山谷裡的情勢，看到這一幕，氣得咬牙切齒：

『這個駙馬夠厲害！我要他償命！』

山谷中，兩軍人馬，早已打得天昏地暗。爾康向慕沙節節進逼，長劍舞得密不透風，外帶中國工夫的拳打腳踢。他一面打，一面眼觀四面，耳聽八方，問：

『你的大象呢？這個山谷進不來是不是？沒有大象幫忙，你還有什麼本領？人家狗仗人勢，你們緬甸人，是狗仗象勢！』

慕沙被打得手忙腳亂，不住看向山谷兩壁，著急猛白怎麼還不現身。再幾招下來，他知道爾康技高一等，看樣子，自己打不過，就急嚷：

『駙馬，駙馬！不打了，我們講和吧！這樣打來打去，大家死的死，傷的傷……不如停戰……』

『講和？』爾康大為心動。『你們把霸佔的土地交回，退出大清的邊境，我可以作主，饒你們一命！』說著，攻勢略緩。

『那麼我們就不要打！坐下來講和！』慕沙一臉的誠懇，嚷著。

『你能作主嗎？你的父親呢？』爾康仍然不敢放鬆。

『你找我爹？好，我就請我爹跟你談！』慕沙忽然轉頭對山上，用緬甸話狂叫：『爹！你還不趕快來幫我！再不動手，我就要吃虧了！』

爾康一怔，剎那間，只見無數的弓箭，射向山谷中的清軍。爾康大驚，急喊：

『弟兄們！大家注意！箭有毒！盾牌！盾牌……』

爾康喊聲中，一支利箭，直射向爾康面門。爾康長劍一揮，硬生生把利箭削成兩段落地。

慕沙滿臉驚愕的看著爾康。

這時，埋伏的緬軍紛紛現身，在猛白領導下，弓箭像雨點般射向清軍。清軍手持盾牌，擋箭的擋箭，中箭的中箭，倒地的倒地，衝鋒的衝鋒。

猛白在山坡的樹林裡，指導著弓箭手。

『準備！射擊！大家看好目標，不要射到自己人！』

猛白正在指揮若定，忽然山頭傳來一聲大喝：

『猛白！你中計了！這叫螳螂捕蟬，麻雀在後！』永琪大喊著，帶著鑲白旗廝殺過來，聲震四野的大吼：『弟兄們！衝啊……不要心軟，爲我們死去的弟兄報仇呀……』

鑲白旗像潮水般捲了過來，緬軍放下弓箭，急忙返身應戰。永琪連續殺了幾個緬軍，直撲猛白。猛白倉卒應戰，手忙腳亂。

鑲白旗和緬軍在山上交戰，鑲紅旗在山谷交戰，兩隊人馬，打得日月無光。

山谷中的清軍，看到永琪和鑲白旗，大喜，喊聲震天：

『五阿哥到了！皇上萬歲！大清萬歲！』

山谷中的清軍如有神助，殺得神勇無比。慕沙大驚，急忙用緬甸話喊：

『緬甸軍隊！立即退出山谷！快退！』

慕沙一邊喊，一邊拚死力戰，往山谷外退去。爾康微笑的看著他，並不追趕。

慕沙帶著許多緬軍，已經退到山谷出口，忽然之間，喊聲大作，傅恆和簫劍，帶著鑲藍旗人馬，迎面殺了進來。簫劍大笑說：

『緬甸王子，你還要向那裡逃？百夷人來了！』

緬軍陷進包圍裡，拚死抵抗。簫劍迎向慕沙，大打出手。爾康喊著：

『簫劍！那個緬甸小白兔，是我的！讓給我！』他衝過來，接手再打。簫劍也和緬軍的一個將領纏鬥起來。

慕沙眼看腹背受敵，眼中，露出祈諒的神色。一面打，一面說：

『大清的英雄，慕沙佩服之至！請手下留情！』

『我上過你的當，再不留情！』爾康喊。

爾康一連幾劍，逼得慕沙只有招架之力，毫無還手的餘地。然後，爾康的劍一挑，慕沙手中長劍飛去。爾康回劍一劍刺下，慕沙大駭，倉皇後退。

慕沙一退，竟然退到簫劍身邊，簫劍刺倒了敵人，回身伸手一抓，就像老鷹抓小雞般，提起慕沙盔甲的衣領，把他整個拎了起來。大喊：

『爾康！這個緬甸王子，是你的了！你要怎麼發落？』

『我一劍殺了他！』

爾康長劍一指，已到慕沙咽喉，慕沙徒勞的揮舞著雙手，抬眼直視爾康。他的眼裡閃耀著視死如歸的英雄豪氣，正氣凜然的大喊：

『英雄！請一劍畢命，慕沙向你致敬，死在你的手裡，也是我的光榮！』

爾康一楞，長劍停在他的喉嚨口，不忍刺下。爾康這樣一猶豫，慕沙亂動的袖口中，突然飛出無數金針，直射爾康。

爾康完全出乎意料，這一次，躲得不夠快，許多金針刺向胸前，幸有盔甲擋住。但是，一根金針卻插在爾康眉心，他只覺得眼前一黑，就砰然倒地。簫劍這一下，嚇得魂飛魄散，雙手舉起慕沙，向山壁上一砸。急呼：

『爾康！』他撲向爾康，一把抱起他，扛在背上，狂呼：『爾康！爾康！爾康……』

簫劍那一砸，力道十足，也是慕沙命不該絕，當他的身子飛向山壁時，正好有個緬甸軍倒下，給慕沙做了墊背。但是，慕沙依然被摔得七葷八素，狼狽的爬起身。只見簫劍扛著爾康橫衝直撞，發瘋般的大喊：

『軍醫！軍醫……你在那裡？傅將軍，不好了！額駙受傷了！』

就在這時，忽然悶雷似的聲音又響起，山谷外，又見煙塵滾滾。清軍驚喊：

『象兵部隊！象兵部隊……不好，象兵部隊又來了！』

傅恆見爾康受傷，象兵又至，無心戀戰，急忙喊：

『大家不要慌，從後面撤退！快！撤退……』

山谷中，情勢大逆轉。清軍奔逃，撤退。大象進了山谷，象腳踐踏著武器傷兵，嘶吼著橫衝直撞。

簫劍顧不得打仗了，扛著爾康沒命的往山谷外奔去。

一個黑影忽然掠到簫劍面前，幾包藥丟在爾康身上。慕沙喊著：

『一個時辰一包！用水灌下去！要緊！要緊！』

簫劍一怔。慕沙已上了象背，不見了。

這場戰役，雙方都有死傷，打得都很狼狽。

晚上，清軍的營地上，營火熊熊。一個一個帳篷林立著，士兵全副武裝的在守夜。

在爾康的帳篷裡，永琪、簫劍、傅恆、軍醫都圍著床，著急的搶救爾康。爾康正陷在昏迷裡，兩個士兵抬起他的頭，簫劍捏住他的下巴，把藥粉倒進他嘴裡。拿起一碗水，再灌進他嘴裡。永琪和傅恆擔心的站在旁邊看。永琪拿起那包藥粉的紙，湊在鼻子上聞了聞，懷疑的說：

『你怎麼敢給他灌這個藥？我覺得大有問題，那個緬甸王子爲什麼要給你解藥？如果這是毒藥，怎麼辦？中了毒針，再吃毒藥，那還有救嗎？軍醫，你認爲如何？』

軍醫惶恐說：

『稟告將軍，臣對這種毒針完全沒有研究，也不知道這個藥可靠不可靠？』

『你相信我這個百夷人，好不好？』簫劍說：『雲南和緬甸一帶，盛產各種有毒的花花草草，可以淬煉成各種毒針毒藥，我從小看到大……這藥，如果不是解藥，額駙一個時辰以前，就該沒命了！』

『軍師的話不錯！』傅恆點頭：『上次中了毒針的人，沒有一個活著！我們已經沒有辦法了！不管有效沒效，只好試一試！』

話說中，簫劍已灌完一碗水。士兵放下爾康的頭，起身走開。

爾康仍然昏迷著，臉色蒼白。永琪坐在床邊，目不轉睛的看著他，著急的說：

『爾康！你快點醒來！我們的仗還沒打完，紫薇還在家裡等你，如果你有個三長兩短，我如何回去面對她們？』

傅恆焦灼的走來走去。嘆息著：

『今天，這場仗本來打得很順利，以爲那些大象，絕對進不了山谷，誰知道，象兵部隊還是來了，功敗垂成！還讓額駙受了傷……我應該守在旁邊的！』

『守在旁邊也沒用，我就守在旁邊，眼睜睜的看著他受傷，就是救不了……』簫劍說，想到那個慕沙王子的奸詐，恨得牙癢癢。可他奸詐之外，又送了解藥，實在希奇！但是，如果這不是解藥是毒藥呢？

簫劍正在胡思亂想，爾康喉嚨中，忽然咯咯作聲，大家趕緊撲上去看。看到他眉頭一皺，眼睛睜開了，呻吟著。

『咳咳！咳咳咳……』他忽然作嘔。

『趕快拿盆子，他要吐！』簫劍急喊。

爾康一翻身，幾乎滾下地，永琪急忙扶住，爾康『哇』的一聲，吐出一口黑水，永琪閃避不及，都吐在永琪衣服上。爾康呻吟著，歉然的說：

『五阿哥……對不起，弄髒了你的衣服……』

永琪看到爾康醒來，神志清醒，還知道為弄髒他的衣服來道歉，真是喜不自禁了。把爾康扶上床，他興奮的喊：

『爾康！你想嚇死我是不是？弄髒衣服有什麼關係？主要的，是你醒了！你活了！謝天謝地！還是百夷人比我冷靜，這個藥居然有效！』說著，又一急：『可是，藥都吐掉了，要不要再給他吃一包？』

『再吃一包？那會不會太猛了？』簫劍看著爾康喊：『爾康……』喊出口才發現傅恆在場，不能和爾康永琪直呼其名，急忙改口：『將軍！額駙！福將軍……你覺得怎樣？』

爾康睜眼看眾人，尋思著：

『我中了那個緬甸王子的毒針？』

『就是！』簫劍瞪著爾康，看他大概沒事了，就開始生氣起來：『你是怎麼一回事？劍抵著那個小子的喉嚨口，還讓那小子有機可乘！你為什麼不殺他？氣死我了！在戰場上，你還有惻隱之心嗎？』

傅恆趕緊打圓場：

『軍師不要生氣，額駙有驚無險，能夠活過來，真是皇上的洪福！大家慶幸都來不及，不要責備他了！趕緊弄些吃的來！』

傅恆出去張羅。永琪還是很擔心，看著爾康：

『爾康！看看我的手指頭……』他豎起兩根指頭在他眼前晃：『有幾根？』

『你把我當成幾歲？以為我是東兒嗎？跟我玩這個？』爾康大聲說，坐起身子，一陣頭暈，身子搖晃晃。

永琪一把扶住了他：

『你躺下躺下！還有兩包藥，大概吃完毒才會完全解除！』

『你們那兒弄來的解藥？』爾康驚奇的問。

『你相信嗎？』蕭劍說：『是那個緬甸王子給的！他用毒針傷了你以後，丟了幾包藥，還交代一個時辰一包！我們看你昏迷不醒，只好死馬當作活馬醫，給你灌了三包，居然有效！』

爾康精神一振，急喊：

『軍醫！』

『臣在！』軍醫急忙答應。

『趕快拿一包去研究一下，到底是什麼成分？對於中毒箭的人，有沒有作用？我想，這一定是一種花草的種子……找一找雲南有沒有這種花草？如果你一個人研究不出來，和其他軍醫聯合起來研究！限你們明天給我答案，快去，緊急緊急！』

『這樣不好吧！』永琪要阻止：『你身體裡的毒素還沒清乾淨，你把藥拿去研究，你吃什麼？』

『我沒事了！那緬甸小子，受我不殺之恩，報以不殺之恩，這人也很有意思！他絕對沒有想到，我會拿藥去研究，說不定破解了毒箭的威脅！』

『說得很有道理！』簫劍就拿出一包藥，交給軍醫。軍醫急急的去了。

爾康搖搖晃晃的站起身來。簫劍和永琪一左一右的護著他。

『你怎樣？』簫劍問。

『好像暈船一樣，但是，我一定死不了！』爾康說。

永琪這才笑了，拍了爾康的肩膀一下，說：

『你最好死不了，看到你中了毒針，昏迷不醒，我已經在打腹稿，如果你死了，我見到紫薇要怎麼說？腹稿沒打完，想到紫薇可能的反應，我就從頭到腳冒冷汗！』

爾康趕緊警告：

『寫家書的時候，不許提到我受傷的事！紫薇膽子小，受不了這個！』

『是！遵命！』永琪笑著嚷。

爾康逃過一劫，簫劍和永琪如釋重負，三人相視，都笑了。

39

前線好久沒有消息，紫薇帶著東兒進宮，到景陽宮小住。

這天，紫薇和小燕子在御花園裡，和東兒玩捉迷藏。東兒笑得咯咯咯咯的，在御花園中到處奔跑。紫薇怕他摔跤，過來牽著他。

小燕子用帕子蒙著眼睛，張著雙手，在那兒大聲數著：

『一、二、三、四、五、六、七、八、九、十……快點躲好喲！我要來捉你囉！我是大老鷹喲……我是大老虎喲……』就學老虎叫：『啊嗚……啊嗚……』

紫薇拉著東兒，一會兒往石頭後面躲，一會兒往樹叢後面躲。明月、彩霞、小鄧子、小卓子和奶娘都笑嘻嘻在看熱鬧。紫薇每鑽進一個地方，就低聲問東兒：

『躲在這兒好不好？』東兒搖頭。『不好？那……躲在這兒好不好？』東兒又搖頭。『也不好……好了！這兒這兒！』

紫薇就躲在小鄧子身後，把手指放在嘴唇上，示意東兒別說話。

『好了沒有？好了沒有？』小燕子大聲問。

『好了！好了……』東兒喊得好大聲，紫薇趕緊蒙住東兒的嘴。

小燕子聽到東兒的聲音，就循聲摸索過來。

『啊嗚……大老虎來囉！啊嗚……』

東兒咯咯的笑著，拉著小鄧子的衣服，把臉孔往衣服裡埋去。

小燕子摸索到了小鄧子面前，小鄧子把身子蹲下來，小燕子矮下身子，伸長了手一摸，就摸索到小鄧子的光頭。小燕子的手在光頭上摸了摸。大驚：

『東兒，你的腦袋怎麼變得這麼大？你一下子就長大了，我這個姨媽眞該打，都不知道你長得這麼快……這是什麼……』她摸到小鄧子的辮子。『哇！好長的辮子！你怎麼有辮子了？』

明月、彩霞、小卓子、奶娘全部笑得東倒西歪。小燕子覺得有異，一把拉下帕子，才發現自己扯著小鄧子的辮子。

東兒這一下，笑得前俯後仰。紫薇看到東兒笑得那麼高興，也跟著笑。

就在這一片笑聲中，知畫和晴兒走來。知畫的肚子已經隆起，手裡拿著一個風箏，帶著珍兒翠兒，一路笑嘻嘻的。走到大家面前，她就溫柔的喊：

『東兒！知畫阿姨知道你來了，特地來找你呢！你看，我幫你紮了一個風箏！好不好看？讓小鄧子小卓子帶你放風箏，可好玩呢！』

東兒眼睛一亮，驚喜的嚷：

『風箏！風箏……額娘，大風箏！』他接過風箏，笑著，拉著小鄧子：『小鄧子，放風箏！』

『好好好！我陪你去放風箏！』小鄧子應著。

東兒拉著小鄧子就跑，小卓子、奶娘都趕緊跟著跑。紫薇伸長脖子嚷：

『奶娘，看好他啊！別讓他摔了！』

東兒跑走了，知畫才趕緊對小燕子和紫薇請安。柔順的說：

『兩位姐姐吉祥！我在慈寧宮，聽說紫薇姐姐進宮了，就趕過來了！』她看著兩人，笑容一收，變得非常誠懇，看著小燕子，低聲下氣的說：『姐姐！妳還在生我的氣嗎？』

小燕子臉色一僵，咬了咬嘴唇，沒說話。

『姐姐，妳不要生我的氣了！』知畫帶著一臉怯怯的笑：『那天，是我不好！妳知道，那一陣我害喜害得很嚴重，剛剛有身孕，就怕孩子出問題，每天都緊張兮兮，看到一片樹葉掉到頭上，我都怕被砸到，會影響孩子，所以……那晚我就緊張得失常了，害得妳被老佛爺誤會，這些日子，我每天都跟老佛爺解釋，老佛爺也明白了！』

晴兒在一旁，就點頭說：

『知畫說的是真的，她確實每天都跟老佛爺解釋，說是她自己摔倒的，不是小燕子撞的，當時沒弄清楚狀況而已。』

紫薇看著知畫，看到她一臉的真誠，眼光澄澈，就有些懷疑自己的揣測了。

『這樣啊？』紫薇說：『知畫也別太嚴重了，誤會解釋清楚就好了！小燕子早就不生氣了，對不對？』

小燕子瞄了紫薇一眼，又看了晴兒一眼，兩人都跟她眨眼睛，示意她講和。小燕子想起永琪臨走前的千叮嚀，萬叮囑，再也強硬不起來，就笑了笑說：

『如果紫薇和晴兒，都聯合起來幫妳說話，我就是有氣，也變得沒氣了！現在，操心永琪他們在戰場的情形，都來不及了，那兒還有心情來生氣？』

晴兒就急忙問紫薇：

『爾康有沒有快馬傳書給妳？』

紫薇臉色一暗。

『好久都沒有他們的消息了，今天進宮，也想問問妳們，有消息沒有？』

『我聽老佛爺說，消息不是很好，他們收回了一些地方，可是打得很艱苦！戰事陷進了膠著狀態！看樣子，他們今年，沒辦法趕回來過年了！』晴兒說。

紫薇、小燕子臉色都一暗。

『過年都不回來啊？那……今年過年還有什麼意思？』小燕子神色悵然。

『這是七年以來，第一次過年的時候，沒有爾康！』紫薇充滿失落。

知畫抬起眼睛，看著遙遠的天邊，帶著滿腹眞誠的感情，虔誠的說：

『但願他們個個平安，身體健康！只要平安回來，晚一點也沒關係！』

紫薇心裡一抽。在這一剎那間，她體會出來，不論知畫跟小燕子之間，有多少矛盾衝突，現在，這深宮裡的四個女子，卻是心意相通，同病相憐的。

這晚，晴兒來到景陽宮，和小燕子談知畫的問題。紫薇在旁邊打邊鼓，幾句話一說，小燕子就不耐煩了，激動的對晴兒嚷著：

『妳要我去慈寧宮，把知畫接回來住？我爲什麼要這樣做？我不要！』

『妳聽我說，老佛爺今天接到了消息，陳邦直夫妻，馬上就要到了，他們特意來看知畫，要在宮裡和知畫一起過年。』晴兒說。

『哈！』小燕子眉毛一抬：『有爹有娘眞好，看樣子，爹娘也要來撐腰了！他們到了，一起住在慈寧宮就好了，難道還要住在景陽宮不成？』

紫薇深思，知道太后的難處了。說：

『陳邦直夫妻，住在什麼地方，根本沒有關係！關係是，知畫住在那兒？』

『就是這個意思！』晴兒點頭。

『是她自己搬去慈寧宮的！老佛爺生怕我會殺了她，把她急急的帶走，現在回來，不怕我是老虎，半夜把她吃了嗎？』小燕子氣呼呼。

『妳也聽到知畫在御花園的解釋了，那天是個誤會，她還特地跟妳道歉，妳就乘這個機會轉圜吧！我想，老佛爺現在也有一點尷尬，陳家兩老來了，看到知畫不住在五阿哥的景陽宮，而是妳一個人住。知畫大著肚子，跟老佛爺住，明擺著就是妳容不了知畫……雖然說五阿哥去打仗了，這事也是不合規矩的！』晴兒婉轉的說。

小燕子站定了，看著晴兒說：

『我懂了，老佛爺覺得事情不妥，又要我收回知畫，是不是？』

紫薇也看著晴兒，懷疑的問：

『知畫怎麼說呢？她也願意回來住嗎？』

『我想也是！知畫說，她一直寫信回家，說宮裡人人都對她很好，現在爹娘要來了，她很怕引起不必要的誤會！我覺得，她實在很懂事，不是那種會用心機的人！』

『難道是我們誤會了她？那天的事情，說不定是我們太激動了！』紫薇沉吟著。

『我仔細的分析過了，知畫嫁給永琪，一路都是被動的，說她有預謀，恐怕是冤枉了她！』晴兒由衷的說。

『說的也是！最近幾次在老佛爺那兒碰到她，她都是謙和有禮，態度誠懇，對東兒也好得不得了，實在不像會耍手段的人！』紫薇不得不承認這點。

小燕子瞪大眼睛，輪流看兩人：

『妳們兩個，又被她收服了？』

『不是被她收服！』晴兒誠摯的看小燕子，語重心長：『是希望妳能收服大家！平常，妳給人的印象，總是比較霸道，這次知畫搬去慈寧宮，大家也說是因爲妳小心眼，嫉妒知畫！假若現在，妳去迎接知畫回來住，老佛爺一定如釋重負，大家也會覺得妳賢慧，識大體！』

小燕子看著二人，突然哀聲的說：

『紫薇，晴兒，我跟妳們坦白說，不是我不願意她回來，而是……妳們相信嗎？我居然有些怕她！最近，她住在慈寧宮，我覺得好舒服，她在景陽宮的日子，不知道怎麼回事，我看到她，心裡就毛毛的！』

『那還是因爲五阿哥的原因，妳心裡對她，多多少少是吃味的！妳自己不知道，妳心裡藏不住事，常常都流露在臉上，妳對她，基本上就有敵意。妳說妳怕她，我覺得是她怕妳！妳有時還眞凶，難怪她看到妳橫衝直撞就嚇死了……』

晴兒的話還沒說完，小燕子就毛躁起來，對晴兒吼著：

『搞了半天，妳還認爲是我不對？妳怎麼都向著她？』

晴兒急忙把小燕子的雙手一拉，認眞的說：

『小燕子！我們是什麼交情？我怎麼會幫她？我都在爲妳設想，也爲大局設想，妳和五阿哥是天長地久的，那麼，妳這一生，都逃不掉知畫了！』

小燕子像是挨了一棒，一屁股跌坐在椅子裡。悽然的說：

『我知道了，因為她和永琪，也是「天長地久」的！』

紫薇和晴兒不語，默認了。小燕子就用手托著下巴發楞。

就在這時，門外一陣騷動。外面傳來太監大聲的通報：

『老佛爺駕到！福晉到！』

三人趕緊跳起身子，面面相覷。只見太后帶著知畫進房來。後面跟著桂嬤嬤、珍兒、翠兒，三人手中，都抱著知畫的衣服、書本、畫冊、畫卷……等物。明月、彩霞跟著進來，張羅茶水。

三人急忙行禮，說『老佛爺吉祥』等話。

太后看著三人，一股息事寧人的樣子，態度溫和的說：

『小燕子，我把知畫送回來了！那晚的事，知畫都跟我說清楚了，大概是我誤會了妳。我想，事情過去就算了，大家都不要記在心上！知畫說，她是景陽宮的人，沒有道理長住慈寧宮，她要回來向妳請罪，妳怎麼說呢？』

小燕子楞在那兒，還來不及開口，知畫就一步上前，拉住她的手，含淚說：

『我錯了！姐姐，請妳原諒我！不要趕我走，允許我回來！』

小燕子一向『吃軟不吃硬』，知畫這樣一喊，她就算是鐵打的人，也都融化了，反而覺得鼻子裡酸酸的。

『妳說的是什麼話？景陽宮本來就是妳的家，我有什麼資格趕妳走呢？』

『那麼，妳不氣我了？』知畫小小聲的問，又看紫薇和晴兒。

『小燕子這人，就算有氣，頂多一個晚上就過去了！』紫薇笑笑說。

『事實上，我們三個正在研究，是不是讓小燕子去接妳回來呢！』晴兒接口。

『是嗎？』知畫有點受寵若驚，眼睛一亮。

小燕子只得點點頭。知畫就含淚而笑，說：

『謝謝妳們，妳們待我眞好！』

太后看到事情搞定，就急忙嚷：

『桂嬤嬤，珍兒，翠兒！把五福晉的衣服和東西去放好，還有些在慈寧宮的，也去搬回來！』

桂嬤嬤、珍兒、翠兒忙著答應，大家就穿花蝴蝶般忙忙碌碌的往裡面跑。

紫薇和晴兒對視一眼，晴兒如釋重負，對紫薇頷首，表示這樣做沒錯。紫薇雖然也微笑著，心裡依舊存著疑惑，眼神是若有所思的。

知畫就這樣，又回到了景陽宮。第二天早上，小燕子、知畫、紫薇三個，帶著東兒一起吃早餐。桂嬤嬤、珍兒、翠兒、明月、彩霞都在侍候，不住把菜和燒餅油條搬上桌。紫薇端著一碗粥，在餵東兒吃。東兒爬上爬下，吃得極不安靜，奶娘也在一邊照顧著。紫薇滿口央求：

『好東兒，求求你啦！不要把飯含在嘴裡，要嚥下去呀！吃多多，才會長胖胖！等到阿瑪回來，看到你變成一個「小壯丁」，多好！』

東兒嚥下了粥，張嘴給紫薇看，笑著說：

『吃多多了！』伸出拳頭，一拳頭打在紫薇鼻子上，嚷著：『壯壯！壯壯！』

『好壯好壯！』紫薇又閃又躲又笑：『眞的嚥下去了，東兒好偉大！』

東兒笑著，紫薇趕緊再餵一口，東兒含著飯一滾，滾進了紫薇懷裡，滿嘴的粥，都擦在她的衣服上。紫薇也不在意，抱著東兒直笑。奶娘趕緊去抱東兒：

『還是我抱下去餵吧！在額娘面前，他就是會撒嬌！』

奶娘抱著東兒下去了，明月、彩霞急忙拿了帕子，幫紫薇擦拭。

知畫看得目不轉睛，飯也忘了吃。感動的說：

『看到妳們母子這副樣子，眞是羨慕！東兒和爾康額駙，簡直像一個模子印出來的！連動作都像！』

紫薇因知畫的感動而感動，笑著說：

『是啊！大家都說，東兒就是一個「小爾康」！現在，爾康不在，我每天看著東兒，都會想著爾康！東兒就像爾康的影子，給我好大的安慰。這一代一代的延續，實在太神奇了！』

知畫不由自主，低頭看看自己隆起的肚子。充滿期待的說：

『我還要等五個月，孩子才會出世，好久啊！我都等不及了，眞想馬上生下來，不知道孩子像我，還是像永琪？』她快樂的，幸福的笑：『希望他像永琪！不過，永琪說，是個女兒也不錯，他希望生個女兒，長得像我！』

小燕子一直悶著頭吃飯，若有所思，此時，不禁一震抬頭：

『他希望生個女兒像妳？你們常常討論孩子的事嗎？』

『妳說永琪和我？』知畫一怔說：『是呀！他走以前，我們常常討論。他說，他已經老大不小了，才有這個孩子，所以特別高興。我想，每個第一次當阿瑪的人，都會這樣吧！但是……』她甜甜的一笑，心無城府，自然而然的說：『我當然希望生個兒子囉！等到第二個，再生女兒也不遲！』

小燕子大震，看著知畫，衝口而出的問：

『第二個？你們也計劃過第二個的事嗎？』

知畫害羞起來，低下頭去，怯怯的說：

『不是計劃，是討論而已。永琪說，他和我的孩子一定聰明，希望多生幾個。他當然希望孩子多多益善，畢竟，他是皇子嘛！其實，結婚以後，前兩個月都沒消息，我還眞怕自己不能生！』

知畫這話一出口，小燕子神色大變，紫薇也一臉的詫異。小燕子又衝口而出：

『前兩個月？妳前兩個月怎麼懷孕？永琪不是根本沒有碰妳嗎？』

知畫似乎嚇了一跳，睁大了一對黑白分明的眼睛，瞪著小燕子：

『誰說的？那有這個事？這不是太荒唐了嗎？』她掉頭看桂嬤嬤，再問：『桂嬤嬤，宮裡有這樣的謠言，妳怎麼沒有告訴我？是那兒傳出來的？』

桂嬤嬤趕緊上前，低聲說：

『福晉，宮裡那有這種傳言，大喜第二天，老佛爺就驗明正身，逃都逃不掉！新婚的時候，妳和五阿哥如膠似漆，人人都知道！這話，大概是五阿哥和還珠格格閨房裡的悄悄話吧！』

知畫眼珠一轉，一股恍然大悟的樣子。就一笑說：

『算了，咱們不要談這個問題，在丫頭們面前，討論這個不大好意思耶！』看著小燕子，充滿抱歉的再說：『永琪怎麼說，就怎麼算唄！妳聽他的就好了……是我一時失言了！』

小燕子一面聽，一面下意識的挾了一個鵪鶉蛋放進嘴裡，聽到這兒，心裡一嘔，整顆蛋都卡進喉嚨裡，不禁大咳起來。

『咳咳咳咳咳……我要噎死了……咳咳……』

紫薇急忙幫她拍著，明月、彩霞也急忙上前，拍背的拍背，倒水的倒水。

珍兒、翠兒、桂嬤嬤在一邊旁觀，交換著得意的笑。

『趕緊用力咳，吐出來，趕快吐出來！』紫薇喊，拚命拍打著小燕子的背脊。

小燕子咕咚一聲，把整顆蛋都嚥進了肚子裡，推開碗筷站起身，大聲說：

『那裡吐得出來？我都吞進去了！這早餐，我也不吃了！』

小燕子掉頭就走，紫薇急忙追了過去。只見小燕子衝進臥室，開衣櫃拿出包袱皮，鋪在床上，再抱出一些衣服，丟在包袱皮上，開始急急忙忙的把衣物打包。紫薇衝上前去，把她手裡的衣服搶下來。

『妳在做什麼？』

『我去雲南，我去找永琪問個清楚！』

『妳瘋了？』紫薇問：『爲了這樣一件事跑到戰場去問個清楚？雲南離這兒有多遠？妳知道嗎？以前我們出門，都有他們幾個保護著，現在，妳要一個人去，誰保護妳？』

『我去找柳青柳紅……』

『不要傻了，金瑣又懷了第三胎，會賓樓生意好得不得了，柳青根本走不開！柳紅聽說也快生了，怎麼陪妳去雲南？』

小燕子聽到這樣，挫敗感排山倒海般湧了上來，瞪大眼睛問：

『怎麼人人都要生小孩？那麼容易就有孩子？不是太奇怪了嗎？』她繼續打包，語氣堅決：『不行！紫薇，我嘔得快要死了，如果我不馬上找到永琪問清楚，我會慪死的！妳也知道，當初永琪說，始終沒有跟她圓房，還是我逼他去的……我受不了這個！我一定要去找永琪！我們一起出宮，侍衛以爲我去學士府，就不會東問西問，妳去帶東兒，我們趕緊出宮去……』

『妳太不理智了！永琪跟妳那麼多年的感情，妳不去相信他，偏偏要相信知畫……』紫薇拚命搶著小燕子的包袱。

『妳們不是都說，知畫不會用心機，不會耍手段嗎？她講得那麼自然，一定是眞的！』小燕子氣得臉色發青，跺腳大罵：『該死的永琪，爲什麼要騙我？左擁右抱就左擁右抱嘛，見一個愛一個，還要在我面前裝模作樣！騙得我團團轉，我氣死了！氣炸了！氣瘋了……』一面說，一面翻箱倒櫃找東西。

『妳安靜一下，聽我說好不好？』紫薇急壞了。

『不好不好！我收拾東西馬上走！』

小燕子把自己的鞭子、簫、劍一樣樣找出來，放進包袱裡。紫薇一急，攔住了她，抓住她忙碌的手。急促的喊：

『小燕子！妳要中計嗎？』

『中計？』小燕子一怔。

紫薇奔去，把房門窗子都關好，奔過來再拉住小燕子。開始分析：

『知畫說的這些，明明就是要氣妳！妳如果中計，妳就走，說不定她就是要逼妳走！我現在都明白了，她確實步步爲營，當了五阿哥的福晉！但是，她沒料到永琪這樣愛妳，妳的地位太穩固了，使她備受威脅，就算皇阿瑪、老佛爺都喜歡她，她爭取不到永琪，她還是輸！所以，最好的辦法，是離間妳和永琪的感情，這比殺了妳還管用……』

小燕子不耐的打斷她：

『我中計，我就是中計了！我沒有辦法和她生活在一個屋簷底下，每天聽她說和永琪多麼多麼恩愛……我要去找永琪，我非找到他不可！』

小燕子說完，把紫薇用力一推。背著包袱，拿著鞭子，衝出房門去了。她一口氣奔進院子，紫薇跌跌撞撞的追在後面喊：

『小燕子！回來……回來！妳答應過永琪的話，妳都忘了嗎？』

『我是傻瓜，才會答應他那些鬼話！』小燕子邊跑邊喊。

明月、彩霞也追了出來，小鄧子，小卓子不知道發生了什麼，一攔。

『格格要去那裡？』

『小鄧子，小卓子，明月，彩霞……攔住她！別讓她走……』紫薇喊。

『是！』

幾個宮女太監就去攔小燕子，明月拉住小燕子的衣袖，彩霞拉住小燕子的衣襬。

『格格！聽紫薇格格的話吧！』明月勸著。

『妳一個人跑出去不行呀……妳忘了翰軒棋社的事了嗎？五阿哥不在，誰去救妳呀？』彩霞嚷著。

小鄧子、小卓子張開雙手，攔在小燕子前面。

『格格心裡有什麼不痛快，在院子裡練練劍就好了！不要往外跑！』小鄧子說。

『就是就是！揮鞭子也可以，要不然，奴才陪格格練工夫，打拳，疊羅漢！』小卓子說。

大家喊成一團，知畫帶著桂嬤嬤、珍兒、翠兒出來看熱鬧。小燕子被眾人糾纏住，不能脫身，大急，一聲大吼：

『誰再攔著我，我跟你們不客氣了！』

小燕子喊著，鞭子一陣揮舞，小卓子、小鄧子、明月、彩霞全部遭殃，哎喲哎喲的摔了一地，小燕子就衝出重圍，往外飛竄。誰知，門外，乾隆帶著幾個太監，正要進門。小燕子一衝，就直撞到乾隆身上。乾隆大喝一聲：

『小燕子！妳在做什麼？』

小燕子猛然收住腳步，抬頭看著乾隆。

院子裡的一群人，全部手忙腳亂的站起，喊皇阿瑪的喊皇阿瑪，喊皇上的喊皇上。小燕子卻『噗通』一聲，對乾隆跪下了。哀求的喊：

『皇阿瑪！請你派一隊軍隊給我，我要去雲南找永琪！』

『妳要去雲南找永琪？』乾隆大驚：『妳瘋了？失去理智了？還要朕派一隊軍隊給妳？妳以為妳是梁紅玉，還是花木蘭？』

小燕子仰頭看著乾隆，帶著一臉的狂熱，迫切的說：

『我會一點工夫，比許多清軍都強，我不要當將軍，只要有人保護我就行了！我一定很勇敢的打仗！他們打了幾個月，都沒打贏，說不定我一去就打贏了！』

乾隆不可思議的搖頭。抬頭看紫薇和知畫，嚷著：

『太荒唐了！紫薇，知畫，妳們就由著她這樣胡鬧？前線是女人可以去的地方嗎？』

紫薇還來不及說話，知畫一步上前，對乾隆屈了屈膝說：

『皇阿瑪不要生氣，姐姐只是思念五阿哥，情不自禁而已！』

『情不自禁？怎麼動不動就「情不自禁」？』乾隆更氣，嚴厲的說：『小燕子，這宮裡生活的第一步，就是學會控制妳的感情！妳現在不是剛進宮那個不知天高地厚的小燕子，妳是五阿哥的妻子，是一位福晉，妳看看妳有沒有福晉的樣子？』

小燕子一聽這話，氣得發抖，從地上站了起來，喊著：

『福晉？我那兒是福晉？這個景陽宮，已經有位「福晉」了！我算什麼？』

『搞了半天，妳又在跟知畫較勁，是不是？』乾隆恍然大悟。

紫薇急忙上前，對乾隆說：

『皇阿瑪！不是你想像的那樣，我們很久沒有前線的消息，小燕子覺得，女人也是人，也可以貢獻自己的力量，一心一意要去幫忙打仗！她並沒有惡意！』

知畫就接口說：

『就是就是！皇阿瑪，小燕子姐姐跟我，情同手足，您千萬不要誤會！看在知畫面子上，別生氣啦！』說著，就嫣然一笑，轉變話題：『皇阿瑪！我最近在練您的字體，練得很有心得耶！我寫了整部《唐詩別裁》，您要不要幫我指點一下？』

乾隆臉孔一亮。盯著知畫，不相信的：

『妳用朕的字體，寫了整部《唐詩別裁》？不可能！』

『眞的呀！但是，皇阿瑪的字好難練，我寫得不好！』知畫笑著。

『讓朕看看去！』乾隆興趣來了。回頭對小燕子一兇：『妳胡鬧到這兒，就夠了！別再鬧下去，讓大家看笑話！如果妳的時間太多，別用在害相思病上！學學知畫，練練字，唸唸書，畫畫畫……心就定下去了，不是很好嗎？』說完，帶著知畫，在桂嬤嬤、珍兒、翠兒的簇擁下，進房去了。明月、彩霞趕緊跟進去侍候。

剩下小燕子和紫薇，站在院子裡。

小燕子臉色慘白，眼睛發直，氣得渾身發抖。紫薇的心，也沉進了地底，但是，她的理智畢竟比小燕子強，她低聲的對小燕子說：

『永琪和爾康他們，在前線打仗，我們在這兒打仗！妳只要一走，就算撤退，就是打輸了，妳好好考慮一下！』

小燕子重重的呼吸，胸部劇烈的起伏著。半晌，才茫然無助的說：

『紫薇，我要怎麼辦？』

『不怎麼辦！和她鬥法！』紫薇堅定的說：『只要妳不生氣，以不變應萬變，她就沒轍了！』

『那……』小燕子可憐兮兮的看著紫薇，毫無把握的問：『萬一她說的都是眞話，是永琪在騙我呢？』

『如果妳認爲這樣，那麼……她已經贏了！』紫薇嘆息著說：『贏得好輕鬆，不費吹灰之力，幾句話就把妳打倒了！眞是……最容易的戰爭！』

小燕子睜大眼睛，眼裡充滿了挫敗、懷疑、和無助。她抬頭看著天空，突然發瘋一樣的想永琪，永琪永琪，你在那裡呢？

40

落日正在沉落，彩霞把半邊的天空，都染成了紅色。極目四望，在地平線上，天與地幾乎都接在一起。綠色的草原和起伏的山巒，被彩霞渲染成紫色的剪影，落日就在兩個山巒間緩緩下沉，景色美得讓人不能喘息。誰能知道，這樣的美景下，卻隱藏著隨時可以爆發的戰爭。永琪站在山頭上，眺望著天空，深深的沉思，幾個月的戰場生涯，已經讓他滿面風霜。

爾康和簫劍走了過來。

『永琪，在想什麼？』爾康問。

永琪回過神來，坦白的說：

『想小燕子，不知道她和知畫，處得怎樣？總是心神不定，覺得她會出事！家書裡，很多事也不能提！』

『我最擔心的，還不是知畫！』簫劍說：『我怕小燕子無法擺脫那份「殺父之仇」，見到你們的皇阿瑪，不知如何相處？她在那個皇宮裡，比我們在戰場上還難！我們清清楚楚的瞭解，敵人是緬甸人，她們卻根本不瞭解，誰是敵人？誰是親人？』

『還好有紫薇，她會幫她分析，會站在她的立場去思想！唉！』爾康一嘆：『我們必需趕快打完這場仗，回到她們身邊去！什麼叫做「英雄難過美人關」，現在瞭解了！原來天天生活在烽火裡，生活在生死邊緣，還是會想她！』

『這場戰爭，沒想到這麼難打！』永琪回到現實，擔憂的說：『再過十天就過年了，軍人個個都在想家了！』

『更麻煩的是，糧食已經不夠了！』爾康更加擔憂：『雖然一路徵收糧食，大軍的消耗實在太大，現在，雲南的糧食都吃完了，貴州本來就窮，糧食還不夠自己吃！廣西、四川的糧食，已經第三次征收了！路遠迢迢，運過來還要一段時間，也是遠水不救近火！』

『我們必須想出一個辦法，速戰速決！』永琪著急起來：『再拖下去，軍心渙散，糧食不夠，眞是隱憂重重！』他思索著問：『不知道大象怕什麼？』

『聽說大象怕老鼠，也不知道是不是眞的，你總不至於要去找許多老鼠來打仗吧？』簫劍也開始沉思。『不過，大象一定有牠的弱點，我們只要把大象的弱點找出來就行了！』

爾康突然有力的說：

『火！大象一定怕火！』

『這算什麼主意？』永琪皺皺眉頭：『大象怕火，戰馬也怕火！再說，我們總不能拿著火把打仗吧！』

『不忙……我們想想，那群大象，調動一次，也是一件大事，他們到底把大象養在那兒？我們一直忙著收復失地，是不是應該改變策略，去主動出擊？』簫劍不愧為軍師，提出了一個主要的問題。

三人彼此互看，點頭，開始苦思對付大象的策略。

這晚，天空裡只有疏星數點，緬甸的軍營紮在一個山坳裡，四周十分荒涼。暗夜沉沉，象欄中的象群正在休息，或站或坐，一隻一隻，像一幢幢巨大的黑影。

在一座緬軍帳篷中，猛白和慕沙正在用緬甸話吵架。猛白嚷著：

『那個駙馬，妳離他遠一點！不要忘記妳自己是個公主，腳也給他拉過了，胸口也給他打到了……下次他落到我手裡，我一定要他死！』

『不行不行！他是我的，我要親手結束他！』慕沙激動的喊：『不然，這口氣怎麼出？爹，下次遇到他，你不能插手，把他交給我！』

『交給妳？』猛白瞪大眼：『萬一妳放水怎麼辦？』

『放水？我怎麼會放水？』

『如果妳沒有放水，他們怎麼會拿到解藥？』猛白惱怒的大吼：『探子回報，說是清軍已經知道解藥是什麼，這些日子，地上龍鬚草的根，都被他們的部隊挖走了！聽說那個駙馬中了妳的毒針，爲什麼沒有死？』他衝上前去，一把抓住慕沙的盔甲：『妳跟我說說清楚！他爲什麼沒有死？』

就在猛白和慕沙吵架的時候，爾康帶著簫劍，已經悄悄的溜到山頭上，幾個巡夜的緬軍，正來來往往的走著。爾康、簫劍和幾個武功高手，無聲無息的掩至，從緬軍身後竄出，勒住脖子，守衛緬軍紛紛倒地。

爾康、簫劍就匍匐在草叢中，拿著望遠鏡向山谷中看去。果然，大象都在象欄裡。爾康察看著大象群，也察看著緬甸軍營。確定山坳中就是象群了，他就舉起手來，低低說：

『開始行動！』

爾康一個手勢，原來清軍準備了炸藥，包在無數的稻草球裡。清軍看到爾康的手勢，便把稻草點燃，推向山谷。只見山坡上，無數的火球，滾進象欄中，然後，一陣陣轟然巨響，火球炸開，火花四射，群象大驚，悲鳴著，擠來擠去，天搖地動的四散奔逃。

緬軍衝進猛白的帳篷，對猛白和慕沙大喊大叫：

『火球……火球……劈哩叭啦，爆炸……大象跑了！全部跑了……』

猛白和慕沙大驚，衝出帳篷，只見象群四散奔逃。

慕沙拿起望遠鏡，對著山頭看去。不料，在鏡頭裡，居然看到爾康也拿著望遠鏡看過來，兩人在鏡頭裡，都一眼看到了彼此。爾康看到他，就得意的對他揮揮手。然後，放下望遠鏡，帶著一隊人馬，迅速的撤退了。

慕沙丟下望遠鏡，氣得哇哇大叫：

『我要去抓他！我要去追他！我要他的命……我的戰馬呢！』

慕沙衝進帳篷，抓了自己的頭盔，急忙戴好。再衝出來，跳上帳篷外的一匹戰馬，策馬疾馳，狂奔而去。猛白跳腳大喊：

『不要追那個駙馬了，趕快把大象追回來，才是眞的！』

慕沙早已奔得不見蹤影。猛白只得急呼：

『趕快派一隊人去保護她！』

一隊緬甸軍，急忙上馬，跟著飛馳而去。

爾康和簫劍帶著一隊精銳的清軍，正在夜色裡疾馳。忽然，身後喊聲震天，慕沙和緬軍追了過來。慕沙喊著：

『你這個「死馬」！你敢放火燒我們的大象，我要你的命！你往那兒跑？』

『哈！那個緬甸王子，居然追過來了！』簫劍驚愕的說。

『他眞是膽大包天！好像沒幾個人，就這樣追來，不怕我們把他俘虜嗎？』爾康回頭一看，再看看前面的山勢。對簫劍說：『簫劍，我把這個慕沙引誘到那邊樹林裡去，你負責斷他後路，擋住緬軍！我們今晚活捉這個緬甸王子！』

『就這麼辦！小心他的毒針！』

簫劍舉手示意，帶著清軍，隱身於山壁後。慕沙已經飛舞著長劍，追殺過來。

『死馬，你有種就不要跑！』慕沙大喊。

『哈哈！』爾康大笑：『我偏要跑！你有種就不要追！』

爾康一面喊著，一面飛騎奔入叢林。慕沙疾追，也進入叢林。緬軍隨後要追入叢林，簫劍帶著人馬，大喊著衝了出來。

『來一個，殺一個！來一雙，殺一雙！兄弟們！殺呀！』

簫劍就帶著人馬，和緬軍大打起來。

慕沙疾馳進了樹林，四面張望，不見爾康身影。

『死馬！你躲到那兒去了？出來！』

只見一棵樹上，綁著爾康的戰馬，慕沙勒住馬，狐疑的四看。

『哼！要佈陷阱是嗎？以為我好欺負？』慕沙一股正氣凜然，大而無畏的樣子：『就算你埋伏了千軍萬馬，我也不怕！』

正說著，爾康大笑著從樹梢飛撲而下。喊著：

『沒有千軍萬馬，只有我一個！今晚，我們大清的駙馬，要單挑你這個緬甸王子！』說著，直撲馬背上的慕沙。

慕沙被爾康一撲，在馬背上坐不穩，滾下地來。他身手靈活的站穩腳步，拔劍在手，看著面前氣定神閒的爾康，怒罵：

『只有你一個人？那你就不是「死馬」，會變成「死人」了！』

『你這個緬甸王子，學了中文，還學了耍嘴皮子！』爾康一劍刺過去：『你不如乖乖投降，歸順我們大清！』

『作你的夢！我看，你長得不錯，武功也有一點，不如歸降我們緬甸！』

『哈哈！看看是誰投降？』

兩人一面拌嘴，一面交鋒，兩人武功都不弱，互有驚險之處，每當驚險時，不禁驚怔互視，彼此都有服氣的地方。但是，畢竟爾康武功了得，慕沙不是對手，越打越吃力，幾次三番，都差點傷在爾康的長劍之下，打著打著，慕沙越戰越心急，眼看不敵，又不見自己的人馬前來支援，不禁著急。突然跳出戰圈喊：

『不打了！不打了！下次再打！』說著，就飛身上馬。

爾康那裡放得過他，飛躍過去，抓住他的腳，把他拖下馬背來。

『想逃？門都沒有！下來！』

慕沙被拖下馬背，又急又氣，急忙橫劍就砍。爾康欺身上前，發現慕沙始終沒有用暗器，更加放膽打了過去。

『你的暗器沒帶出來？那……你是死期到了！』

爾康施出擒拿手，閃電般抓住慕沙胸前的盔甲。這些緬甸貴族，盔甲上有許多像鱗片一樣的裝備，用來抵擋刀箭，也用來區別身分。爾康一抓，就抓住了那鱗片，用力一扯，居然把那盔甲給扯下了一大片。慕沙大驚，驀然變色，急呼：

『你放手！』奮力一掙，一個觔斗翻出去。

爾康長劍跟著急刺而來，慕沙一閃，長劍正好挑起了他的頭盔，頭盔落地，慕沙一頭烏黑的長髮迎風飛舞。

慕沙身子落地，爾康看去，月光下，只見她胸前肌膚似雪，裡面穿著緬甸式半邊肚兜，酥胸半露，長髮飄飄，原來是個絕色女子！

爾康大震，倉皇後退，震驚已極的說：

『原來妳是個姑娘家！怪不得……』

慕沙看到自己衣冠不整，又羞又窘又氣，跳起身子，直撲爾康。

『我殺了你！我非殺了你不可！』

爾康倉卒應戰，伸腳一絆，慕沙跌倒，爾康一劍逼了過去，直刺她的前胸。她倒在地上，已經沒有生路，大眼盈盈然的瞪著他，羞窘已極。爾康的劍尖，抵在她胸前，卻不忍刺下去。慕沙羞憤的說：

『我殺不死你，只好讓你殺了我！殺呀！刺呀！殺呀……』

爾康怔著，凝視慕沙。忽然嘆口氣，把長劍一收，說：

『沒想到，緬甸有這樣的奇女子！好男不和女鬥，我放了妳！快走！』

豈知，慕沙卻十分剛烈，打輸了，又弄得這麼狼狽，羞憤填膺之下，拿起自己的劍，就橫劍對自己脖子抹去。嘴裡壯烈的說：

『我是猛白的女兒，身子被你看了，還怎麼活下去？我怎能受這樣的侮辱？不如死去……』

爾康大驚，想也沒想，就一劍直挑過去，用力甚大，把慕沙的劍挑飛了。他瞪著她，被她的氣勢震撼了，義正詞嚴的喊：

『慕沙！妳是英雄人物呀！妳敢跟著妳爹上戰場，妳敢衝鋒陷陣，妳大敵當前，面不改色，妳那兒像個姑娘？妳是緬甸的勇士呀！現在，居然會在乎這些小節？生命怎麼可以隨便放棄？妳起來！快走！我不俘虜妳，也不殺妳，今晚的事，我不會跟任何一個人說！我們清軍，沒有人看出妳是女子，我會保密到底！快走！』

慕沙跳起身子，用手捣著胸前的衣服，呆呆的看著爾康。

樹林外，有馬蹄聲音傳來。爾康急喊：

『妳還不走？等到清軍來，妳要走也走不掉了！是英雄，下次戰場見！』

慕沙再看爾康一眼，心中佩服已極，勇氣和信心，立刻恢復。她大喊：

『你今天不殺我，你會後悔！下次在戰場上相遇，我不會放過你！』

『彼此彼此！後會有期！』爾康笑著喊回去。

慕沙就飛身上馬，疾馳而去。一面疾馳，還一面回頭。爾康仍然持劍肅立，看著慕沙的背影消失。

一陣馬蹄聲，簫劍帶著馬隊奔來。對爾康喊：

『緬甸軍已經被我們消滅了……怎麼？你沒有活捉那個緬甸王子？人呢？』

爾康回過神來，抬頭看簫劍，搖搖頭。

『那個緬甸王子，身手實在太好，我們大戰一場，還是給他逃掉了！』

簫劍惋惜著，看到天色已亮，不想追趕了。

『逃掉也別追了，我們趕快回到營地去吧！五阿哥看我們一夜不回，會著急的！』

爾康一躍上馬，帶隊回程。

關於這次和慕沙的遭遇，爾康非常守信，從來沒有對永琪或簫劍提起。有時，也會覺得奇怪，怎麼大家都沒有懷疑過這個慕沙王子是公主！

接下來，清軍如有神助，一連打了好幾場勝仗，陸續收復了許多失地。永琪和爾康這左右兩將軍，逐漸成爲清軍的主力，連帶兵多年的傅恆，也不能不佩服他們的作戰能力，更對那個神祕的『百夷人』佩服不已。

這天，幾個主將，決定兵分兩路，傅恆帶鑲藍旗去收復九龍江，永琪和爾康帶領鑲白鑲紅兩旗去收復普騰。這是永琪、爾康、簫劍在緬甸的最後一役。這一戰，戰出了生離死別，戰出了天人永隔，戰出了人世最大的悲痛！

這天，霧色蒼茫，層雲飛捲，群山重疊。在普騰的郊外，緬甸的一支軍隊，正在山谷中紮營駐守。山谷裡，有幾棟被軍隊征收的農莊草房，還有十幾個帳篷。在帳篷四周，三三五五的緬軍，軍容不整的四散著。還有幾個緬軍在無精打彩的打瞌睡。許多緬甸兵，正在搬運剛剛運到的糧食，不斷從馬車上，一袋一袋的抬到農莊倉庫裡去。戰馬四散吃草，有種懶散的氣氛。顯然經過久戰，緬軍也已軍困馬乏。

山脊上，無聲無息的，出現永琪、爾康、簫劍的身影。三人都是一身軍裝，隱在樹叢間，簫劍拿著一個望遠鏡，在視察敵營。永琪低聲問：

『你看這情勢怎麼樣？沒有象兵部隊，是我們最好的機會！要不要攻下去？』

『慢一點，我聞出一股「誘敵深入」的味道，你們聞到了嗎？』簫劍四面看。

『儘管有「誘敵深入」的味道，也有「糧食」的味道！看到了嗎？他們一袋一袋的在運送！我們如果攻擊成功，就可以搶他們的糧食，來補我們的不足！』爾康說。

簫劍在鏡頭中，忽然看見了慕沙，正策馬徐行。他興奮的放下望遠鏡說：

『不止「糧食」的味道，我還看到那個緬甸王子慕沙！』

『慕沙？』爾康一愣。『又是他！』

『慕沙在那兒？』永琪精神一振。『我們只要抓住慕沙，不怕緬甸王不投降！』

爾康搶過望遠鏡一看，鏡頭下，慕沙風度翩翩，悠閒自在。

『我看到了！他在東邊！把他交給我吧！我帶一隊人馬直衝慕沙！』

簫劍四看，還有些顧慮。

『奇怪，怎麼沒看到他們的弓箭手，他們的毒箭，不能不防！』

永琪看到慕沙掛單，又看到糧食運進糧倉，決心一戰，豪氣干雲的說：

『不入虎穴，焉得虎子？我們趕快打一場漂漂亮亮的勝仗吧！有糧食，有緬甸王子，我們還猶豫什麼？』

『就是這個才奇怪……讓我再研究一下！』簫劍察看著地勢。

『不要研究了，機會難得！』永琪看二人：『怎樣？戰還是不戰？』

『戰！』爾康重重一點頭，視死如歸的說。

『戰！』簫劍也收起遲疑，重重的一點頭。

『好！戰！』永琪點頭。『我攻中路！簫劍，你攻西邊！我們分兩路進攻！』

『簫劍！你跟在五阿哥身邊，保護五阿哥！』爾康急忙吩咐。『你們一路，我一路！』他盯著永琪：

『不管有多麼危急，你身為阿哥，絕對不能冒險！』

『大家都不能冒險，我們進攻吧！』永琪嚴肅的點頭，也盯著爾康。

三人嚴肅的互看，永琪伸出手掌，三人的手，在空中重重的一擊。

永琪舉起手示意，頓時間，號角聲劃破寂靜的長空。

在山谷裡的慕沙，聽到號角聲，猛然一抬頭。只見山脊上，清軍號兵吹著號角現身。緊接著，戰鼓齊鳴。鼓兵打著鼓，跟著現身。接著，山脊上，無數的清軍現身，一字排開，軍容壯大。

永琪的手一揮，清軍就從山脊上呼喊著，直衝而下。

『衝呀……殺呀……衝呀……』

無數清軍，衝下山谷，緬甸軍營中，緬軍奔出迎戰。

爾康騎著馬，手拿盾牌和長劍，一路廝殺過去，後面帶著一隊精銳馬隊。

慕沙抬頭凝視，眼看清軍奔馳而來，發出一聲清嘯。剎那間，緬軍從草屋裡，後面樹林中，蜂擁而出。無數的利箭，不知從何處飛來，直射清軍。

永琪手裡的劍和盾牌舞得密不透風，利箭紛紛墜地。永琪大喊：

『不好！敵人有埋伏！趕快告訴爾康，撤退！』

簫劍緊跟在他身旁，左一劍，右一劍，殺得眼睛發紅。喊著說：

『來不及了！殺呀……』

永琪顧不得這是不是陷阱了，只能奮不顧身，一路廝殺過去。簫劍亦步亦趨，一方面力戰緬軍，一方面保護永琪。他知道，永琪是大清的未來，也是小燕子的生命，他不能讓永琪有任何閃失。

爾康直奔慕沙，長劍直刺，連連刺倒敵軍，轉眼間奔到慕沙面前，大喊：

『慕沙！又見面了！我軍五萬人，已經包圍了你們！你還不投降？』

慕沙對爾康大笑：

『你們包圍了我們？還是我們包圍了你們？你回頭看看！』

『想騙我回頭？門都沒有！你們的象兵部隊，已經被我破解了！』

『象會認主人的，你這點常識都沒有嗎？』慕沙笑著喊：『象兵部隊是這麼容易破解的嗎？難道我們不能再送大象過來嗎？』

兩人和往常一樣，一面鬥嘴，一面交手。慕沙手中的長劍，虎虎生風的劍刺向爾康，招招凌厲，毫不留情。

『我早說過，不殺我，你會後悔！』慕沙嚷著。

爾康急忙迎戰，兩人就在馬背上大戰起來。戰著戰著，爾康聽到身後，那種雷聲又起，象鳴聲驚天動地。

『不好了！中計了！』清軍紛紛驚喊著：『敵人從後面打來了……象兵部隊又來了！大象……大象……』

爾康大驚，猛一回頭，只見象兵部隊，從清軍身後追殺出來，象兵居高臨下，手舞各種有鐵鍊的武器，清軍中箭的中箭，中刀的中刀，中鐵錘的中鐵錘，紛紛倒地。

爾康正在錯愕中，慕沙身邊的一個武士，舉著戰斧，對著爾康當頭劈下。慕沙急喊：

『這個駙馬是我的，我要活捉他！』

武士的戰斧在爾康的盾牌上濺出火花，爾康力貫盾牌，戰斧竟然飛了出去。爾康就用盾牌當武器，一横，把武士打落馬背。此時，慕沙飛身而起，落在他的馬背上，把他的身子一抱。慕沙在爾康耳邊喊：

『你說過，好男不和女鬥！你別佔我便宜！』

爾康大驚，喊：

『那妳跑到我的馬背上來幹什麼？』

慕沙叫著：

『活捉你！』

爾康伸手，抓住慕沙的胳膊，想摔掉她。她大叫：

『你敢碰我！』又用緬甸話大喊：『拐馬腿！』

緬軍揮舞一根鐵鍊，絆住馬腿。馬兒長嘶倒地，爾康施展輕功，落地站穩，只見慕沙就地一滾，滾出戰圈，一抬手，一排小匕首打向他，他長劍飛舞，把暗器紛紛打落。才打掉暗器，覺得四周有異，猛一抬頭，看到無數的緬甸箭手包圍過來，無數的毒箭像雨點般從四面八方射來。

永琪在遠處，打倒了兩個緬軍，一抬頭看到爾康有難。大叫：

『爾康……小心毒箭……』

永琪一面喊，一面不顧一切的策馬飛奔向爾康。簫劍急喊：

『五阿哥！讓我去……爾康……小心……』

簫劍也策馬飛奔向爾康。

這時，帶領象兵部隊的猛白，舞著戰斧，連續殺了幾個清軍，追了過來。永琪首當其衝，就揮舞著長劍，力戰猛白的戰斧。

爾康眼看毒箭射到面前，只能拔地而起，落在一匹馬背上，策馬要殺出重圍。但是，一根象鼻一掃，爾康被掃下馬背。一支利箭，就這樣直刺進他的胸口。雖然穿著盔甲，那利箭力道太強，仍然穿透了戰袍。爾康大叫，雙手握住箭柄，用力一拔，血花飛濺，他喘息著，大吼一聲，就用拔出的箭當武器，對緬軍橫掃過去，一排緬軍，被他這樣勇猛的一掃，紛紛倒地。他傷口劇痛，眼前模糊，身子搖搖欲墜。又一陣箭雨，對他急射而至，這次，他再也躲不掉，許多利箭，都射在他的身上。在這一剎那間，他的眼前，掠過無數紫薇的影像……紫薇的笑、紫薇的淚、紫薇的溫柔、紫薇的叮嚀、紫薇的聲音，在那兒喊著：『爾康，我等你！記著記著，要平安回來……』他眼前是千千萬萬個紫薇，再也沒有戰場，沒有向他當頭打下的各種武器。他軟腳一軟，跪下，再跌倒。

當時，永琪正和猛白纏鬥，聽到爾康的喊聲，抬頭一看，目睹這一幕，嚇得魂飛魄散，撕肝裂肺的大喊：

『爾康……爾康……』

永琪紅了眼睛，拋下猛白，就向爾康的方向直撲過去。猛白那裡會放他走？騎著大象，追殺過來。永琪心急如焚，只想去救爾康，沒有心情戀戰，施展輕功，飛身上了象背，一劍直刺猛白，一腳踹掉了猛白的戰斧。猛白沒料到他如此神勇，象背上坐不穩，翻身落地。永琪也躍下地，再往爾康的方向跑。豈料，猛白大喝一聲：『大象，挺！』大象竟然用牠那巨大的頭，頂向永琪的背，他站立不住，跌倒在地，一翻身，只見大象舉起巨蹄，像泰山壓頂般對他的臉孔踏下，他急忙用力一滑，身子穿過了大象的腹下，從象尾處溜了出來。他一把抓住象尾，正想借力站起身子，不料大象力大無窮，拖著他向前奔。他急忙鬆手，卻驚見後面的大象，也抬著『巨靈之掌』，對著他的面門直踩過來。他倉皇躍起，緊張之中，就沒有看到猛白，抽出腰間的短刀，對著他的腦袋劈下。永琪只覺得眼前一黑，什麼都看不到了，他悶哼一聲，倒在地上。

簫劍眼看爾康倒下，又見永琪倒下，他心魂俱碎，飛馳過來，舞著長劍，喊得力竭聲嘶：

『五……阿……哥……爾……康……五……阿……哥……爾……康……』

山谷中煙塵滾滾，簫劍的喊聲，穿山透雲而去。

同一時間，景陽宮正靜悄悄的躺在午後的冬陽裡。

紫薇摟著小燕子，倚在臥塌上睡著了。明月、彩霞和眾宮女們在悄無聲息的侍候著。添爐火的添爐火，點香爐的點香爐，蓋被子的蓋被子。彩霞抱著東兒，拍著哄著，東兒也睡著了。

忽然，紫薇從睡夢中驚醒，慘叫：

『爾……康……爾康……』

小燕子嚇得整個人驚跳起來，跟著大叫：

『永琪……永琪……』

明月彩霞急忙衝到床邊，喊著：

『兩位格格怎麼了？午覺睡得好好的，被什麼嚇醒了？』

紫薇瞪著一對驚惶的大眼睛，看著小燕子。害怕的說：

『小燕子……我夢到爾康……』

『我也夢到他們了……』小燕子顫抖的說：『不是爾康，是永琪……永琪……』

孩子被嚇醒了，伸手要紫薇抱：

『額娘……額娘……』

紫薇沒有注意孩子，只是瞪大眼睛，看著小燕子。小燕子也瞪大眼睛看著她，兩人互看，都在對方眼中，看到自己的恐懼，不禁嚇得緊緊一抱。紫薇低低的，急促的說：

『不會的，不會的……他有吉祥制錢保護著，他有同心護身符……永琪更不會的，他有皇阿瑪的洪福罩著……他是大清的命脈……』

小燕子拍拍胸口，拚命鎮定自己：

『是的是的……他答應過我，他會保護好他的腦袋，他們都會好好的……』

紫薇和小燕子眼睛裡的恐懼越來越深，他們到底是不是好好的？誰能告訴她們呢？

41

永琪和爾康，並沒有『好好的』。

戰場上，一片悲慘景象。這一戰實在慘烈，雙方都損失慘重。猛白的大將，紛紛被殺，他無心戀戰，帶著軍隊急忙撤退，剩下清軍，還在戰場上收拾殘局。硝煙彌漫，兩軍的屍體，散佈各處。受傷的士兵，在呻吟求救。殘破的戰車冒著煙，餘火兀自燃燒。倒地的馬匹、散落各處的兵器、半毀的旗幟……在在顯示曾經有過多麼慘烈的戰爭。

劉德成帶著無數清軍，在找尋爾康。他到處尋覓，喊著：

『額駙……你在那裡？福將軍……你在那裡？』

永琪躺在一件軍氈上，簫劍和軍醫圍繞著他，給他治傷。他的額頭中了一刀，正在流血，人也昏迷著。軍醫幫他清理了傷口，再麻利的包紮起來，簫劍緊張的看著，著急的問：

『軍醫！五阿哥的傷勢怎樣？有沒有生命危險？』

『五阿哥鴻福齊天，應該不會有事，傷口不是很深，但是，流了太多血，又傷在頭部，就怕昏迷不醒，也怕醒來之後，意識不清楚，我們喊喊他，最好把他喊醒！』

『五阿哥！醒一醒！快醒來！五阿哥……』簫劍急喊。

軍醫和士兵，也圍在旁邊大喊：

『五阿哥！五阿哥！五阿哥……醒一醒！五阿哥……』

永琪在大家的呼喚聲中，呻吟一聲，眼睛驀的睜開了。簫劍驚喜的喊：

『醒了醒了！』就盯著永琪：『五阿哥！看到我了嗎？認識我嗎？』

永琪猛然坐起身子，哎喲一聲，用手摀住頭。

『哎喲！好痛！』

軍醫急忙把他的手拉下來。

『不要碰，那兒有傷口！』

簫劍看到永琪醒了，又聽到軍醫說沒有大礙，就拍拍他，一躍起身，著急的說：

『五阿哥……你醒來就好了！我還要去找爾康……』

永琪聽到爾康兩字，大大一震，整個人都醒了，一把抓住簫劍的衣服急問：

『爾康在那裡？』他掙扎著要站起來，大家趕緊扶住：『爾康呢？爾康怎樣？我看到他中箭……他在那裡？』

『還沒有找到爾康……好像不止中箭，我看到他倒地以後，刀、劍、戰斧都對他砍去……可是，就是找不到他的人，我再去找！』簫劍說著，轉身就跑。

『五阿哥！趕快躺到擔架上去，我們送您回營地！』軍醫伸手去扶永琪。

永琪一把推開了軍醫。激動的喊：

『我沒事，不要管我！趕快去找額駙……』他跌跌撞撞的向四處找尋，瘋狂般的放聲大喊：『爾康……爾康……你在那裡？爾康……』

永琪一面喊著，一面腳步踉蹌的四處去看，身子搖搖晃晃。簫劍回頭喊：

『我去找，你先回營地休息！』

『我不要休息！我不要！』永琪大叫：『爾康……爾康……』對士兵們大喊：『兄弟們，快找！救人如救火，說不定他受了重傷，無法答應我們……』

簫劍趕緊吩咐：

『擴大搜尋的範圍！往緬甸軍撤退的方向去找！一路找過去！』

『我帶一隊快馬去找！』劉德成急忙答應。

劉德成上馬，馬隊迅速的奔去。

永琪著急的，腳步不穩的，悽然的到處尋找。軍醫一步一趨的扶持著。簫劍也在整個戰場奔走，到處呼喚。士兵們翻開重疊的屍體，拉起倒翻的戰車，撿起鋪地的大旗……在各個角落搜尋爾康。發現有受傷未死的清兵，就發出喊聲。擔架上來，迅速抬走。這樣尋尋覓覓，幾乎把整個戰場都找遍了，還是不見爾康的蹤影。

黃昏來臨了，落日掛在天邊，暮色慢慢籠罩著大地。永琪已經筋疲力盡，傷口劇痛，心更痛，再也走不動了，坐在一塊石頭上休息。簫劍越找越心急，奔向永琪。

『五阿哥，找不到人！爾康的戰袍那麼明顯，整個軍隊裡，只有幾件，遠遠的都看得到，我猜，他一定被猛白俘虜了！』

『如果他被猛白俘虜，就證明他還活著！』永琪跳起身子，心急如焚的說：『我要親自帶一隊人馬，一路追過去找！』回頭大喊：『我的馬！』

士兵牽來戰馬，永琪還沒上馬，身子一陣搖搖晃晃，幾乎暈倒。簫劍趕緊扶住。

『你回營地，我去找！』簫劍說。

『我行，我沒事，我要去……』永琪說著，勉力躍上馬背。

就在這時，劉德成喊著叫著，帶著騎兵，快馬奔來：

『五阿哥……找到額駙了！找到額駙了！』

永琪和簫劍震動著，急忙看過去。只見劉德成的馬背上，橫放著爾康的身體，轉眼奔到眼前。劉德成哽咽的說：

『額駙……額駙已經為國捐軀了！』

永琪和簫劍大震。兩人都瞪大眼睛，看著劉德成滾鞍下馬，幾個士兵手忙腳亂，把爾康的屍體抬下地。永琪再也坐不穩，從馬背上滾落地，軍醫和士兵趕緊扶住。簫劍早已撲到爾康身邊，一看，就把頭痛楚的轉開，臉色蒼白如死。啞聲的急呼：

『五阿哥！不要看！他已經面目全非，渾身是血……』

永琪看了一眼，看到那張血肉模糊的臉，心就崩裂了。他的臉色如死，抗拒的，不願承認的說：

『不是他！不是爾康……』

劉德成拿了爾康的劍，遞給簫劍。哀痛的說：

『這把劍，他還握在手裡！』

簫劍拿起那把劍，這是福倫在爾康出發時，給他的劍，劍柄的『福』字清晰，是他刻不離身的劍。簫劍持劍的手，不禁顫抖，啞聲說：

『是他的劍，沒錯！』

永琪漲紅雙眼，堅持的說：

『不是他！他身上有紫薇的同心護身符，有皇阿瑪的吉祥制錢，盔甲領子裡，有紫薇親自繡的紫薇花，裡面藏著平安符……這不是他……』

永琪一邊說著，一邊撲過去，從屍體的衣領裡，拉出紅繩綁著的吉祥制錢。一看那吉祥制錢，永琪崩潰了，再也沒有懷疑了，頓感天旋地轉。爾康自從出發以來，就連沐浴更衣，也從來沒有讓這制錢離身過！

『紫薇的「同心護身符」！不行！這不能是他，不可以是他！』永琪站起身子，跌跌撞撞奔開去，向空狂呼：『爾……康……我們一起來，要一起回去！你不能這樣離開我們！爾康……你要回去見紫薇……』

紫薇在做什麼呢？她坐在燈下，縫製著東兒的小棉襖。東兒在床上熟睡著。等待中的時光儘管漫長，回憶裡依舊充滿了甜蜜，她嘴裡低低的吟唱著：

『山也迢迢，水也迢迢，山水迢迢路遙遙……盼過昨宵，又盼今宵，盼來盼去魂也消……』嗯，盼來盼去魂也消，現在才瞭解這句話的意思！

門外，有人敲敲門。

紫薇驚覺的抬頭，只見爾康穿著便服，從門口的光影中走向她。他笑著，喊著：

『紫薇！我回來了！』

紫薇大驚，跳起身子，身上的針線籃、小棉襖全部落地。她揉揉眼睛，喊：

『爾康！你回來了？怎麼可能？我沒有做夢吧？』她撲上前去：『你怎麼不聲不響的回來了？皇阿瑪也沒說，誰都沒有通知我……我要去城外接你呀！』

爾康一把抱住了她，笑著說：

『我故意不讓大家告訴妳，我要給妳一個驚喜！』他深深看她：『紫薇，妳好嗎？』

『我好嗎？』紫薇又哭又笑的說：『我不好！整天想你想得快生病了，怎麼會好呢？』她抓著他的手，看來看去，眼光上上下下的巡視著他：『你呢？你沒有受傷吧？我天天擔心，每天都心驚膽戰！昨天，還做了一個惡夢……』

爾康凝視她，眼光裡是無盡的深情，打斷她：

『噓！再也不要擔心了，我在妳的身邊，再也不會離開妳了！我知道，這些日子，妳是如何煎熬著過下去的！我不要妳為我再受這種苦！紫薇……我答應過妳，我會回來，所以，妳要相信我，無論發生了什麼事，我都在妳身邊，不會離開妳！』

紫薇熱烈的笑著，淚水滿盈在眼眶裡：

『是！是！是！我知道！我從來沒有懷疑過！你是我永遠的爾康，是東兒的阿瑪！謝謝你平安回來……』

爾康緊緊的擁著她，無限不捨的，在她耳邊低語：

『妳知道嗎？我走了之後，最不放心的就是妳！我知道，東兒會慢慢長大，額娘和阿瑪會在東兒身上找到安慰，可是，妳這樣痴情，怎麼辦呢？我心裡牽牽掛掛，都是妳！我捨不得妳……』

『我也是呀！』紫薇熱烈的喊：『你走了之後，我都分不清每天想你幾次，因為思想是連續不斷的，我都沒有辦法剖段，你填滿我所有的思想！爾康，請你再也不要離開我，你笑我好了，我承認我的軟弱和無助，我需要你，離不開你！』

『我知道，我知道，我知道……』

爾康一疊連聲的說，就俯頭吻住了她。

一個纏綿的長吻以後，爾康擁著她，在她耳邊一連串的說：

『好好愛東兒，好好愛東兒，好好愛東兒……』他放開了她，退向門邊。

『是是是！我會的，我明白了，我確實給東兒太多……以後，我更要好好愛你！』紫薇追著爾康，惶恐的喊：『爾康，你要去那裡？』

爾康的身影，消失在門口的光影中。

紫薇忽然找不到爾康了，大驚，四面張望，室內一燈如豆，那兒有爾康的影子。她驚惶失措，大叫：

『爾康……爾康……爾康……你在那裡？爾康……爾康……爾康……』

忽然，有人搖著她，喊著：

『醒來醒來！紫薇，妳又做惡夢了！』

紫薇一驚而醒，發現她和小燕子睡在一張床上。小燕子正在拚命搖著她，喊著她。她從床上陡然坐起，睜大眼睛，茫然四顧。

『爾康……』她的聲音低了下去：『沒有爾康……我在那兒？』

『妳在景陽宮呀！妳進宮陪我，已經快十天了！』

紫薇坐在床上，神思恍惚。困惑的、茫然的說：

『我看到爾康了……他回來了……』

『那是夢！我也做了好多這樣的夢，夢到永琪回來了，醒來，才發現什麼都沒有！』小燕子拍著她說：『吸口氣，再慢慢吐出來……我就是這樣讓自己清醒。』

紫薇回憶著，尋思著。忽然打了一個冷戰。

『是夢嗎？夢裡的爾康，爲什麼那麼眞實？我似乎還感覺得到他的手臂，他的溫度。他說的每一句話，都在耳邊迴響……是夢嗎？』

紫薇眼前，突然閃過爾康臨走前的臉孔，聽到他臨走前說的話：

『我不在妳身邊的日子，我的魂魄也會飄到妳身邊來！』

紫薇顫抖著，抬眼看小燕子。低低的、小聲的說：

『我很害怕……我眞的很害怕……』

小燕子抱住她，喊著：

『我們都不要怕！只是做夢而已！他們去了那麼久，我們除了夢到他們，還能怎樣呢？』

紫薇點頭，眼神裡，依舊盛滿疑懼。她茫然四顧，室內的桌子、椅子、宮燈、擺飾……一一在目，這是景陽宮，不是學士府，那兒有爾康？是夢！只是一個夢而已。她的爾康，會活著回來和她相會！一定的！

同一時間，清軍營地，營火熊熊。

帳篷一座座豎立著，士兵在各個帳篷間巡邏。

永琪披著一件軍氅，頭上包紮著，臉色慘白的坐在火邊。簫劍遞了一杯熱茶給他，他就握住杯子，雙手無法控制的顫抖著。簫劍在他身邊坐下，凝視營火，神情悲苦。半晌，兩人不言不語。然後，簫劍掏出一支新做的簫，開始吹起〈你是風兒我是沙〉，簫聲悽涼的在營地縈繞。帶著他們，回到了以前的時光。一曲未終，簫劍擲簫長嘆。

『這樣的犧牲，未免太慘重了！』

永琪捧著杯子，漲紅了眼圈，依舊一語不發。

『五阿哥，你頭上有傷，請早些休息，節哀順變吧！』

永琪動也不動。這時，劉德成奔來，肅立著報告：

『報告五阿哥，所有犧牲的弟兄，都已經挖好了墳墓，明天一早就用軍禮安葬！不知道額駙的遺體，是不是也葬在這兒，以後再來遷葬？』

劉德成這樣一問，永琪才感到徹骨徹心的劇痛，跳起身子，把手裡的杯子往石頭上一砸，他爆發般的喊著：

『怎麼可以葬在這裡？紫薇還在北京盼著他……誰也不許動他的遺體！不許下葬，不許火化，我要帶著他走！我到那兒，他到那兒！我要一路帶著他，帶回北京去！現在，你們去把他搬到這兒來，我看著他，我陪著他！』

劉德成大驚，結舌的說：

『五阿哥……這……這不大好吧！仗還沒打完，一路帶著，不知道要帶多久？最近氣候不好，天氣潮濕，雨水又多，遺體不馬上處理，只怕會……會……』

永琪大聲打斷：

『不要再說下去！把他搬過來，搬過來！』

簫劍給了劉德成一個眼色，劉德成這才囁嚅著說：

『是！我知道了！』

劉德成匆匆的走了。

簫劍和永琪彼此凝視。永琪一下子跌坐在地上，用手蒙住了臉。低語：

『我怎麼回去見紫薇？我怎麼告訴她？來的時候，那樣生龍活虎，回去的時候，會是一堆白骨嗎？紫薇怎麼忍受這個？』

簫劍也痛楚著，沒有力氣安慰永琪了，拿起簫，再度吹奏著〈你是風兒我是沙〉。幾個士兵捧著爾康的盔甲、長劍、吉祥制錢等過來。士兵肅立說：

『報告五阿哥，額駙的盔甲，已經洗乾淨了，血跡都清除了！額駙的遺體，換上了他的官服……這是額駙身上的遺物，劉總兵要我交給五阿哥！』

永琪接過爾康的遺物，大痛。

『我看著他中箭，我怎麼沒有衝過去？怎麼會讓它發生呢？我算什麼兄弟？我算什麼朋友？我們離開北京的時候，紫薇和小燕子追到城外來送行，紫薇再三叮嚀，要我和爾康彼此照應……』他拿起那個吉祥制錢，痛定思痛：『吉祥制錢，大吉大利，會逢凶化吉，遇難呈祥……』他的聲音哽住了，說不下去。

簫劍展開那件盔甲，翻開衣領，赫然看到染著血跡的紫薇花。

『染著血跡的紫薇花！這朵紫薇，總算伴著爾康，走到最後一程！』

這時，幾個士兵抬著軍旗蓋著的擔架過來。劉德成跟在旁邊：

『報告五阿哥！額駙的遺體在這兒！』

『放在這兒，放在火邊！』永琪啞聲吩咐。

擔架放在永琪和簫劍身邊，整個遺體從頭到腳都蓋著軍旗。永琪默默的看著，手裡，緊握著那個吉祥制錢。

『那個「同心護身符」是他從不離身的東西，我們最好再幫他戴上去！』簫劍說。

永琪點點頭，兩人就把吉祥制錢，戴回遺體上。永琪看看擔架，看看爐火，哽咽的說：

『壯志未酬身先死，常使英雄淚滿襟！』

簫劍無語，眼中充淚。兩人就這樣捧著爾康的盔甲長劍，伴著爾康的遺體，淚眼相對的坐在火邊，一直坐到天明。

第二天一早，永琪安葬了上百位犧牲的弟兄。在號角聲裡，軍旗冉冉升起。劉德成雙手捧著酒器，遞給他。他接過酒器，慢慢的把酒傾倒在地上。沉痛的唸著他自創的奠文：

『永琪路遠迢迢，帶著各位，來到前方，卻不能把各位英雄，帶回北京！只能讓你們留在這兒，遙望故國河山。永琪愧對各位在天之靈！你們身經百戰，英勇無比！馬革裹屍，名留千古！永琪將帶著你們的英魂回去，希望你們神遊不遠，魂兮歸來！』

永琪祭完，士兵們開始剷土，一剷一剷的剷進坑裡。永琪和簫劍悽然而立。

就在此時，煙塵大作，傅恆帶著一隊人馬，舉著旗幟，快速奔來。

眾人一驚抬頭，劉德成大喊：

『傅將軍到了！傅將軍到了……』

傅恆快馬奔來，一面飛馳，一面大喊：

『五阿哥！我們勝利了！緬甸大軍已經撤退！我們勝利了！』

永琪驚愕著，簫劍震動著。傅恆已來到墓地前，一躍下馬，興奮的說：

『這次普騰之戰，我方雖然損失慘重，緬甸也損失慘重，再加上我們收復了九龍江，猛白不打了！

帶著象兵部隊，連夜退進虎踞關！所以，我們的戰事結束，我們勝利了！』

頓時間，士兵歡聲雷動。大喊大叫：

『勝利！勝利！傅將軍勝利！五阿哥勝利！皇上萬歲萬歲萬萬歲！我們勝利了！勝利了！我們要回家了！大清萬歲萬歲萬萬歲……』

士兵們拋掉鏟子，彼此拍打擊掌，歡喜如狂。

永琪看著狂喜的清軍，再看向傅恆。這才有了一點反應：

『勝利了？我們打贏了？』

『是！打贏了！所有的失地都已經收復，我們可以回京見皇上了！』傅恆說。

『打贏了……打贏了……』永琪喃喃的說著，忽然悲切的大笑：『哈哈哈！打贏了！爲了「打贏」，我們付出多麼慘重的代價，多少人從京城到這兒，行軍幾千里，離家別子，死在這個遙遠的地方，變成這一堆堆的黃土！我們失去了爾康，這是無法挽回的悲劇！對所有犧牲的弟兄來說，都是無法挽回的悲劇！多少家庭破碎了，多少人要面對死別，多少妻子等不到丈夫……贏了！是的，我們贏了，可是……勝利對於我，已經沒有意義了！』

簫劍走過去，拍了拍永琪的肩。安慰的說：

『你心裡的痛，我們都明白，我也難過得不得了，痛不欲生！但是，勝利總比失敗好，這樣，爾康在天之靈，也會安慰許多！最起碼，不是「壯志未酬身先死」了！』

傅恆也上前，收起笑容，誠懇的說：

『額駙的殉職，我已經得到消息了！我想，額駙爲國捐軀，死得光榮，死得其所！到了戰場，生死就在一線之間！請五阿哥節哀順變吧！』

永琪點點頭，知道自己還有責任，不能深陷在這樣的悲哀裡，他勉強的振作了一下，說：

『傅六叔！找一口好棺木，我們把爾康的遺體帶回北京去！讓他能夠葬在福家祖墳裡！』

『是！』傅恆恭敬的回答。

緊接著，清軍拔營回北京。

永琪、傅恆、簫劍騎馬在前，帶著浩大的隊伍，迤邐前進。騎兵隊伍後面，幾匹駿馬，拉著一輛靈車，車上，是爾康的棺木。棺木上，蓋著軍旗。靈車四周，兩列士兵全身縞素，舉著白幡，一路撒著紙錢，呼喚著『額駙』，扶棺前進。清軍們雖然個個滿面風霜，但是，畢竟打了勝仗，要回家了，個個也都是精神抖擻的。只有永琪、簫劍、傅恆等人，因爲失去了爾康，面容悲切。

走著走著，傅恆勒馬說：

『前面就是大理！我們繞過大理，不進城了，早些回北京比較好！』

『大理！』永琪震動的看簫劍：『前面就是大理？』

『是！前面就是大理！』簫劍回答。

永琪思前想後，想到當初在南陽，大理就是大家的『夢』。如今，他帶著爾康的靈柩到了城外……爾康這一生，終究沒有走進大理，眞是情何以堪！

『我和爾康，終於到了大理，卻是過門不入！』

『大理沒有腳，它不會走！讓它繼續等吧！我有預感，有一天，我們會在大理相聚！』簫劍忽然一拱手說：『傅將軍，五阿哥！百夷人在這兒和兩位將軍告辭，雲南是我的家鄉，恕我不再遠送了！』

永琪這才想起，簫劍不能回北京。傅恆看著簫劍，讚賞的說：

『軍師！這次平緬甸，你身先士卒，勇不可當！是一個不可多得的人才！請和我們一起回北京，我會面奏皇上，論功行賞，一定讓你封官進爵！』

『傅將軍！好意心領！我來的時候，就沒有想過封官的事，只想幫助五阿哥打這一仗，現在功成身退！我來自蒼山腳下，回到蒼山腳下！你們大軍不想進大理，我在大理還有未完之事！原諒我不陪了！』

傅恆深深的凝視簫劍，忽然問：

『傅恆明白了！軍師和五阿哥，應該是舊識吧？』

簫劍一驚，永琪一震，傅恆一笑。

『每當危急時，常常聽到你們直呼姓名！百夷人好工夫，傅某佩服之至！放心，軍師不想以眞面目示人，傅恆也絕不多嘴！就此別過，後會有期！』傅恆誠懇的說。

傅恆對簫劍一拱手，兩人眼中都有折服。簫劍轉過目光，看著永琪。

『我們去那邊談談！』

永琪會意，一拉馬韁，向前奔去，簫劍急忙跟去。兩人兩騎，就一直奔到山頭上，才勒住馬。永琪看著簫劍，問：

『你不去北京了嗎？決定了嗎？』

『是！請你轉告晴兒，我對她的心不變！已經到了大理，我無論如何，也要去看一看我的義父！你這次回去，大概要面對很多問題，爾康的事，我知道你至今無法接受，其實，我也無法接受！總以爲我們早就把生死置之度外，原來並不是，我們可以看淡自己的生死，卻無法接受好友的死，永琪，你要振作一點！』

『我明白！』永琪凝視他：『什麼時候會再見到你？』

『說不定很快！晴兒在北京，我的心也留在北京！何況小燕子也在那兒……』簫劍說著，眼光變得深刻而懇切：『永琪，小燕子是很重感情的人，所有重感情的人，在感情面前，都會變得很脆弱！小燕子不是天不怕地不怕的，她愛你，更怕失去你，你千萬不要負了她！』

『你放心！』永琪嘆著氣：『經過這次的離別，我對自己看得很清楚，自從離開了北京，我心裡想的，都是小燕子，不是知畫！再經過了爾康的事，我體會得更深，感觸更多，人事無常，我會珍惜和小燕子在一起的時光，別的，都不重要了！』

兩人深深互視。

『那麼！暫時告別，下次見面的時候，就是我帶走晴兒的時候了！告訴晴兒，這是我不變的決心！請她和我一樣堅定！』

永琪點頭，簫劍一勒馬韁，轉身疾馳而去。永琪也一勒馬韁，追上大隊。

大隊人馬，繼續向前移動。

永琪回首，簫劍一人一騎，沒入雲深不知處。

當快馬傳書傳到宮裡那天，乾隆正在景陽宮，帶著知畫練字。自從發現知畫可以寫好幾家的字，還精通乾隆的書法，乾隆對這個兒媳婦，就刮目相看了。閒暇的時候，常常來到景陽宮。何況，這兒還有他的『開心果』，還有他心愛的紫薇和外孫東兒。雖然，小燕子變得脾氣古怪，笑容也越來越少，乾隆都把它看成是思念永琪所致，也不曾和她計較，在他內心深處，依然十分寵愛著小燕子的。

這天，乾隆在書桌上寫字，小燕子、知畫、紫薇、太后、晴兒都在圍觀。明月、彩霞、珍兒、翠兒在一邊侍候，裁紙磨墨，奉茶奉水。乾隆寫完一張紙，眾人恭維不斷。知畫納悶的、佩服的說：

『皇阿瑪的字，下筆很輕鬆，但是筆筆有力，為什麼我寫起來，就軟弱無力呢？』

『妳也不是軟弱無力，以姑娘家來說，妳的字算是很有力了，怎麼能跟皇阿瑪比呢？朕是男人，提起筆來，就比妳有份量！』乾隆心情良好的說。

『是呀是呀！可是……我總想學個幾分！』知畫說。

『妳已經有幾分了！我看妳學得挺像的！』晴兒忍不住說，心想，這知畫還眞懂得如何討好乾隆，這一點，小燕子是望塵莫及的。小燕子那一套，都是『歪打正著』的，絕對不像知畫那樣心有城府。而且，小燕子衝動起來，還常常『歪打』『正不著』，弄出一堆狀況。

果然，小燕子不服氣的接口了：

『比幾分還多幾分，寫字工夫有五分，做人工夫就有五分！加起來是滿分！』

乾隆看了小燕子一眼，聽出她話裡的醋意，就微笑了一下。說：

『妳懂得這個道理就好了！不管做人還是寫字，妳都應該跟知畫學！』

『我其笨如牛，學不會的啦！』小燕子噘了噘嘴。

『不錯呀！「其笨如牛」都會用了！』乾隆忽然發現旁邊一疊寫好的字，面上一張，寫得非常工整，拿起來看：『好字！誰寫的？』

紫薇看了一眼，趕緊應道：

『是我！隨便寫的，寫得不好！』

乾隆唸著字：

『故人入我夢，明我長相憶，恐非平生魂，路遠不可測……』不禁看紫薇：『字，寫得眞好！我們宮裡有三個才女，紫薇、晴兒、知畫！只是……這首杜甫的「夢李白」，應該改名，是紫薇的「夢爾康」

吧？』

紫薇頓時面紅耳赤。急忙說：

『皇阿瑪！您不要取笑我了，不是不是啦……是在抄《唐詩三百首》！』

『哈哈哈哈！』乾隆大笑：『是，也沒關係呀，想爾康，也是天經地義！小燕子前些日子，不是還鬧著要去雲南找永琪嗎？年輕夫妻，就是忍受不了別離！』

太后趁機說：

『皇帝，你說我們宮裡，有三個才女！這紫薇和知畫，都有了很好的歸宿，只差晴兒，還沒有婆家。我再不給她找個婆家，別人一定以爲我自私，要留著她侍候我！最近，我看上了兩個人，你幫我挑一個吧！』

太后這樣一說，晴兒、紫薇、小燕子全部嚇了一大跳。晴兒立刻情急起來，說：

『老佛爺！您說什麼？什麼婆家？我不要不要……請您讓我留在您身邊，侍候您！這就是您對我的恩惠！』

乾隆看了晴兒一眼，搖搖頭。不悅的說：

『晴兒！難道妳還沒有忘記簫劍？那種無情無義的人，妳就把他忘掉吧！』

小燕子聽到乾隆這樣罵簫劍，忍不住哼了一聲，紫薇趕緊拉了拉她的衣服，示意她不要說話。乾隆也沒在意，問太后：

『晴兒的事，朕也一直放在心上，老佛爺看中的是誰呢？』

『一個是傅恆的姪兒，新上任的御前侍衛傅雲！還有一位，來頭就大了，那就是八阿哥永璇！前兩年，永璇還小，現在已經長大了！晴兒年長幾歲，也沒什麼關係！皇帝認爲如何？』

『咦！忘了永璇！確實不錯……』乾隆沉吟著，就看晴兒：『晴兒，妳願意當朕的兒媳婦嗎？永璇，總不會輸給簫劍吧？』

晴兒、小燕子、紫薇都變色了。晴兒急忙哀懇的說：

『皇上！老佛爺……晴兒眞的不想嫁，請開恩……讓我跟著老佛爺，現在，老佛爺身邊，也缺一個體己的人。晴兒自己願意這樣，不會有人說老佛爺自私，老佛爺就不要過慮了！八阿哥地位太高，晴兒不敢高攀！』

『不是「不敢高攀」，是看不中吧？』太后皺皺眉。

『老佛爺！求求您了……』晴兒悽然的喊。

小燕子實在忍不住，往前一站，抬頭挺胸的說：

『老佛爺，皇阿瑪！你們心裡都明白，晴兒就是忘不掉我哥嘛，爲什麼一定要強迫她忘掉呢？我哥千不好，萬不好，可能是晴兒心裡的「最好」！她想著他過一生，也很美呀！皇阿瑪，您還不是心裡想著人，在過日子嗎？我打賭皇阿瑪沒有忘記盈盈姑娘！』

乾隆一怔，還來不及說話，外面一陣喧鬧，小鄧子、小卓子衝進房來請安稟告：

『皇上吉祥！有前線的快馬傳書……』

『快馬傳書！』眾人全部驚呼出聲。不論大家各有各的心事，對於前線的消息，盼望的心情卻是完全一致的。

『是誰？快傳他到景陽宮來！』乾隆喊。

『已經來了！傅雲大人把他帶來了，在大廳裡等著呢！』

乾隆一聽，撈起長袍，就快步衝進大廳。眾人身不由己，全部追了上去。

到了大廳，傅雲已經帶著風塵僕僕的官兵在等候。見到乾隆，急忙行禮。

『臣傅雲叩見皇上！有前線的快馬傳書！』

兩個官兵跟著一跪，喊『皇上萬歲萬歲萬萬歲』。乾隆急急的一伸手：

『起來！趕快拿給朕看！』

傅雲和官兵起身，傅雲就從官兵手中，接過傳書，雙手呈上。

乾隆拿著信，急急的拆開信封，拿出信箋來看。大廳門外，紫薇、小燕子、知畫、晴兒、太后都擠在那兒，伸長了頭聽著，看著。乾隆一面看，一面驚呼：

『雲南大捷！十三個地區全部收復！緬甸王猛白帶著象兵部隊，已經撤回了緬甸……』他再看下去，臉色大變：『但是……』

乾隆愕然回頭，看著站在門口的女眷。大家見乾隆臉色如此慘淡，全部心驚肉跳，一齊衝進門。太后顫聲問：

『大捷？那是打了勝仗！是好消息呀……皇帝臉色怎麼不對？難道……』

『是誰出了事？』小燕子衝口而出：『是不是永琪？他……怎樣了？』

知畫用手一把蒙住嘴，呻吟般的說：

『不要……不要……』

乾隆一直不語，紫薇睜大眼睛，一瞬也不瞬的看著他。小小聲的，害怕的問：

『皇……阿瑪？到底是什麼？』

『皇上，沒有壞消息，是不是？他們馬上就要回來了，是不是？』晴兒追問著。

乾隆終於抬眼，看著紫薇。紫薇接觸到乾隆悽慘的眼光，就開始渾身簌簌發抖。她搖頭，臉色越來越白：

『不會……不會……他答應過我，會平安回來……他說，他是最負責任的人，他會對我和東兒負責任……』

紫薇的聲音頓住了，哀懇的看著乾隆。

眾人全部瞪著乾隆，房內鴉雀無聲。半晌，乾隆啞聲的開口了：

『紫薇，爾康殉職了！他，英勇犧牲了！』

紫薇睜大眼睛看著乾隆，咕咚一聲倒下地。晴兒和小燕子撲上去抱住她，哭著急喊：

『紫薇！紫薇！紫薇……』

42

其實，爾康還沒有斷氣。

緬甸大軍，因為久戰不勝，兵困馬乏，大象在清軍的火攻下，也損失了好多。以前攻下的土地，又被清軍一一收復。而普騰這一戰，損兵折將，元氣大傷。猛白知道再戰下去，一定更佔不到好處，識時務者為俊傑，當機立斷，收拾殘局，帶著大軍撤回緬甸。

旗隊、馬隊、車隊、象兵隊、步兵隊……一行人走在煙塵滾滾中。

在一輛馬車內，躺著遍體鱗傷的爾康。他穿著緬甸人的白色長袍，胸前敞開，裡面纏滿了裹傷的白布巾，頭上也密密層層的包紮著，左手臂和雙腿都包紮著，白布上血跡殷殷，看起來像一個木乃伊一樣。他在層層包裹下，露出昏迷著的臉龐，臉色蒼白如紙，看來毫無生氣。

慕沙帶著一個緬甸大夫，守在爾康病床前。大夫拿著藥碗，正用藥水和藥粉混在一起調藥。猛白坐在一邊看著，臉色十分不耐。

大夫把藥拿到慕沙面前。說：

『八公主！藥水可以喝了！這次一定有效！』

慕沙就急忙端起藥碗，一匙一匙的把藥水餵進爾康嘴裡。用漢語喊著：

『趕快喝下去！喝下去你這匹馬才能活！快喝！』

爾康的魂魄，正在縹縹緲緲，找尋著回家的路。躺在這兒的他，完全沒有知覺，沒有意識，昏迷不醒。藥水灌進去，全部從嘴角溢出來。

『喝呀！喝呀……當了死馬，就沒有意思了！』慕沙著急的喊。

爾康動也不動。慕沙對大夫一凶：

『大夫，他喝不進去呀，你們治的什麼病？』

大夫和侍衛上前去，拉起爾康，灌藥的灌藥，掐人中的掐人中。

猛白忍無可忍，跳起身子，命令的說：

『慕沙，把這個死人丟到馬車外面去！妳看，他這個樣子還能活嗎？就算他活了，渾身都是傷口，說不定腳也跛了，手也斷了，絕對不是在戰場上，那個威風凜凜的駙馬！妳還救他幹什麼？』

慕沙回頭，對著猛白一陣大喊：

『我要救他！我就是要救他！我一定要救他！除非他斷了氣，我不會丟掉他！』

猛白大怒：

『這樣嗎？那還不簡單！』

猛白一面說，從腰間拔出匕首，撥開眾人，飛撲到爾康面前，一匕首刺了下去。

慕沙眼看情況不對，飛身一攔，匕首劃過了慕沙的衣袖，衣袖『唰』的一聲破了，血濺了出來。猛白大駭，瞪著慕沙喊：

『妳瘋了？』

『你讓我救嘛！』慕沙任性的說：『如果大夫治不好，我們還有巫師呢！一個用巫術治，一個用醫術治，總有一個能治好他！真的治不好，我再放棄也不遲呀！』

猛白收起匕首，不可思議的搖搖頭。

『這小子有什麼本領，讓妳這樣迷戀？』他瞪著慕沙，見她一臉堅決，投降了：『妳救！妳救！救得活才怪！』

爾康被一陣折騰後，氣若游絲的躺下去了。嘴裡，發出一陣喃喃的囈語：

『恐非平生魂，路遠不可測……』

慕沙驚喜的喊：

『瞧！還沒死，還在說話！』

大夫趕快去給慕沙包紮手臂上的傷口。慕沙才不在乎自己身上這點傷口，匆匆包紮完畢，又撲到爾康床前去。大夫說：

『八公主，要救這位駙馬，除非趕快回到三江城，用「銀硃粉」來治，銀硃粉需要用罌粟花的種子，龍鬚草的根，火雲石的粉，番紅花的莖……一共九味藥來調製，現在已經用完了，有了銀硃粉，他就不會這麼痛，說不定可以起死回生！』

『那就快馬奔回去！告訴車夫，快！快！』

馬車驀的加快，向前飛奔。

爾康躺著，正一步步走向死亡。他什麼意識都沒有，唯一還佔據著思想的，是紫薇！他的紫薇，他答應過她，他會活著回去，他會對她負責任！他要回去，要回去，要回去……要回去告訴紫薇，他不會離開她，不捨得離開她……如果他即將死去，他的魂魄也要飛回她的身邊去！這唯一的思想，強烈的控制著他的靈魂，他覺得自己會飛，他可以擺脫那個遍體鱗傷的軀殼，他要飛回學士府，飛到紫薇身邊去……

他確實飛了起來，他的魂魄，像一片羽毛，比羽毛還輕，隨著風，飄過了緬甸的土地，飄過了雲南的邊境，飄過了遙遠的山山水水，飄到了北京，飄到了從小長大的家，再飄進了他熟悉無比的大廳。紫薇，東兒，我來了！阿瑪，額娘，我來了！然後，他震懾住了，爲什麼家裡一片愁雲慘霧？

他看到了紫薇，她呆呆的坐在一張椅子裡，眼睛大大的睜著，一動也不動，像是一座化石。他也看到了廳裡其他的人，小燕子、晴兒、福晉、福倫都哭成一團。福晉哭得上氣不接下氣，完全無法置信的說：

『爲什麼發生這樣的事？爾康……他是我的命根呀！他是這個家的重心呀，他走了，要東兒怎麼辦？我年紀大了，遲早也是一伸腿，跟著去了！但是，東兒還小，他需要阿瑪，需要爾康陪著他長大，教他學問，教他騎馬射箭呀……』

福倫老淚縱橫的對福晉吼著：

『不要再說了！我的孫兒，再也不許練武！練好了武功，成了武將，生生死死，就再也不是自己能夠控制的！』說著，就自責起來：『我應該自告奮勇，堅持由我去打仗，我死不足惜，爾康還這麼年輕……』他搥胸頓足：『我爲什麼要讓他去？』

小燕子哭著，在紫薇、福晉、福倫之間跑來跑去，試圖安慰每一個人，但是，自己哭得比任何人都慘，幾乎語不成聲：

『紫薇，妳怎麼不說話，也不哭呢？妳抱著我哭，大哭一場，妳就會心裡舒服一點……妳哭，我陪妳哭……嗚嗚……我們的爾康，他總是帶頭的一個，他最會出主意，他永遠有信心，有活力……他怎麼可以死？嗚嗚……』她撲到福晉身邊去，安慰人的她，也需要人安慰，她痛哭著喊：『伯母，伯母……』

福晉就摟著小燕子，兩人抱頭痛哭。

爾康驚怔的看著，什麼？難道他已經死了？爲什麼會這樣？他不太明白發生了什麼，不太明白自己怎會回家？看到這樣悽慘的情況，他的『心』，如果魂魄也有『心』的話，這顆心跟著碎了。他知道自己這樣『飄』回家，有些不尋常。隱隱約約的明白，大概自己死了，或者，即將死了。現在的他，只是『魂魄』而已！他愴然的走到房間正中，看看了無生氣的紫薇，看看哭成一團的福晉、小燕子、晴兒、和福倫，一急之下，顧不得自己是鬼是魂，只想安慰每一個人，他上前急促的說：

『你們不要這麼傷心，好嗎？我雖然走了，我的魂魄還在這兒，我和你們都緊密的生活在一起！阿瑪，額娘，不要哭！』

沒有任何人看到他，也沒有人注意他，房裡依舊愁雲慘霧。

紫薇不動，不哭，也不說話，整個人好像進入一種全然麻木的狀態。晴兒守在她身邊，搖著她，喊著她，自己也是淚如雨下：

『紫薇！紫薇……妳不要嚇我，妳說話呀！妳已經一整天，一句話都沒有說過……紫薇……沒有了爾康，妳還有我，有小燕子，有永琪，有妳的阿瑪額娘，還有妳的皇阿瑪……我們都會陪著妳，跟妳一起度過以後的日子，妳有我們每一個啊！還有……還有……妳的東兒啊！』

紫薇依舊不動不哭，眼神空洞。

爾康看著這一切，越聽越悽慘。忍不住喊：

『紫薇！妳沒有失去我，我還在！妳看妳看，我還在，我會陪著妳一起面對任何事情，妳不要難過，不要傷心！我記得我的諾言，我會遵守承諾……』

爾康說著，就情急的去扶紫薇的肩，誰知，竟扶了一個空，自己的身子，穿過紫薇，掠到後面去了。他大驚之下，這才眞正瞭解，他只有魂魄，沒有軀體。頓時，一陣茫然和無助把他打倒了，他不知道，一個『魂魄』還有什麼用？他還沒適應當魂魄的日子，只能呆呆的站在那兒，悽悽惶惶的看著紫薇。

這時，福晉注意到紫薇的失常了，哭著奔過來，把她一把抱住，痛哭著說：

『紫薇啊！在這人世間，只有妳對爾康的感情，可以和我的愛相提並論，我知道妳有多痛，因爲我也一樣的痛啊！上蒼對我們婆媳二人，實在太殘忍了！祂怎麼忍心剝奪我們的爾康？紫薇……和額娘一起哭吧！』

紫薇被眾人搖得東倒西歪，卻依然不動也不說話，臉色慘白如死，直到聽到福晉的話，眼角才掛下一滴淚，身子仍然僵著。

小燕子和晴兒，一邊一個，搖著她，小燕子哭著喊：

『紫薇！大聲哭出來吧！我知道妳想哭，我知道妳想大叫，我知道妳恨不得把老天給殺了……妳要做什麼就做什麼，不要讓自己這樣憋著……求求妳呀……』

晴兒抓著紫薇的手，哭著哀求：

『紫薇，我們大家雖然微不足道，但是，妳還有東兒！他是爾康生命的延續，爲了他，妳一定要勇敢，要振作！』她回頭喊：『奶娘！趕快把東兒抱過來！讓他跟額娘說話！』現在，恐怕只有東兒，才能讓紫薇稍減哀痛吧！

奶娘抱著東兒走了過來。落淚喊：

『東兒來了！東兒……趕快跟額娘說，額娘，東兒要妳！東兒愛妳！』

東兒看著哭成一團的眾人，早就嚇傻了，這時，伸出小手，去摸著紫薇的淚。

『額娘哭哭……』東兒又去摸福晉的淚：『奶奶也哭哭……』東兒再去摸小燕子的淚：『姨姨也哭哭……』小嘴一癟：『東兒也哭哭……』說著，就『哇』的一聲，痛哭起來。

爾康看得熱淚盈眶。

晴兒把東兒塞進紫薇懷裡。悲切的說：

『看看東兒！他長得跟爾康一模一樣，他是妳和爾康這場感情的見證，他是妳未來的希望，抱著他，抱緊他！』

福晉更是淚落如雨了，啜泣著喊：

『紫薇，讓我們祖孫三代，同聲一哭吧！』

紫薇終於被東兒驚動了，她看著東兒，忽然從椅子裡跳了起來，大喊：

『抱走他！抱走他！我不要見到他……沒有爾康，什麼都沒有了！我不要在孩子身上，去找爾康的影子！我不要爾康生命的延續！我不要在東兒身上找希望，沒有爾康，哪有希望？我沒有希望！爾康答應過我，他會對我和東兒負責任，他怎麼可以不守信用？他這樣走了，我不會原諒他！我今生今世都不原諒他，我來生來世也不原諒他！我恨他恨他恨他恨他……』

爾康一直站在那兒，聽到紫薇這樣強烈的呼喊，越聽越慘，越聽越驚。這時，再也忍不住，痛喊出聲：

『紫薇！不要恨我，我不能帶著妳的恨離開，妳不能恨我，更不能趕走東兒！妳愛東兒，他是我們兩個的骨肉，妳怎麼可以趕走東兒！抱住他！抱住他……』

爾康一面喊，一面激動的把東兒往紫薇懷裡推。但是，他那裡推得到東兒，他的身子，穿越了東兒，穿越了紫薇，又掠到後面去了。他傻傻的站在那兒，整個人都驚怔著。『我只有魂魄，我沒有形體，他們都感覺不到我，我要怎麼辦？』他忽然明白，他的生命已將結束，或者，正在結束。但是，他的愛，不會結束，永遠不會結束。可是，他如何讓紫薇明白，他的愛不會結束呢？

只見奶娘趕緊把東兒抱走。

福晉張著手，把紫薇一把抱住，擁在懷裡，痛哭著說：

『紫薇啊！如果恨能夠把他叫回來，我們就一起恨他吧！他丟下的，不止妳和東兒，還有我們兩老呀！』

福倫看到這兒，老淚更是瘋狂的掉下，拭淚長嘆：

『人間，還有比這個更慘的事嗎？爾康，這麼多人愛你，需要你……你怎麼可以走呢？』

一屋子的人，這個也哭，那個也哭，眞是慘絕人寰。紫薇仆在福晉肩上，依然無淚，一臉的凄絕。

爾康看著這一切，心底在強烈的吶喊：

『我不走我不走……這麼多人愛我，牽掛我，需要我……我沒有資格走！我不走……紫薇，不要恨我……不要恨我……』

爾康忽然覺得，自己的身子，在被一個很大的力量拉扯著，他身不由己的飛出了那間房間，看不到他的紫薇，他的額娘，他的阿瑪，他的東兒……他大急，喊著：

『紫薇……不要恨我……我不走……我不能走……紫薇……』

爾康斷斷續續的喊著，感到自己像是從雲端往下墜落、墜落、墜落、墜落……墜落到一間完全陌生的房間裡，墜落到一堆綾羅錦緞的床上，墜落到一個殘破的軀殼裡去了。

這個軀殼，正躺在緬甸皇宮裡。這是一間充滿異國情調的臥室，房裡金碧輝煌，到處都是燈火，香煙繚繞。他身上穿著緬甸人的服裝，頭上的包紮換成了緬甸的頭巾，額上有一道傷痕，手腳仍然密密麻麻的包紮著……這個軀殼很痛，到處都痛，他忍不住痛楚的呻吟，他的魂魄和他的軀殼，分別在呼喚：

『紫薇……不……要……恨我……痛……痛……好痛……』

慕沙帶著宮女蘭花、桂花正在搗藥，巫師和大夫都圍在旁邊觀察，配藥。聽到爾康的呻吟，慕沙著急的問：

『大夫，你們兩個怎麼治的？不是九味藥都配全了嗎？怎麼還是一點起色都沒有？他很痛，你們給他止痛呀！』

大夫把搗好的藥拿了過來：

『這個銀硃粉裡有罌粟花的種子，對止痛很有效，不過，如果將來治好了，他一輩子都離不開這種藥！』

爾康在枕上掙扎著，好像被烈火烤著一樣。他要回去，他要去跟紫薇說清楚……

『紫……紫……薇……薇……薇……』他的軀殼，發出顫抖的聲音。

慕沙搶過藥來：

『怎麼吃？就這樣吃嗎？我不管他將來怎樣，現在，先得把他的命救過來，才談得到將來！只要能救命，你們把所有的藥都拿來……反正已經這樣了，試一樣算一樣，最壞就是死！』

『是是是！不能這樣吃，我還得調配！』

大夫配藥，慕沙就走到床邊，坐在床沿上，對爾康堅決的說：

『駙馬！我這樣大費工夫，佈置你的死亡，騙過清軍，把你帶到緬甸來！又這樣拚了命救你，你爭點氣，不要死掉！只要你活過來，你的生命就重新開始，沒有過去，沒有大清，沒有你口口聲聲喊的紫紫薇薇！你會活得很快樂，不過，你一定要先活過來！』

爾康昏迷著，掙扎在生死邊緣。他的魂魄拚命想掙脫他的軀殼，飛回紫薇身邊去。他嘴裡喃喃不清的低喊：

『紫……紫……薇……薇……不……不……要……要……恨……恨……恨……我……我來了！我來找妳……我來了！』

紫薇不在房裡，她在幽幽谷。

她坐在水邊哭，身上堆著許多花瓣，手裡也握著許多花瓣。她一邊哭，一邊把花一瓣一瓣的撒進水裡。說：

『爾康，在家裡我沒辦法哭，這兒，是我們兩個的天地，只有在這兒，我才能好好的哭一場！還記得以前，我在這裡撒花瓣的情形嗎？我又在這兒撒花瓣了，我讓這些花瓣，變成一條條的小船，它們會飄到你的身邊，告訴你，我有多麼想你！』

水面的花瓣，一片一片，順水而下，如詩如夢。紫薇看著那些花瓣，繼續說：

『爾康，大家要我節哀順變，我怎能節哀順變呢？失去了你，那不是一個「哀」字，那是徹底的「絕望」呀！失去你，那也不是一個「變」字，而是徹底的「空虛」呀！我不知道沒有你的日子，我這個人，還有什麼意義？爾康，不管你在那兒，我的小船會飄向你，看到了小船，請你記得回家的路……我在等你！我還要等多久呢？』她抬眼看著四周：『這是我們的幽幽谷，你記得嗎？』

紫薇這樣的呼喚，這樣的低語，這樣的淚……爾康怎麼能夠抗拒這樣的呼喚？他終於掙脫了那個討

厭的軀殼，向著紫薇飛去！紫薇，我向妳飛，儘管旅途中，有著痛和淚，我向妳飛！他飛到了幽幽谷，

他拚命的喊著：

『紫薇……紫薇……紫薇……』

紫薇一凜，隱隱約約中，爾康的喊聲隨風而至，她不禁凝神細聽。忽然，她聽到馬蹄答答，好像看到爾康騎著馬，正向幽幽谷疾馳。好像聽到他的聲音在喊：

『紫薇……紫薇……紫薇……我來了！我回來了！』

紫薇驚愕著，不相信的循聲看去。驀然間，他看到爾康了，他騎著馬出現。

『紫薇！我是爾康啊！我回來了！』

紫薇目瞪口呆，看著爾康騎馬奔來的身影。爾康也看到她了，大喊：

『紫薇！』他滾鞍下馬，拚命的喊：『紫薇……』

紫薇狂喜的跳起身子，手裡的花瓣一撒，隨風四散，她就向著他飛奔。他張開雙臂，也向著她飛奔。兩人終於奔到了一起，緊緊的擁抱。這次，爾康沒有抱一個空，他的手臂裡，確確實實抱著紫薇！

紫薇又哭又笑的喊：

『我不相信，我眞的不相信，這樣的情形，以前曾經發生過，在我最絕望的時候，你出現了！現在，你又出現了……這是眞實的你，還是我幻想中的你呢？這是眞的幽幽谷，還是我夢裡的幽幽谷呢？』

是眞？是幻？是夢？爾康也不知道。他緊擁著她，生怕轉眼間，又會抱一個空。生怕轉眼間，自己又會墜落到別的地方去。魂兮夢兮？眞兮幻兮？唯一可以確定的，是他愛她，他要她，不論生或死！他急切的含淚說：

『我答應過妳，我會守著妳！紫薇，不管天上人間，我都會守著妳！妳哭，我跟妳一起哭，妳笑，

我跟妳一起笑！我是妳永遠的爾康！穿越了時間空間，穿越了生和死，我永遠在妳身邊！』

紫薇害怕的，顫聲說：

『你說得好奇怪啊！什麼穿越時間空間，什麼穿越生和死，我不要你穿越，我要你眞眞實實的在我身邊，我要你牢牢的抱著我！』

『是！現在，我不是牢牢的抱住妳了嗎？』他加重了手臂的力量，心裡在哀號，讓我抱著她！讓我抱緊她！讓我不要消失！

紫薇又急忙推開他一些，去看他的臉孔。

『你有沒有受傷？你好好的嗎？你的手、你的腳，都好好的嗎？讓我看看你！』

『是！妳看妳看，都好好的！』

紫薇就含淚打量他，他也含淚看著她。她就慢慢的伸手，仔細的撫摸著他的額頭、面頰，鼻子，和嘴唇。他抓住她的手吻著，淚水落在她的手背上。

紫薇喜極而泣了：

『你眞的回來了！我就知道你不會辜負我！你的承諾一直在我耳邊響著，儘管所有的人，都說你走了，我仍然相信你會回來！』

『相信妳所相信的！相信妳所看見的！我不管身在何方，我的心和魂魄，一定守在你的身邊！紫薇……還記得我們面對東兒的生死關頭嗎？那個孩子，是我們兩個的生命，凝聚著我們兩個的愛！爲了我，好好的愛東兒，好好的愛自己！要不然，我會心神不安，魂無所歸！生不能生，死不能死！』

紫薇大吃一驚，她的心抽痛起來：

『爾康……你爲什麼這樣說？』

爾康覺得，那個『大力量』又在拉扯著自己，要把他從她身邊拉開。他惶急的，悽楚的叮嚀：

『記住我的話，我……要走了！』他抱不住她，身子往後退去。

『你要去那裡？你不是說，你回來了嗎……』紫薇感到他鬆了手，看到他的身子向後退，慘切的呼號：『你不可以走……爾康……爾康……』

爾康一躍上馬，馬兒疾馳而去。紫薇跌跌撞撞，開始追馬。狂喊著：

『爾康……爾康……爾康……爾康……』

紫薇喊著喊著，覺得自己砰然一聲，摔落在地上。這一震，就把她震醒了，那兒有爾康？她正從椅子上跌到地上。

小燕子和晴兒，撲奔過去，趕快把她扶了起來。晴兒說：

『紫薇！妳怎麼摔到地上去了？不要一直坐在這張椅子裡，去床上躺著，好不好？』

『我和晴兒，都在這兒陪妳！我們擠一張床，我們兩個陪妳睡！』小燕子說。

紫薇茫然四顧，只見臥室裡一燈熒然。她顫抖著，神思恍惚的說：

『我不是在幽幽谷嗎？我怎麼會在房間裡？爲什麼點著燈？現在是晚上？爾康呢？爾康在那裡？他不是回來了嗎？』

爾康的確在房裡，怎麼進的房，他也不知道。他滿臉憂懼的看著紫薇，走到了她的身邊，不管她聽得說還是聽不見，沉痛的說：

『紫薇，妳這麼強烈的呼喚，我走不了！妳的魂魄在幽幽谷，我跟著妳去幽幽谷，妳回了家，我也跟著妳回家……妳看到我了嗎？』他伸手去摸她的頭髮，摸了一個空。

沒有人看到爾康。

小燕子和晴兒，憂懼的互視了一眼。小燕子就再也忍受不了，抓著紫薇的雙肩，一陣猛烈的搖撼，喊著說：

『不要這個樣子……接受事實吧！爾康已經離開我們了，他死了，不會回來了！但是，紫薇，妳還活著呀！』

死了？是的，死了！爾康悽然的佇立。

晴兒哀求的喊著紫薇：

『紫薇，如果爾康死而有知，一定會為妳這個樣子，心痛得不得了……妳讓他沒有牽掛的安息吧！把妳對爾康的思念，全部轉移給東兒吧！』

紫薇聽到小燕子和晴兒這樣的呼喊，眼前，浮起夢裡爾康的臉。耳邊，響起他的聲音：

『為了我，好好的愛東兒，好好的愛自己！要不然，我心神不安，魂無所歸！生不能生，死不能死！』

紫薇乍然劇痛，放聲狂叫：

『不！不！不！不要！爾康……不能這樣，我不接受，我絕對不能接受！你心神不安也好，你魂無所歸也好……什麼生不能生，死不能死……那不是你，那是我！你把我陷進這樣絕望的深淵裡，然後你就逃走了嗎？我不要！我恨你恨你恨你恨你恨你……你這樣待我，我怎麼能夠不恨你？我恨你恨你恨你恨你……』

爾康痛楚無比的聽著，悲切的說：

『我不逃走……我不逃走，但是，我只剩下魂魄了，轉眼間，魂魄也會消失……我怎麼辦？妳這個樣子，我怎能安心的走？我不能代妳痛，不能代妳傷心，妳要我怎麼辦？』

沒有人聽到他的吶喊，也沒有人看到他。

小燕子和晴兒，趕緊摟著紫薇，兩人都淚落如雨。晴兒著急的說：

『妳在說些什麼？什麼魂無所歸？妳是不是生病了？讓太醫進來診治一下，開個方子吃點藥，妳需要睡覺，妳已經幾天沒睡了！如果妳再倒下，妳要伯父和伯母，怎麼承擔呢？』

紫薇看著四周，神思縹緲。作夢似的說：

『他聽得到我，他看得到我……』

『是！是！是！』爾康急忙站在紫薇身前：『我聽得到，我看得到！』他雙手去抓紫薇的手，又抓了一個空。

小燕子看到紫薇這個樣子，害怕極了，喊著：

『紫薇，妳不要這樣子，妳醒醒呀！』

『他說，不管他在那兒，天上人間，他都守著我！』她伸手對虛空中抓去，什麼都抓不到，大痛。喊著：『他騙我騙我騙我！他不在，他那兒都不在！我抓不到他……什麼天上人間，都是騙人的鬼話！』她一手握住小燕子，一手握住晴兒，痛定思痛，慘切的說：『小燕子，晴兒……沒有幽幽谷，沒有爾康，沒有花瓣和小船……原來，那都是我的幻想，是夢裡的爾康，夢裡的幽幽谷……』

爾康悽然的看著她，聽著她，無助已極。心裡在吶喊著，紫薇，夢也是眞，眞也是夢，我與妳共有一個夢啊！

晴兒和小燕子，睜大眼睛看著紫薇，除了跟著心碎，簡直不知道要說什麼才好。

這時，房門開了，福晉和奶娘，抱著東兒進房來。福晉含著淚，哽咽的說：

『紫薇，東兒一直哭著要娘，我和奶娘都沒辦法讓他安靜……這幾天，他也嚇壞了，在這種時候，只有額娘的懷抱，才能安慰他……』

福晉一邊說，一邊牽著東兒，把東兒的小手放進紫薇手中。東兒哭著喊：

『額娘……額娘……東兒要跟額娘一起睡……』

紫薇一動也不動，瞅著東兒。當東兒的手，拉住了她的手，她忽然像觸電般跳了起來。激動的喊：

『帶走他！帶走他！他不能替代爾康，他不能擠走爾康的位置……現在，我懂了，我把太多時間花在他身上，我疏忽了爾康！現在，沒有爾康，我不能面對這個孩子……帶走他！帶走他！我不要看到他，我不要讓爾康覺得，有了東兒，我就有了一切……東兒不是一切！爾康加東兒，才是一切……只有東兒，那叫「破碎」，我不要「破碎」，我要爾康……』

紫薇一面叫，一面推開東兒，東兒嚇得大哭起來。

爾康大震，撲上前來，把東兒拚命向紫薇推去。痛喊：

『不可以！不可以！妳不可以不要東兒，這太慘了！太慘太慘了！』

東兒穿過了爾康，跌落在地，放聲大哭。福晉又驚又痛，趕緊抱起東兒，和奶娘逃出門去。福晉邊跑邊喊：『我怎麼辦？爾康死了，紫薇瘋了！那有母親不要親生的兒子呢？』

眼看福晉奶娘帶著東兒出奪門而去，晴兒和小燕子面面相覷，驚痛得無以復加。

在一旁看著的爾康，也驚痛得無以復加。忍不住徬徨的吶喊：

『我的形體在那兒呢？我不要死，我不能死！這樣的我，還能做什麼？紫薇，我在、在、在！』

是的，他的形體依舊存在。一番痛楚的掙扎後，他再度從高高的天上，突然下墜，掉回到他的軀殼裡。他從床上一驚坐起，啞聲的嚷著：『紫薇，我在！我在！』

慕沙看到爾康坐起身子，又驚又喜，大喊：『大夫！他坐起來了！他醒了！』

豈料，爾康『砰』的一聲，又跌回床上，躺著不動了。慕沙急喊：

『大夫！快救他，他又厥過去了！』

大夫衝到床前，招呼著兩個宮女：

『蘭花！桂花！趕快來幫忙！把「銀硃粉」拿來！』

蘭花桂花奔來，一個壓住爾康，一個強迫的捏住他的下巴，讓他張嘴。大夫就把一包藥粉倒進他嘴裡，再用藥汁灌進他嘴裡。躺在床上的爾康，身子顫抖著，藥汁進去一半，流掉一半，臉色慘白如死。

大夫搖搖頭，說：

『八公主，這個「銀硃粉」可能用得太多了，他的發抖和這味藥有關，這藥本身就有毒，用多了，他也活不成！再說，這一小包「銀硃粉」，要幾百棵罌粟才能做出來，很名貴的！他已經吃了好多，還是半死不活，要不要放棄算了？』

『不放棄！我絕不放棄！要用多少「銀硃粉」我不管！你儘管配來！』慕沙堅決的喊，眼前，浮起的不是這個不死不活的爾康，而是在戰場捉住她，又放了她的爾康！那個英姿颯颯，風度翩翩，不許她自盡的爾康！那個駙馬，像天際雲端的一匹駿馬，馳騁在雲裡，馳騁在風裡，也馳騁在她情竇初開的夢裡！

床上的爾康，顫抖過去了，額上冷汗涔涔。神志不清的囈語著：

『生不能生，死不能死……心神不安，魂無所歸……』

慕沙撲在床前，閃亮的眸子，一瞬也不瞬的看著他。

『你在說什麼？我聽不懂！』她笑著，充滿信心的說：『但是，你可以說話了！只要你能說話，大概就有希望了！』

這時，房門一開，猛白大步進房來。看了爾康一眼，就氣沖沖的喊：

『慕沙！妳還要浪費多少時間在這個駙馬身上？妳看看他，瘦得像個猴子，半死不活……我們緬甸英雄多得很，妳爲什麼認定一匹「死馬」呢？』

『爹，我救了這麼久，你就讓我救嘛！好不容易，他已經會說話了，有希望了！』慕沙振奮的看著猛白。

『會說話了？』猛白一怔：『我從來沒有看過傷得那麼重，還能救活的人！他說什麼話？』

爾康確實在說話，他直著眼睛，低語著：

『紫薇，等我，我會找到路……我來了！』說完，他的眼睛一閉，頭一歪，動也不動了。

『什麼會說話了？』猛白驚喊：『那是迴光返照！死啦！』

『死了？』慕沙急撲到床前，大叫：『大夫！大夫……』

『我沒辦法了，讓巫師接手吧！』大夫投降了。

『巫師！巫師……』慕沙又大叫：『快想辦法！』

一直在旁邊觀望的巫師一步上前，說：『是！我來！』

巫師手裡拿著一根長管的煙管，點燃了煙，吸了一口，對著爾康噴去。然後，他就跑到窗前去，那兒有一個供桌，上面供著各色鮮果，他就用緬甸話，爲爾康喊魂：

『駙馬的魂魄啊！你不要在外面飄飄蕩蕩了，外面太陽會晒你，大風會吹你，野狼會咬你……天黑的時候，夜貓子會吵你……你趕快回來吧……』

爾康就這樣一動也不動的，躺在煙霧騰騰中。

43

乾隆三十一年二月十一日。

乾隆一早，就帶著福倫和小燕子，還有文武百官，親自策馬到北京城外的郊道上，迎接凱旋歸來的永琪。早在三天前，快馬傳書就帶來永琪回京的確切時間，所以，大家已經期待很久了。乾隆在華蓋遮陽下，群臣簇擁下，佇立遠眺。小燕子騎著馬，站在一旁，伸長脖子看。即將看到永琪，她滿心期盼，但是失去了爾康，她滿懷悲慘。在這等待的一刻，心裡已經像滾燙的沸油，煎煎熬熬，熱血沸騰。福倫跟在乾隆身邊，也在佇立遠眺，眼裡，一直強忍著淚。

只見前面，煙塵滾滾，旗幟飄飄，大隊人馬，正浩浩蕩蕩而來。

小燕子一指，驚喜交集的喊：

『皇阿瑪！他們來了！』

是，永琪歸來了！他風塵僕僕的騎著馬，近鄉情怯，心裡悲苦而悽涼。傅恆也騎著馬，神情肅穆的走在他旁邊。後面，許多全身縞素的士兵，簇擁著爾康的靈車，一路的撒著紙錢，哀悽的跟著大軍出現了。

『回來了，』乾隆悲喜交集的喊：『總算回來了，這一去，足足大半年！』

福倫含著淚一語不發。

小燕子遠遠的看到永琪，再也忍不住了，喊：

『皇阿瑪！我可不可以「飛奔」上去，迎接他們？』

乾隆看了小燕子一眼，點點頭說：

『既然都把妳帶來了，也不在乎規矩了！去吧！「飛奔」過去吧！』

小燕子就一拉馬韁，向前飛奔。並且，放聲大叫：

『永琪……永琪！永琪……』

永琪聽到小燕子的喊聲，看到那疾馳而來的身影，心臟狂跳，悲喜交集。大喊：

『小燕子！』

永琪一拉馬韁，也向小燕子飛奔。兩匹快馬，就在眾目睽睽下，飛奔向彼此。兩人都情不自禁的喊著對方的名字。此情此景，早在夢中重複過幾千幾萬次！兩匹馬越奔越近，越奔越近，越奔越近……終於相遇。兩人勒住馬，喘息著，含淚彼此注視，恍如隔世。永琪終於開口了：

『小燕子，又見到妳了！好不容易！』

小燕子心頭一熱，淚水立刻濛住了視線，激動的喊：

『我完了！我準備了一肚子的話，都不見了！你知道嗎？三天前，我們就算準你今天要回來，我去求皇阿瑪，要他帶我來接你，皇阿瑪居然答應了。我一連三個晚上都沒睡，一直想一直想，見到了你，我要說一點特別的話，像是「山無稜，天地合」那種，讓你驚喜一下！我真的準備了，誰知道，現在全部忘了！』

重新聽到小燕子的嘰嘰喳喳，重新看到這張充滿活力的臉龐，再加上她眼中那閃亮的淚光……他忍不住喉中梗塞，眼中，也被淚霧所迷糊了。

『這就是我聽到的，最有意義，最難忘的一篇話！』他伸手握住她的手，握得好緊好緊。『小燕子，我好想妳！』

『我也是，我也是！』她用袖子拭了拭淚：『我天天想你，有一次鬧著要上前線找你，還被皇阿瑪大罵過一場！』

他更緊的握著她，深深的凝視她。

『我猜妳有很多話要告訴我，我也有好多話要告訴妳！我們慢慢談！』他嚥了口氣：『能夠再度握住妳的手……我……』他的聲音顫抖著：『人生，還有什麼可求的？尤其經過爾康的死……』他四面看看，顫聲問：『紫薇呢？來了沒有？』

『她不能來，她病了……她好慘，自從收到爾康去世的消息，她就像個死人一樣……我和晴兒想盡辦法，也叫不醒她。最慘的是，她居然不要東兒了，她完全失去理智了，我們不敢讓她來接，但是，福伯父來了！』她看了看爾康的棺木，指了指問：『那是……』

『是爾康，我把他從幾千里以外，帶回來了！』

兩人相對凝視，淚珠都在眼眶裡打轉。

『我該去見皇阿瑪了！』永琪說。

這時，大隊人馬已經走近，兩人就騎馬奔向乾隆。永琪一見乾隆和福倫，就滾鞍下馬，一跪落地。

『皇阿瑪！兒臣該死！』

乾隆身不由己，伸手扶起永琪。充滿感情的說：

『起來！永琪，我知道你已經盡力了！打了勝仗，收復失地，把緬甸人趕出了我們的國土，你建立了大大的功勳，朕決定封你爲王！在朕現在的兒子中，你是第一個封王的！至於爾康，他英勇捐軀，朕要封他爲貝子！』

乾隆說話間，大隊人馬，已到眼前，全部停止。傅恆帶著眾武將，下馬行禮。

『臣傅恆叩見皇上，皇上萬歲萬歲萬萬歲！』

所有文武百官，和士兵們，就同聲高呼。聲震四野：

『征南將軍，凱旋歸來，五阿哥勝利！傅將軍勝利！皇上萬歲萬歲萬萬歲！』

『起來起來！傅恆免禮！』乾隆說。

眾人起身，福倫已經忍不住了，奔到爾康的靈柩前，撫棺痛哭。忘形的喊：

『爾康！爾康……爾康！你的魂也跟著回來了吧？沒想到今天，要讓我白髮人送你黑髮人！』

是，爾康的魂魄，也跟著回來了，只是沒有任何人看得見這個『魂魄』。

乾隆眼中，驀然充淚，走上前去，伸手摸著靈柩。對靈柩說：

『爾康，你好好的安息吧！你的阿瑪額娘，你的紫薇東兒，朕都會幫你照顧！他們是朕和永琪的事了！』

永琪和小燕子，站在一邊掉淚，文武百官和士兵，個個拭淚了。

福倫勉強壓制了悲痛，一邊拭淚，一邊顫巍巍的起立，對乾隆說：

『皇上，請允許臣把爾康的靈柩，帶回學士府！』

乾隆含淚點頭。永琪就往前一邁步，說：

『皇阿瑪！請允許我送爾康回家！』

『還有我，我也要送爾康回家！』小燕子跟著說。

『好！』乾隆頷首拭淚：『你們兩個，就代替皇阿瑪，送他回家吧！』

於是，福倫、小燕子、永琪上馬，帶著靈車往前走。

乾隆帶著文武百官，肅立目送著。

學士府中，早已一片悲慘。渾身素服的家丁、丫頭都跪在院落裡，等待著爾康的靈柩。永琪、福倫、小燕子走進院子，福晉帶著披麻帶孝的東兒，站在那兒等候，福晉早就哭成了淚人。小東兒還不知道發生了什麼，見到人人都哭，也跟著掉淚。

兩個渾身素服的士兵，一個手捧爾康的盔甲，一個手捧爾康的寶劍，走在前面，後面緊跟著由士兵抬著的靈柩，在紙錢飛撒中，進了院子。眾家丁、丫頭看到靈柩，立刻放聲痛哭，喊著：

『大少爺！大少爺！大少爺……』

福晉一見靈柩，就撲奔過來，痛哭失聲。

『爾康！爾康！』福晉伏在靈柩上，搥著棺木：『你怎麼可以這樣一走了之？老的老，小的小，還有你最愛的紫薇，你都不要了嗎？爾康……狠心的爾康，不孝的爾康啊！』

這麼慘痛的呼喚，超越了時空，超越了生死，直達爾康的心魂。他飄飄蕩蕩的進門，默然佇立，悽悽惶惶的看著眾人。

福倫老淚縱橫，走過去扶起福晉。小燕子哭得唏哩嘩啦。

永琪含淚上前，對著福倫福晉一跪。啞聲說：

『伯父伯母！永琪向你們請罪！請原諒我，來不及救爾康！』

福晉淚眼看永琪，趕緊把他拉起來，泣不成聲。

『五阿哥……五阿哥……這不能怪你……我們都知道，你跟我們一樣痛心啊！』

奶娘牽著東兒，在旁邊掉淚。東兒很害怕，把小臉躲進奶娘懷裡。小燕子看到東兒，更加傷心，走過去拉東兒的手，蹲下身子說：

『東兒，來跟你阿瑪說兩句話！』

東兒拚命往奶娘懷裡鑽，抗拒的喊：

『沒有阿瑪！那裡有阿瑪？』

爾康哀傷的看著。東兒，我在！你雖然看不到我，但是，我在呀！

福晉、福倫聽到東兒這麼說，更是泣不成聲。

這時，紫薇渾身縞素，衝了出來，見到靈柩，她就整個呆住了。眾人全部鴉雀無聲的看著她。只見她一瞬也不瞬的瞪著靈柩，半晌，動也不動。爾康看到紫薇，就跟著她一起『心碎』了。紫薇，妳不要害怕，那裡面躺的不是我！他焦灼的，急切的想把自己的思想和意識，傳達到她心裡去。

永琪一見紫薇，整顆心都揪在一起，說不出來有多痛。他走到她面前，含淚看著她。半晌，才鼓起勇氣，顫聲的說：

『紫薇，從前線到這裡，我們在路上走了一個多月，我每天都在想，我要怎麼跟妳說？現在，終於面對了妳，我……什麼話都說不出來，只有一句……』他掏自肺腑的，沉重的說了三個字：『對不起！』

紫薇抬起眼睛，直勾勾的看著永琪，再看看那具靈柩。問：

『那是什麼？』

永琪驚愕的說：

『是爾康啊！我不能把他留在雲南，我把他帶回來了！』

『打開它！』紫薇定定的說。

眾人全部一驚。

『什麼？』永琪問。

紫薇衝到靈柩前，推著棺蓋。大喊：

『打開它！我不相信爾康在裡面！這不是爾康！』

永琪追過來，著急的喊：

『紫薇，不要開棺，千萬不要！我們在路上就走了一個多月，裡面可能已經只有一堆白骨，妳要證明什麼呢？紫薇，對不起，對不起……我親眼看到爾康中箭，當他倒下的時候，緬甸軍隊的刀、劍、戰斧都對他砍過去……我們找到他的時候，他已經面目全非了，唯一安慰的，大概他走得很快，沒有痛苦太久……』

永琪這篇話，更讓所有的人，聽得心驚膽戰，淚落如雨。

紫薇撲在靈柩上，開始瘋狂般的搥棺大喊：

『我要打開它！我不相信爾康在裡面！他一定不在裡面！我要親眼看到才能相信……爾康不會這樣對我，他不能這樣對我……打開打開它，如果是爾康的白骨，有什麼可怕？他化爲白骨、化爲灰塵、化爲煙霧……都是我的爾康呀！打開打開打開……打開它！』

『好！』福倫含淚喊：『大家幫忙，我們打開它！紫薇說的對，爾康的白骨，我們怕什麼？開棺！』

眾士兵就上前，敲的敲，打的打，弄鬆了門頭。

奶娘趕緊蒙住東兒的眼睛。福晉、福倫、紫薇、小燕子、永琪都站在棺木旁邊。家丁、丫頭、士兵等人圍繞。

棺木赫然打開，棺蓋移開了。

大家都圍了過去，只見一堆白骨，穿著爾康的官服。在白骨胸前，醒目的放著紫薇做的『同心護身符』。那護身符的紅色同心結，顏色依舊鮮艷。永琪看著呆若木雞的紫薇，悲切的解釋：

『這個護身符，是我親自從他脖子上取下來，再放到他身上去的！還有他的盔甲，他的劍，都是我親手收拾的！』

紫薇並沒有看到爾康的臉，那張臉，蓋著爾康的官帽，根本看不到什麼。她一眼看到的，是這個『同心護身符』，以她對爾康的知心和瞭解，她深深明白，爾康和這個同心護身符，是『生死不離』的！她的祝福，她的愛，她的心……全在這同心結裡！爾康至死，也不會拋下她的同心結！所以，一看到這個『同心護身符』，紫薇就再也沒有懷疑，而且徹底崩潰了！她發出一聲撕裂般的狂叫：

『爾康……』

她撲上前去，一把抓起那個『同心護身符』。她看著上面的同心結，身子往後退去，一面退，一面對棺木一字一字的痛喊：

『你雖然言而無信，我依舊生死相隨！』

說完，她就握住護身符，一頭向棺木上撞去。眾人大驚，全部驚呼出聲：

『紫薇！格格……』大家喊得心魂俱裂。

站在一邊的爾康，情急的往前一撲，沒有形體的他，那兒阻止得了紫薇。幸好永琪和小燕子，早就膽戰心驚的防備著，這時，永琪身子一擋，紫薇就撞在永琪身上。小燕子更像箭一般的衝上前去，一把抱住她。但是，紫薇居然力大無比，掙脫了小燕子，再度對棺木撞去，小燕子哭著，喊著，撲在紫薇身上，兩人雙雙滾落在地。

『紫薇……』小燕子哭著喊：『我們大家守著妳！不要這樣，請妳，求妳，求求妳……求求妳……』

福晉哭倒在地，拉著紫薇的手。哭喊著：

『紫薇啊……可憐可憐我們兩老，可憐可憐東兒吧！』

東兒嚇得淚流滿面，躲在奶娘的懷裡。

永琪落淚，福倫落淚，丫頭家丁哭成一團。

爾康悽然的看著這一切。我，不走！我，要留在這兒！我，要照顧我的阿瑪額娘，我的東兒，我可憐的、可憐的、可憐的紫薇！但是，我，在那兒呢？

眼看著眾人，架著紫薇，把她拖進房裡去了。爾康悽悽慘慘的跟在後面，也進了房。我，不走！我跟著妳！無論天上，還是人間！

大家把紫薇拉進了臥室，她就筋疲力盡的坐在床緣，神情有如槁木死灰。手裡，緊緊的握著那個同心護身符。小燕子、永琪、福晉都圍繞著她。

爾康知道沒有人能夠看到他，就站在她身前，悲哀的凝視她。

小燕子仆在她身前，痛楚的，急切的說：

『紫薇，這個尋死的念頭，妳一定要打消！妳看看伯母，頭髮都白了，難道，妳要把東兒這個重擔，交給伯父伯母來承擔嗎？妳恨爾康不負責任，丟下你們一走了之！那麼，同樣的事，妳爲什麼要做呢？妳教過我的格言，我都記住了！「己所不欲，勿施於人」！妳，也不要再把這麼大的悲痛，留給伯父伯母吧！』

小燕子一篇話，說得如此有情有理，眾人都感動得唏哩嘩啦。福晉一面哭，一面坐在紫薇身邊，伸手抓住了她的手。說：

『紫薇，妳聽聽，小燕子這篇話，說進我的心坎裡了！我已經失去了爾康，再也沒有力量來承受失去妳……紫薇，自從七年前，妳進了學士府，我待妳就像自己的女兒一樣，等到妳嫁進我們家，再生下東兒，妳就支撐著三代的幸福，是家裡最重要的人！別人家有的婆媳問題，咱們家都沒有！是不是我們家太幸福了，上蒼才要給我們這麼巨大的不幸？奪走了我們的爾康！紫薇，我老了……我眞的承受不了這麼多，妳如果再尋死，我看，不如我先死吧……』福晉越說越痛，說到這兒，不禁掩面痛哭著，站起身就往門外奔去。

爾康一看，大急，衝過去就從後面抱住福晉。忘了自己是魂魄，他痛喊著：

『額娘！爾康該死，給了你們這麼大的悲痛！我對不起你們兩老，我太不孝了！請額娘千萬不要激動……』

爾康一抱，抱了個空，福晉依然對門口奔去。

永琪趕緊一攔，驚喊：

『伯母，妳要幹什麼？』

福晉痛哭著喊：

『我也想撞棺啊！我也想死啊！我要到地下去，問問爾康，他怎麼忍心離開我們？讓我們全家這麼慘……』邊說邊想繞過永琪，要衝出門。

爾康無助的，慘切的看著這一幕。我，要怎麼辦？我怎樣才能讓你們知道，我在這兒呢？我怎樣才能幫助你們，讓你們不要這麼悲痛呢？

小燕子跳起身子，趕緊撲上前來，抱住福晉。喊：

『伯母，不要這樣啊！一個還沒勸好，一個又這樣！』急切中，對門外大叫：『伯父，快來啊！』

福倫跌跌衝衝的跑了進來。含淚喊：

『幹什麼？我總要把爾康的靈堂佈置起來，趕緊挑個日子，讓他入土爲安！你們看他那個樣子，怎麼能再耽擱呢？妳們不要再大呼小叫了，好不好？』他扶著福晉，沉痛至極的說：『別哭了，無論妳怎麼哭，也哭不回爾康了！』

福倫這話一出口，福晉更是淚不可止。永琪見這種慘狀，眼淚也忍不住落下來。走上前去，他含淚說：

『伯父伯母，以後，我是你們的兒子，爾康能做的，我都盡量去做！』他再走到紫薇面前，慘切的說：『紫薇……對不起，我沒有辦法取代爾康，我想，全天下，沒有任何人能夠取代妳心裡的爾康。我這個哥哥，實在該死！辜負了妳的託付，眼看爾康的死，卻無法救他！我也難過得快要死掉，自責得快要瘋掉！但是，紫薇，妳是皇阿瑪的骨肉，愛新覺羅家的人，都是勇敢的！請妳爲了爾康，爲了伯父伯母和東兒，勇敢一點吧！』

紫薇充耳不聞，一直像是泥塑木雕一樣。小燕子又撲了過來，搖著她說：

『紫薇，妳說說話！讓我們大家放心，好不好？』

紫薇終於抬眼看了看小燕子，看了看紛亂的眾人，拿起那個護身符，說：

『同心護身符！他走以前，我用絲線，左纏一道，右纏一道。我一根根纏上去，每纏一圈，說一句「平安」，每纏一根，說一句「保重」！纏好了，我對它說，你幫我保護他，陪著他，跟著他遠走天涯！我想，等到下次這個護身符回到我手裡，就是我和爾康團圓的日子！你們知道嗎？我一直等待重新握住這個護身符的一刻，現在，它回到我手裡了，我握住它了，卻再也沒有團圓的日子……』她說到這兒，聲音小了下去，痴痴的看著護身符，不再說話了。

大家看著如此慘切的紫薇，人人都痛楚著，誰都沒有力氣再去安慰她了。

爾康也痴痴的站在那兒，他凝視紫薇，輕聲的說：

『紫薇，妳的「平安」，妳的「保重」，我都收著！妳千絲萬縷的深情，左纏一道，右纏一道，早已把我牢牢繫住，我沒辦法現身，沒辦法讓妳瞭解我的存在，可是，我看著妳，感覺著妳，陪著妳。死亡也沒有辦法，把我從妳身邊帶走！妳握住了護身符，妳也握住了我！』

爾康說得刻骨銘心，但是，沒有人聽得到他，感覺得到他。

大家依舊陷在巨大的悲傷裡。

（未完待續）

國家圖書館出版品預行編目資料

還珠格格天上人間第三部三之二／ 瓊瑤著．
．．初版．．臺北市；皇冠，2003【民92】
面 ；公分，．．（皇冠叢書；第 3285 種）
〔瓊瑤作品；63〕
ISBN 957-33-1967-5（平裝）
857.7　　92008302

皇冠叢書第3285種
瓊瑤作品 63

還珠格格第三部
天上人間三之二

作　　者—瓊瑤
發 行 人—平鑫濤
出版發行—皇冠文化出版有限公司
台北市敦化北路120巷50號
電話◎2716-8888
郵撥帳號◎1526151~6號
香港星馬—皇冠出版社(香港)有限公司
總 代 理　香港灣仔告士打道80號16樓
電話◎2529-1778　傳真◎2527-0904
出版統籌—盧春旭
編務統籌—金文蕙
美術設計—李顯寧・陳韋宏
行銷企劃—陳凝香
印　　務—林莉莉・林佳燕
校　　對—鮑秀珍・金文蕙・陳惠玉
著作完成日期—2003年4月
初版一刷日期—2003年7月
初版二刷日期—2003年7月
法律顧問—王惠光律師

讀者服務傳真專線◎02-27150507
皇冠文化集團網址◎http：//www.crown.com.tw
電腦編號◎000063
國際書碼◎ISBN957-33-1967-5
Printed in Taiwan
本書定價◎新台幣280元／港幣93元

50 皇冠

50週年 嚴選50

皇冠文化集團 50 週年回饋大抽獎專用回函卡

皇冠邁向50週年，從2003年3月起至2004年2月的一年間，特別嚴選出版50本好書，您只要任選購買二本嚴選好書，剪下書封後摺口上的抽獎專用印花(影印無效)，貼在本專用回函卡上寄回本公司(免貼郵票)，即可參加回饋大抽獎，有機會獨得新台幣50萬元現金及其他數百項獎品！

回函有效期至2004年2月29日截止（郵戳為憑），並將於2004年3月舉行公開抽獎。詳細辦法請密切注意皇冠雜誌和皇冠文化集團網站：www.crown.com.tw。

印花黏貼處	印花黏貼處

讀者資料

姓名：________________ 身分證字號：________________

性別：□男 □女 生日：______年______月______日

學歷：□國小或以下 □國中 □高中職 □大專 □研究所

通訊地址：□□□________________________________

____

聯絡電話：（公）________________分機______（宅）________________

e-mail：________________________________

《還珠格格第三部天上人間

1. 您從何處得知本書？(可複選)

□書店 □宣傳活動 □報章雜誌 □郵購DM □網站

□書評或書介 □親友介紹 □其他：＿＿＿＿＿＿＿＿

2. 您購買本書的動機？(可複選，請以1. 2. 3……排優先序)

□封面 □書名 □內容題材 □作者 □廣告

□系列規劃 □促銷活動 □其他：＿＿＿＿＿＿＿＿

3. 您通常透過哪些管道購書？(可複選)

□書店 □便利商店 □量販店 □網路 □信用卡銀行郵購

□郵購型錄 □劃撥郵購 □團體訂購 □其他：＿＿＿＿＿＿

4. 您對本書的意見：

＿＿＿＿＿＿＿＿＿＿＿＿＿＿＿＿＿＿＿＿

＿＿＿＿＿＿＿＿＿＿＿＿＿＿＿＿＿＿＿＿

＿＿＿＿＿＿＿＿＿＿＿＿＿＿＿＿＿＿＿＿

北區郵政管理局登
記證北台字1648號
免 貼 郵 票

〔限國內讀者使用〕

105

台北市敦化北路120巷50號

皇冠文化出版有限公司　收